사진·고창수

혼자 눈뜨는 아침

이경자 장편소설

혼자 눈뜨는 아침

하

푸른숲

혼자 눈뜨는 아침 〈하〉

첫판 1쇄 펴낸날·1993년 1월 11일/22쇄 펴낸날·1994년 8월 1일
지은이·이경자ⓒ/펴낸이·김혜경/펴낸곳·푸른숲
서울시 서대문구 충정로 3가 270 백왕인쇄문화 4층, 우편번호 120-013
출판등록·1988년 9월 24일 제 11-27호
전화·(편집부)364-8666 (영업부)364-7871〜3/팩시밀리·364-7874

값 5,800원

＊ 잘못된 책은 바꾸어 드립니다.
ISBN 89-7184-016-1 03810

차 례
하

11월

차가 움직이기 시작하자 그리고 이내 속도에 가속이 붙게 되자, 태경은 자신이 얼마나 생각 없는 여자인가를 깨달아야 했다. 이런 때 집을 비운다는 것은 말도 안 되었다. 태경은 자신이 저지르고 있는 어리석은 짓이 싫고, 화가 났다. 그의 마음은 벌써부터 그 자신을 할퀴고 쥐어뜯고 있었다.

오늘, 태경은 눈을 뜨는 순간부터 호준의 기별을 기다렸다. 그날 호준은 곧 다시 전화를 하겠다고 했으며, 그가 말한 '곧'이라는 시간은 흡반처럼 태경의 일상을 삼켰다고나 할까. 태경은 아이들이 학교로 떠난 다음 벽시계가 9시를 넘고 나서부터 온 신경을 전화벨 소리를 기다리는 데 붙잡아 매었다. 설거지를 할 땐 물소리에 전화벨이 파묻히는 것 같아 발작적으로 수돗물을 잠그곤 했다. 급기야 태경은, 집 안을 산속처럼 고요하게 만들었다. 습관으로 켜놓은 FM도 끄고 세탁기 소리도 들리지 않았다. 그리고 10시가 넘고 11시가 되었을 때, 태경은 자신의 상태가 '비정상'이라고… 천천히… 아주 느리게 깨닫기 시작했다. 그러나 이런 자기 점검도 태경을 '정상'으로 돌이키지는 못했다. 정상으로 돌아오기는커녕, 새로운, 또 다른 비정상 상태에 빠져버리는 것이었다. 호준의 전화를 기다리는 일이 비정상이라고 생각하는 것은, 태경에겐 절망이었다. 절망

9

보다는 차라리 비정상 쪽이 나았다.

이럴 때, 수정의 동생이 전화를 했던 것이다. '정 선생님'이 '손을 본' 집을 구경하러 오라는 것이었다. 태경은 한 순간도 망설이지 않았다. 호준의 흔적과 만나고 싶었다. 그의 사람에 대한 생각, 삶에 대한 느낌이 어떻게 나타나 있는지….

그러나 그것이 무슨 소용이랴.

태경이 자신은 집에 있어, 언제 걸려올지 모르는 호준의 전화를 기다려야 했던 것이다. 그는 주말쯤 바닷가로 가고 싶다지 않았던가. 그래서 '곧' 연락하겠다고 했다. 그런데 그 '곧'을 참아내지 못하고 집을 뛰쳐나와, 어쩌면 '곧'을 놓쳐버리게 되지는 않을까… 태경은 이런 자기 질책과 후회로 자신을 괴롭히면서도, 결국은 약속한 곳에 닿았다. 수정은 먼저 와 있었다.

그들은 뜰이 바라보이는 통유리벽 안쪽의 거실에서 마주 앉았다.

태경은 자신이 그들—수정이와 수정의 동생에게 어떻게 인사했는지 기억하지 못했다. 그는 통유리 밖의 스무 평이 넘어 보이는 뜰의 그윽한 분위기 때문에 미칠 지경이었다. 이미 누런 빛깔로 겨울잠에 들어간 잔디며, 가을빛을 머금은 석등과 어린 적송 한 그루….

태경은 미처 10분도 채우지 못하고 자리에서 일어섰다. 아주 갑작스럽게, 돌아간다고 말했다. 수정과 그의 동생이 어안이 벙벙해서, 자기네가 무슨 실수를 한 게 없나 서로 얼굴을 쳐다보았다. 그런 그들에게 태경은 다만, 집에 가야 한다고만 말했다. 그리고 그는 주인보다 먼저 대문을 나왔다.

태경이 택시를 잡기 위해 골목길을 달려가는 모습을 바라보며 자매가 얘기했다.

이상하지? 사랑에 빠졌으니까. 정말 그런가 봐. 사랑하면… 저렇게 정신이 없어지나? 신기하네. 좌우간 보통일은 아니다아. 얌전한 고양이 부뚜막에 먼저 올라간다나….

10

집 안은 온기만 차 있을 뿐 고요했다. 그래도 태경은 이렇게 돌아온 것이 편해서 휴우 하고 한숨을 내쉬었다. 그리고 자신이 집을 비운 사이 전화벨이 울렸었는지, 그랬다면 그건 누가 건 전화였는지… 그런 사연이 침묵의 집 안 어딘가에라도 숨어 있다는 듯이 여기저기를 살폈다.

태경은 속이 상했다. 그는 외출복을 입은 채, 전화기 옆에 앉아서 궁리를 했다. 침을 꿀꺽 삼키고 대범하게 전화를 걸어볼까? 그게 무슨 그리 큰일이라구…. 하지만 태경은 그렇게 할 수 없었다. 그는 답답한 스타킹만 허물처럼 벗어내고, 수화기를 들어 신호가 떨어지는지 점검해 보았다. 그리고 신호음이 집 안 어디에서라도 잘 들릴 수 있게 가장 큰소리 쪽으로 올려놓았다. 이런 중에도 태경은 신음하듯, 내가 왜 이러지? 내가 왜 이래? 하고 속으로 말했다. 그러나 이런 반성은 태경의 현재 상태에 아무런 영향도 끼치지 못했다. 마치 기력이 쇠진한 태경의 일상이, 혹은 그의 모든 관행들이 죽어가며 내는 신음 같았다.

태경은 또 한번 전화 상태와 신호음 크기를 살핀 다음 안방으로 가서 옷을 갈아입고, 그것도 안심이 안 되어 무선전화기를 들고 화장실로 가서 손을 씻었다. 혹시 전화가 올새라 물도 작게 틀었다. 오줌을 누고도 물을 내릴까말까 망설였다. 그리곤 내가 왜 이러지 를 또다시 웅얼거렸다.

내가 먼저 전화하면, 여자가 보챘다고 생각할지 몰라. 자기가 먼저 꺼내놓은 의견이니까 그쪽에서 어떻게 할 거야. 태희 말대로 내가 나를 들볶는 건지 몰라. 그 사람이 알아서 할걸…. 그리고 운명이… 우리를 어떻게 하겠지…. 운명이 시키는 대로…. 태경은 최면을 걸듯 자신의 병적인 조바심을 달래었다. 한나절이 기울도록 그랬다.

소영이가 돌아왔다.

"우리 선생님 나빠!"

아이는 태경이 문을 열기 무섭게 도시락 가방과 신발 주머니를 내던지며 소리질렀다. 태경은 아이의 뾸 돈은 화를 상대할 틈이 없댔. 아이

11

의 머리 위로 기웃이 들여다보며 웃는 앞집 부인을 보았기 때문이었다. 증권회사의 중역인 남편을 둔 부인은 얼굴 살갗이 늘 우유에서 갓 건져 낸 듯 뽀얀 여자였다.

"안녕하세요?"

태경이 먼저 인사말을 건넸다.

소영이는 잠시도 두 어른 사이에 고물로 끼어 있으려 하지 않았다. 농구화를 벗어던지고 거칠게 집 안으로 들어섰다. 계단을 사이에 두고 살아가지만 툭 터놓고 지내지는 않는 같은 또래의 두 부인은, 그런 아이의 태도에 언짢되 꾸짖지도 못하는 마음을 이심전심으로 눈빛에 담고 아이가 빠져나가기를 기다렸다.

"요새 토옹 못 뵙겠네요. 어디 편찮으세요? 헤어 스타일두 달라지시구요…."

여자가, 빈정거림을 감추지 못하고 말했다.

"예. 몸이 좀… 늘…"

태경은 아무렇게나 얼버무렸다. 그 여자의 빈정대는 기분도 느끼지 못했다.

"소영이넨 동치미 안 담그세요? 베란다 밑에다 독을 묻으셨지요?"

부인이 말했다.

"동치미를 벌써 하시게요?"

태경이 눈을 크게 뜨고 놀란 목소리로 물었다.

"벌써라뇨. 오늘이 16일 아니예요. 동치미는 설 밑에 먹는다구들 초순에 담근 집도 있어요."

태경은 부인의 이런 말소리를 들으며 스스로 부끄러움에 빠져들었다. 김장철이 돌아왔는데, 살림을 하는 여자가 그런 시절 가고 오는 것도 모르고 지내다니….

"… 독을 묻어두 괜찮아요?…"

태경이 자괴심에 빠진 동안 앞집 여자는 남의 속이 보이지 않으니까 계속 자기 얘기를 하고 있었다.

"… 친정에서 얻어다 먹는 것두 그렇구… 땅에 묻는 게 지저분하게 보여서 그만두었는데… 사실은 제가 김장을 해본 적이 별로 없어서요. 시장 가시면 같이 가서 무우 좀 골라달랠까 하구요…"

앞집 여자의 얘기는 이런 것이었다. 위층의 사람들이 오르내리며 문을 열고 서서 얘기하는 두 여자에게 눈인사를 보내기도 했다.

태경은 자기의 단골 야채가게 전화 번호를 알려주는 것으로 부인과의 얘기를 끝냈다. 태경이 전화 번호를 적는 동안 부인이 말했다.

"수척해지셨나? 그런 건 아니구… 웬지… 이뻐지셨어요. 젊어지신 것 같아요…. 좋은 일 있으신가 봐…"

그러면서 태경의 표정을 집요하게 살폈다.

순간 태경은 그 여자가 원수처럼 느껴졌다. 앞집 부인이 돌아간 다음, 태경은 비로소 뿔이 돋은 딸을 상대했다.

"왜 선생님이 나쁘니? 언제는 제일 좋다구 했잖니."

태경이 말했다.

"엄마가 학교 와봤어? 선생님이 사람 차별했단 말야!"

소영이가 소리쳤다. 눈에 눈물까지 글썽거렸다. 태경은 자기보다 더 나이 들어 보이던 소영이의 여자 담임 선생님을 떠올렸다.

"그 애가 먼저 때려서 내가 때렸는데 나만 욕했단 말야! 여자애가 극성이라면서! 앙…"

소영이가 마침내 서러움의 알맹이를 찾아내곤 소리쳐 울었다.

태경은 문득, 네가 이제 사춘기로구나 하고 생각했다. 별것도 아닌 것에 정서가 여리게 작용하는 때…. 태경은 소녀들의 무겁고 미지이기만 한 사춘기의 한 시절을 떠올리며 우는 아이의 등을 토닥거렸다. 그리고 태경도 쉽사리 전염된 듯 비애의 감정에 젖어들기 시작했다. 태경이 지금 살고 있는 사춘기는 소영이보다 더 곱고 가냘픈지 몰랐다. 할 수만 있다면, 그래도 된다면 아이라도 붙들고 마구 한바탕 울어버리고 싶은

13

것이었다. 다행히 소영이의 울음 줄기는 짧았다. 아이는 코를 한번 훌쩍 들이마시고는 화장실로 들어가 앉더니 곧 엄마아! 하고 태경을 불렀다. 생리대를 가져다 달라는 것이었다. 지난 여름에 생리를 시작한 소영이는 아직 그것의 의미도 모르고 처리하는 방법도 서툴었다. 태경은 아이의 수발을 들었다. 도시락을 푸는 태경에게 다가와서 소영이가 자기 앞에 앉은 아무개는 김밥을 싸왔더라고, 자기도 먹고 싶어 혼이 났노라고 볼부은 소릴 했다. 태경은 내일 김밥을 싸주겠다고 약속했고, 소영이는 언제 뿔이 돋았나 싶게, 울음을 언제 울었나 싶게 활기를 보이며, 잠시 놀다오겠다고 놀이터로 나갔다. 태경은 조금 전, 딸아이의 사춘기를 무겁게 느꼈듯 어머니라는 역할의 무게를 느꼈다.

태경은 아이 나간 다음 화장을 지웠다. 잠들기 전에 또 무슨 외출할 일이 있을지도 모른다는, 근거도 없는 생각이 그의 손끝을 붙잡았지만, 그는 자학의 느낌을 느끼며 화장을 지웠다. 숨막히게 하던 호준에 대한 갈망은 언제 어디로 사라졌을까. 이제 호준은 아득하고 슬픈 그리움처럼 저 먼 데로 밀려난 것일까. 그러나 태경에게 정호준은 하나의 몸체를 가진 사람만은 아니었다. 정호준은 태경이 숨을 쉬면 그리움의 대기로, 눈을 들면 눈에 보이는 모든 사물로 존재했다. 그리고 태경의 마음이 그의 가슴속에 있을 땐, 호준도 태경의 가슴에 자리잡는 것이었다.

지금도 그랬다. 호준은 태경의 눈에 보이는 시계 전체를 비안개처럼 덮은 그리움이었다. 태경이 숨을 쉴 때, 몸을 움직일 때 그리움이 태경의 살과 마음에 닿았다. 이제 태경은 여수는 까맣게 잊고 있었다. 주말, 여수행의 비행기 예약이 늦어진다는 생각도 하지 못했다. 자신의 몸 안팎을 채운 슬픈 그리움 때문에 태경은 다른 현실을 느낄 수도, 생각할 수도 없었다.

학교에서 근우가 돌아오고, 나가 놀던 소영이가 연속극 시간에 맞춰 들어와서 익숙한 어머니 역할을 무리 없이 해낼 때도, 태경은 자신의 마음 한켠에 머물고 있는 그리움을 언뜻언뜻 느껴야 했다.

태경은 아이들에게만 저녁밥을 차려주고 자신은 얇게 눌은 눌은밥을 미음처럼 끓여 마시고 저녁을 때웠다.

남매는 소영이의 애깃거리―선생님이 남자애들 편만 든다는 얘기로 티격태격하며 저녁을 먹었다. 소영이는 남자애들이 잘 울고, 선생님한테 고자질도 더 잘하고 여자애들을 못살게 구는데 선생님은 그렇게 하는 남자애들은 그냥 두고 대든 여자만 야단친다고 불만이 대단했다. 그런 동생에게 근우는 한 마디로 '넌 드세!'라고 말해 버렸다. 소영이는 드세다는 평가를 받아들이지 않고, 자기는 '잘났다!'고 우겼다. 태경은 아이들, 특히 소영이에 대해, 그 당돌하고 거침없는 태도에 놀라움을 느낄 때가 자주 있었다. 자기가 자랄 때와는 생각과 행동이 너무도 다른 것이었다. 남자를 남자로 보지 않고 같은 사람으로 여기려는 것 같았다. 이상했다.

아이들의 얘기를 듣고 있는 태경의, 슬픔이 고즈넉이 고인 얼굴에 살얼음 같은 미소가 어른거렸다. 그는 아이들의 새로운 생각이 받아들여지지는 않았지만 재미있게 여겨졌던 것이다.

이때 전화벨이 울렸다. 태경은 감전된 것처럼, 전율을 느꼈다. 그리고 달려가서 수화기를 들었다. 호준이었다. 태경은 본능처럼 몸을 도사리고 아이들에게 얼굴이 보이지 않도록 돌아앉았다. 호준은 오전에 전화했었다고 말하고 나서, 같이 갈 수 있느냐고 물었다. 태경은 숨이 막혔다. 기쁨 때문인지, 두려움 때문인지 알 수 없는 충격이었다.

"언제?"

태경이 비안개 같은 목소리로 속삭였다. 호준은 그 목소리가 너무 작아서 알아들을 수가 없었다.

"잘 안 들리는데요. 뭐라구요?"

호준이 큰소리로 물었다.

태경은 근우와 소영이라는 바위가 자신의 돌아앉은 등판을 짓누르는 듯한 환상 때문에 말을 제대로 할 수 없었다. 태경은 호준에게, 다른 곳

15

에 가서 전화를 받겠다고 하곤 안방으로 들어가 문을 꼭 닫은 다음에야 한숨을 쉬고 얘기할 수 있었다.

"내일 떠날까요? 저는 시간을 만들었습니다."

호준이 말했다.

"내일요? 내일은… 금요일인데요…."

태경이 혼자 있는 방 안에서조차 겁먹은 표정으로 사방을 둘러보며 더듬거렸다. 잠시 호준이 말을 하지 못했다. 그는 남편이 없는 태경은 그냥 '자유롭다'고 생각했기 때문에 태경의 망설임이나 당황이 언뜻 이해되지 않았던 것이다. 그리고 그는 가정주부의 현실에 대해서도 백치나 다름없었다. 그는 자신의 아내가 어떤 생활을 하는지 주부로서의 역할에 대해서 생각하거나 바라본 적이 단 한 번도 없었다. 그는 자신에게 아내라는 여자가 있다는 사실 이외엔 아무것도 생각하지 못했다. 그가 살아온 삶의 벌판에는 그런 사고를 할 경험이 거의 장치되어 있지 않았던 것이다.

"금요일… 어려우세요?"

호준은 이렇게밖에 물을 수 없었다.

태경은 왜 선뜻, 아주 당당하게, 애들이 있거든요… 라고 말하지 못했을까. 왜 그 사실을 감추고 싶은 것일까. 하지만 자기가 아이들의 어머니라는 사실을 한사코 숨길 수만은 없었다.

"애들이… 학교를 가야 하거든요. 토요일은… 괜찮아요…."

태경이 나직이 말했다.

"토요일?"

호준이 자기 자신을 위해 되물었다. 하루 가고 하루 오는 여행은 그가 생각하는 휴식의 의미를 채울 수는 없었다. 그러나 그는 받아들이기로 마음먹었다.

"그럼 토요일 일찍 서울을 빠져나가 볼까요? 괜찮으세요?"

호준이 물었다.

태경은 호준의 침묵에서, 그의 실망을 느꼈기 때문에 이미 안쓰러움에 젖어 있었다.

"네, 괜찮아요."

태경이 대답했다. 어머니에게 집을 보아달라고 부탁할 수 있는데 왜 금요일이 어렵다고 했는지, 그는 자신의 좁은 소견을 나무라는 기분이면서 정작 대답은 이렇게 했다.

그들은 토요일, 이른 아침에 서울을 떠나기로 약속했다. 호준이 6시에 태경이네 집 가까운 큰길 모퉁이에서 기다리기로 한 것이었다.

태경은 기뻤다. 기쁨이 얼마나 큰지, 마치 엄청난 나무를 쳐다볼 때, 뒤로 넘어질 것 같은, 그런 아찔함마저 느꼈다. 그러나 무선전화기의 수화기를 내려놓고 이제 거실로 나가려고 했을 때, 태경은 갑자기 두터운 벽과 맞닥뜨린 것 같은 기분을 느꼈다. 느낌만이 아니라 몸도 굳는지 몰랐다. 태경은 손을 맞잡아 손가락들을 옥죄고 비틀어 굳은 피를 돌게 애썼다. 그리고 생각지도 않은 헛기침까지 하고 방문을 열었다. 아이들은 그 사이 식탁에서 텔레비전 앞으로 자리를 바꾸고 있었다.

태경은 차라리 다행이라고 생각했다. 우선 자식들과 눈이 마주치지 않는 것, 자식들이 어머니에 대해 관심을 갖지 않는 것이 좋았다. 그래도 태경은 꼭 서툰 소매치기 같았다. 그의 능청은 어색하고 옹색해서, 태연하게 아이들을 일별한다는 게 미소조차 굳은 낯이었다. 그리고 도망치듯 걸어 싱크대에 섰다. 아이들에겐 등을 보이고.

왜 이리 떳떳하지 못할까. 무엇이 그 여자를 허둥지둥하게 하는 것일까. 태경은 자신의 당황이 너무도 부담스러웠다. 그는 수돗물을 있는 대로 틀었다. 물 쏟아지는 소리가 텔레비전 소리를 지워버렸다. 그는 프라이팬과 나무 젓가락과 칼과 물잔 하나를 벗겨지도록 씻어서 건져놓고 설거지를 끝냈다고 생각했다. 행주까지 빨아 수도꼭지에 걸쳐놓고 돌아섰을 때, 태경은 어지러운 식탁을 발견했다. 아이들의 저녁 먹은 자리가 그대로 있었다.

어쩌면…. 태경은 자신의 들뜬 마음이 송두리째 저런 모습을 하고 있는 것 같아 누구에게랄 것 없이 그저 송구하고 부끄러웠다. 그리고 그는 범죄현장을 돌아보는 범인 같은 기분으로 힐금힐금 아이들을 바라보곤 했다. 남매는 무어라고 얘기도 하고 웃기도 하면서 텔레비전에 열중이었다. 여느 때 같으면 고등학교 입학시험이 얼마 남지 않은 근우에게 공부하라고 닦달할 태경이, 지금은 그런 습관이 된 행동도 하지 못했다. 먹다 남은 반찬을 정리하고 상을 치울 때, 그런 손이 잠깐씩 침묵처럼 꼼짝을 하지 못하곤 했다. 그럴 때 그의 마음은 식탁이나 지금 자기가 하고 있는 일과는 전혀 다른 데에 빨려 들어갔다.

토요일, 이른 아침이랬지.

어머니한테 전화해야 할텐데.

여수는 어떡하지?

이렇게 생각은 갈라지고, 일손은 굼떴음에도 불구하고, 그는 속절없는 인생살이처럼 일을 끝냈다. 아침 쌀도 씻어놓고 도시락 반찬거리도 챙겨보았다. 아이들에게 포도도 씻어다 주었다. 잠시 근우의 옆에 앉아서 화면에 눈길을 주었다. 근우는 태경보다 앉은키도 컸고 몸피도 컸다. 마음이 닿지 않는 화면에서 눈을 돌린 태경은 자신의 어깨살이 닿은 아들의 팔을 바라보고 아들에게서 '자식'을 느껴보려 했다. 하지만 웬일이었을까. 의심도 불가능한 감정—어머니의 정서에 균열이 일기 시작하는 건 아니었을까… 태경은 오른팔을 들어, 어깻죽지가 뻐근하도록 아들을 껴안았다. 자신의 팔에는 이미 제대로 들어올 수 없게 커버린 사내자식…. 태경은 슬픔이 찌릿하게 느껴져서, 문득 팔을 풀었다. 까닭없이 느껴지는 자식에 대한 '슬픔'은 무슨 의미를 가진 것일까. 태경은 이런 엉뚱한 느낌이 애매해서 오히려 불안했다.

"요새 학원 공부는 어떠니?"

태경이 물었다. 목소리가 파리하게 떨리었다.

"자기들끼리만 좋아해!"

18

근우가 대답하기도 전에 소영이가 눈을 흘기며 볼 부은 소릴 했다.

"우리 소영이 이리 온…"

태경이 병아리를 품으려는 어미닭처럼 어깻죽지를 쳐올리며 말했다. 소영이는 제 성깔대로, 흘긴 눈매를 쉬이 풀지는 않았지만 그래도 종종 어미 품에 안겼다. 머리를 태경의 품에 찰싹 대었다. 태경은 아이를 안고도 남은 손으로 아이의 머리와 어깨와 등을 쓰다듬었다. 그럴 때 아릿한 슬픔이 찌릿찌릿 스쳤다. 아득히 먼 데서 치는 번개 빛처럼 태경은 자신의 살갗 속으로 흐르고 지나가는 슬픔을 뼈저리게 느꼈다.

"엄마가… 좋아?"

태경의 죄책감이 이런 말을 물었다.

"안 좋아!"

딸의 느낌엔 거침이 없었다. 그러나 어린 딸의 이런 대꾸에 중년의 어미 가슴은 대책 없이 무너져내렸다.

"왜애?"

그래도 어미는 짐짓 태연한 목소리를 꾸며 이렇게 물었다.

"엄마는 얼굴만 마주치면 공부! 공부! 공부! 그 말밖에 안 하잖아!"

아이의 기는 하늘에 닿을 듯했다.

"그래서? 그것 때문에?"

태경은 아이의 불만이 거기 있다는 사실만 반가워서 이렇게 확인했다.

"아니야!"

"그럼?"

"우린… 외식두 안 하잖아!"

소영이는 공부보다 외식 쪽에 마음이 더 상했는지 말끝에 또랑거리던 눈을 내리깔고 입술을 불룩이 내밀었다.

"외식이 하구 싶어? 무얼 먹구 싶은데?"

"다 먹구 싶어! 햄버거, 치킨, 피자…"

소영이가 손가락까지 꼽으며 말했다. 태경은 소영이가 햄버거와 치킨을 말할 때, 아이들과 외식을 할 수 있는 시간을 계산해 보았다. 가장 좋은 날은 토요일과 일요일이었다. 그러나 돌아오는 그날에, 태경은 아이들과 함께 있을 수가 없었다. 태경은 짙은 회색의 방 속에 자신이 갇히는 듯한 기묘한 느낌을 느꼈다.

"요즘 아빠는 잘 안 오시네요?"

근우가 변성기의 목소리로 어머니를 쳐다보며 말했다.

태경은 문득 목이 막히는 걸 느꼈다. 마땅한 얘기가 떠오르지 않는 것이었다.

"아빠는…"

태경은 공연히 이런 빈말을 뱉으며 벽에 걸린 달력을 쳐다보았다.

"엄마! 나랑 토요일에 여수 가자!"

소영이가 기막힌 생각을 떠올렸다는 듯이 자신만만한 목소리로 소리쳤다.

"그래 가라! 나 좀 혼자 있어 보게."

엉뚱하게도 근우가 대뜸 이런 대답을 했다.

"혼자 있을 수 있어?"

소영이가 근우에게 물었다.

"야! 내가 너냐?"

근우가 손을 들어 동생을 하찮게 위협하는 시늉을 하며 말했다.

"밤에 혼자 잘 수 있다구?"

소영이는 그래도 믿기지 않아 위협 따위는 아랑곳없이 다시 물었다.

"고독하구 싶다! 왜!"

근우가 여전히 동생을 얕잡는 목소리로 말했다.

"엄마! 오빠가 혼자 있겠대. 우리 둘이 가자! 응? 지금 아빠한테 전화해 봐!"

소영이가 조금 전부터 아주 멍청해져 버린 태경을 흔들며 말했다. 그러나 태경의 멍청한 상태는 풀어지지 않았다.

"아빠한테 전화한다!"

조급해진 소영이가 이렇게 말하고 여태 붙어앉아 있던 태경의 곁에서 몸을 일으켜 수화기를 들 때야, 비로소 태경은 정신을 차렸다.

"소영아!"

태경이 다급하게 소리쳐 아이의 당돌한 행동에 쐐기를 쳤다. 아이는 민망한 표정으로 태경을 바라보았다. 그러나 민망은 이내 노여움으로 바뀌었다. 태경이 아이에게 수화기를 내려놓으라고 했기 때문이었다. 근우가 먹던 포도 송이 하나를 달랑 들고 소리없이 제 방으로 들어가 문을 닫았다. 태경은 그런 아들의 태도가 마음에 걸렸다. 늘 말이 없는 아들이건만 지금은 웬지 부자연스럽게 여겨졌다. 닫히는 문소리도 거역이나 경멸처럼 들렸다.

"엄마가 걸면 되잖아!"

소영이는 밀리는 기세에서 벗어나려는 목소리로 이렇게 말했다.

"그래 소영아. 나중에 해볼게. 아빠는 여수 회사의 제일 높은 사람이잖아. 그래서 늘 얼마나 바쁜 줄 아니? 저녁도 사람들하고 먹어야 하구 말야…."

태경의 목소리는 점점 책을 읽는 것처럼 변해 갔다.

"알았어! 알았어!"

소영이가 소리쳤다. 그리고 아이는 제 오빠보다 더 골난 시늉을 내며 제 방으로 들어가버렸다. 태경은 아이의 문이 닫히는 쓸데없이 커다란 울림이 사그러들 때까지 귀를 그곳에 대고 있었다. 그러면서 한편으론 자신이 앉아 있는 자리가 천천히 밑으로 꺼져들어가는 듯한 착각도 느꼈다.

얼마나 밑으로만 가라앉았을까.

시간도 감지할 수 없이, 다만 침몰의 감각에만 잠겨 있기를 얼마 동안이나 했을까.

태경은 자신의 침몰에 속수무책이었던 현실을 깨달을 때도 그러했다.

소영은 느긋이 화를 담고 있지도 못해서, 제 어미의 상태를 정탐하려고 애꿎게 물도 마시고 화장실도 들락거리며 왔다갔다하였다.

… 여수.

태경은 여수를 생각하기 시작했다. 충동적으로 남편에게 전화를 걸어 필요치도 않은 문제를 만들어낸 자기가 싫어졌다. 그러면서도 그는 호준과의 약속에 대해서는 다른 신경을 쓰지 않았다. 지금은 여수에 대해, 어떻게 약속을 오해 없이 취소시킬 수 있을지… 그것만이 걱정이었다.

동창회가 있다구?

한참만에 짜낸 태경의 답안이었다. 하지만 자기 자신에게도 잘 납득이 가지 않는 답이었다. 동창회도 태경이답지 않으려니와 주말의 1박2일 일정이란 너무도 생뚱스러웠다.

아프다?

친구네 결혼식에 꼭 가야 한다?

어쩐지 가고 싶지 않다?

태경은 오래도록 소파에 고양이처럼 앉아서 궁리했다. 반드시 통과해야 할 장애물이었으므로. 이윽고, 태경은 마음을 정리했다. 9시가 넘어서였다.

"여보, 일이 생겼어요. 당신한테 갈려구 했는데 동창들이 꼭 같이 가자구… 이번 토요일이네요…"

태경은 집에 있을지 없을지 모르는 남편에게 전화를 걸고, 그가 재빨리 수화기를 들었을 때, 거침없이 이런 거짓말을 지껄였다. 너무도 태연한 목소리였다.

"동창회? 당신두 그런 데 나가나?"

찬수의 목소리는 의외로 맑았다.

태경은 대답하지 않았다.

"괜찮지 뭐."

찬수는 아내의 침묵을 순종과 겸양으로 느껴서, 이렇게 대답했다.

"당신한테 가기루 했잖아요…. 그런데 그만… 미안해서요…."

태경은 연습도 없이 잘도 교활해졌다.

"미안할 것두 많네."

"그럼 당신은 어떡하실래요?"

"나? 나야 괜찮아. 당신 오면 선운사나 같이 가볼까 했는데… 다음에 가자구."

"그래요 여보. 고마워요!"

태경은 저도 모르게 '고마워요!'라고 감동 어린 목소리로 말했다. 진심으로 그랬다.

찬수에겐 아내가 자기에게 내려오든 않든 크게 문제될 게 없었다. 그렇잖아도 학교 친구 손이 골프장에서 사귄 유부녀들을 데려오겠다고 하던 걸 아내 때문에 뒤로 미뤘는데… 그거나 다시 알아볼까 하고 막연하게 주말 계획을 머릿속에 그렸다. 그는 아내가 오로지 자기만 지키고 쳐다보고 사는 것도 때때로 짐처럼 느껴질 때가 있었다. 다른 여자들처럼 친구들과도 어울리는 게 좋겠다는 생각이 들었다. 찬수는 아내에게 별다른 불만이 없었다. 그는 태경이라는 여자에게, 그 여자의 생활에서 주어진 역할을 수행해 내는 것 이외에 달리 기대하지 않았다. 아내로서의 태경은, 적어도 찬수의 욕구 수준에 충족되는 여자였다. 아직 그들이 신혼일 때 찬수가 성병을 옮겨 태경을 절망에 빠뜨린 적이 있고, 그후로도 여자 문제로 몇 차례 종기 앓듯 불편한 날들을 보낸 적은 있지만, 그것 말고는 찬수도 아내에게 잘못한 게 없다고 믿었다. 아내가 외국에 나간 형님 때문에 형수의 역할을 해낸 것도 고생일지 모르지만 그건 고생보다 떳떳한 부덕을 쌓는 기회였다고, 찬수는 그렇게 믿는 편이었다. 찬수에게 태경은 '살림 잘하는' '아내'였다. 그것으로 충분했다. 그리고 그것이 그 여자의 인간으로서의 능력이며 보람이라고 생각하는 데 한 치의 의심도 갖지 않았다. 아내의 세계는 집 안이고 자식이며, 그런 아내의 보호

23

자는 자기였다. 그는 자기의 임무—보호자로서의 역할을 방기한 적이 없었다. 아주 떳떳했다. 이제 자신의 그런 아내가, 자기가 없는 틈을 타서 '동창회'도 나가고 그 나이 여자들끼리 주말여행도 가겠다는 것이었다. 그걸 막아야 할 이유가 없었다. 그 정도의 숨통은 틔워주는 게 능력 있는 남편으로서의 도량일 것이었다.

찬수는 전화를 끊고 나서도 만족스러웠다. 마음이 홀가분하고 편안했다. 아내에게 용돈은 넉넉하냐고 물어주지 않은 게 맘에 걸렸지만, 아내는 매사에 똑똑하고 철저하니까 그 점도 잘 챙기리라고 생각했다.

만족스럽기는 그리고 홀가분하기는 태경도 마찬가지였다.

그는 처음으로 남편이라는 존재가 무겁지 않게 느껴졌다. 그는 이런 느낌이 좋았다. 날아갈 것 같았다.

토요일!

태경은 타잔처럼 시간의 줄을 타고 지금 당장 토요일 이른 아침 앞으로 뛰어내리고 싶었다. 그렇지만 토요일은 아직도 밤과 낮의 여러 굽이를 지나야만 닿을 수 있었다. 태경은 난생 처음 하루하루의 날들이 산이나 강, 혹은 벽처럼 뚜렷하게 보여지는 경험을 했다. 훌쩍 건너뛰고 싶은 밤과 낮들에 대해. 그것이 자신의 의식에 확연히 들어오는 느낌.

어쨌든 태경은 기뻤다. 그는 속으로 말했다.

호준 씨, 됐어요. 갈 수 있어요. 당신께서 쉬고 싶다는 바다로 가요. 바다는 어떻게 생겼을까요. 해마다 바캉스를 바다로 다녀왔는데… 나는 바다가 기억나지 않아요. 떠오르는 모습이 없어요. 당신이 쉴 수 있고 나도 당신의 휴식 속에 있을 수 있는… 바다로 가요. 갈 수 있어요. 이제 됐어요….

태경은 이렇게 말하면서 아이들 방문을 열어보았다. 잠든 채 이어폰을 끼고 있는 근우의, 불편한 잠자리를 바로잡아 주고, 책상에 스텐드를 켜둔 채 잠든 소영이의 흘러내린 이불도 제대로 덮어주었다. 그러면서도 그는 아이들의 아버지, 찬수에 대해서는 털끝만큼도 생각하지 못했다.

아이들의 방문은 닫히고, 그 속에는 잠든 아이만 있어, 이제 집 안은 고요했다. 태경은 거실과 주방의 가운데쯤에 서서 맨손 체조하듯 팔을 위아래로 양옆으로 흔들었다. 자기가 혼자라는 것, 밤이 깊었다는 것, 아무도 만나지 않는다는 것… 이 태경을 더없이 가뿐한 기분에 젖도록 했다.

어쩌면 이렇게 좋지?

태경은 저도 모르게 이런 소릴 중얼거리며 집 안을 둘러보았다. 그러다가 식탁의자에 앉아서 등받이의 나무를 만져보았다. 소파로 가서 살포시 앉아 가죽의 감촉을 삼키듯 혀에 굴리듯 감지하기도 했다. 커튼을 열고 수은등 빛의 뜰과 어두운 거리를 바라보기도 하였다. 지금 태경은 그가 눈으로 볼 수 있고 손으로 만질 수 있는 모든 것과 교감이 되었다. 그는 그런 것에게 자기의 기쁨을 알려놓고 싶은 것이었다. 자정이 넘어 잠자리에 들어서도 그의 이런 황홀의 상태는 진정되지 않았다. 그는 자신의 몸이 깃털 같다고 느꼈다. 무게와 부피가 없는 듯한 느낌이었다. 그래서 손으로 자신의 맨살―팔과 다리, 가슴과 어깨를 만져보았다. 그의 손이 자신의 살갗을 쓰다듬을 때, 그는 갑자기 찬물에 들어간 사람처럼 흐흑! 하고 느꼈었다. 전율이 살과 뼈로 갑작스럽게 스치는 것이었다.

태경은 이런 느낌, 이런 떨림이 '그날의 기억'이라는 걸 알 수 있었다. 기억은 생명을 가진 것처럼 이렇게 되살아나는 것이었다. 태경은 고통처럼, 아니면 인내처럼, 그렇게 자신의 몸을 뒤집었다. 그의 이마와 콧날과 입술과 젖가슴과 배가 이불에 맞닿았다. 그날의 기억이 육체처럼 그의 몸 아래쪽에서 따뜻하고 뜨겁게 꿈틀꿈틀 치받쳐오르기 시작했다. 그의 얼굴도 뜨거워졌다. 얼굴만이 아니라 마음도 화끈거리는 것 같았다.

태경은 자신의 지금 이와 같은 상태를 욕정이라고 생각할 수 없었다. 그렇게 생각하는 건 '모욕'이라고 믿었다. 욕정이 숨길 수 없는 사실일지라도, 태경은 '그리움'이라고 믿어야 했다. 그리움은 순결하고 욕정은 죄악 같았으므로.

죄악은, 너무도 부끄러운 일이므로 자신은 결코 죄악을 저질러서는 아니 되는 것이었다.

태경은 뜨겁고 화끈거리는 몸을 일으켰다. 그는 침대 가장자리에 엉덩이를 겨우 얹히고 발을 방바닥에 대었다.

목욕을 하고 싶었다.

차가운 물 속에 머리까지 푹 잠기게 하고… 숨을 죽였다가 다시 일어나 큰숨을 쉬며 살아나고 싶었다.

그러나 태경은 목욕 대신 장롱 구석에 숨겨놓았던 일기장을 꺼냈다.

공책 뚜껑을 열자, 거기 하루치의 일기가 검은색 볼펜 글씨로 적혀 있었다. 태경은 눈과 몸으로 그것을 읽었다.

'나는 사랑한다'로 시작해서 '그 사람에게, 부디 축복을 내리소서…'로 끝낸 일기였다. 태경은 그 내용에서 왜 슬픔을 보아야 했을까.

태경은 일기를 눈으로 읽고 입으로 읽고 마음으로 읽었다.

누가 이런 일기를 썼을까.

태경은 자신의 일기장을 꺼내 자기의 글씨를 바라보면서 생각은 엉뚱하게도 이랬다.

나는 사랑한다. 사랑하는 사람과 같이 잤다. 부끄럽지 않고 죄책감도 들지 않았다. 나는 그 동안 내가 미처 알지 못하고 살아온 내 속살의 진실과 만났다. 이런 기회를 살게 해주신 내 운명의 신에게 눈물로 감사한다. 내 사랑 정호준. 내 생명에, 내 운명에 덧씌워진 여러 가지의 거짓들을 물리쳐준 사람. 그립고 보고 싶다. 그는 지금 호흡처럼 내 속에 살아있다. 나는 그를 느낀다. 내 몸에 들어와 있는 남자. 내가 내 생명을 느끼도록, 용기가 힘겹지 않다는 것을 일깨워준 남자. 함께 있고 싶은 그 사람에게, 부디 축복을 내리소서….

이 일기를 누가 썼지? 누가 이렇게 깨끗하고 속살이 훤히 비치는 글을 썼을까… 태경은 자기가 쓴 글에서 자신을 발견할 수 없었다. 자기라면, 어떻게 이렇게 잘된 글을 쓸 수 있으랴 싶은 것이었다.

그럼에도 불구하고 태경은 그 아래에다 오늘, 이 순간의 자기를 새겨 넣기 시작했다.

하늘과 땅, 풀과 나무 그리고 우주의 모든 것에 알리고 싶다. 우리는 함께 바다로 간다고. 그 사람이 작품 하나를 끝내서, 쉬고 싶다고 했기 때문에. 나와 함께 바다에서 쉬고 싶다고. 우리는 바다로 간다. 이 밤이 지나고 또 하나의 밤이 지난 다음, 새로 시작되는 날, 이른 아침에 우리는 함께 떠나기로 했다.

태경은 여기에서 손을 멈췄다. 그리고 처음부터 다시 읽어보았다. 맘에 들지 않았다. 어떻게 지금 자기의 마음을 송두리째 옮겨놓는 글을 쓸 수 있을까.

태경은 시험공부를 할 때보다 더 곰곰이 생각을 해보았다. 그건 아무래도 불가능했다.

기쁨과 슬픔. 더할 수 없는 뿌듯함과 희망을 그대로 옮겨놓을 말이 없었다. 그건 아직 사람들이 흉내내지 못한 색깔이나 냄새 그리고 맛과 같은 것이었다.

태경은, 불가능의 침묵 속에 가라앉았다. 손가락 하나를 이빨 사이에 물고서. 그의 눈은 자신의 내면으로 깊이 들어간 채.

시간이 침묵을 녹였을까.

아니면, 무엇이 태경을 다시 내면에서 끌어내었을까.

태경은 검은 글씨들이 세포처럼 박힌 일기장을 잠들이듯 덮었다. 그리고 그것을 장롱 밑에 유배시키지 않고 화장대 서랍 맨 밑에 넣었다. 그리고 그 위에는 근우와 소영이가 어버이날 학교에서 보낸 편지들을 무덤의 떼처럼 얹어놓았다.

다음날 아침, 태경은 행복하게 눈을 떴다. 그리고 그는 아침 내내 노래 하나를 흥얼거렸다. 그 맑은 시냇물 따라 내 마음도 흐르네. 가난한

27

이 마음을 당신께 드리리. 황금빛 수선화 일곱 송이도.

태경은 아이들을 보내고 난 다음, 식탁에 앉으려다 말고 가스불에 물 주전자를 올렸다. 커피가 마시고 싶어서였다. 물이 끓는 동안, 그는 음악을 골랐다. 태희와 함께 고른 테이프 중에서, 브람스를 듣기로 했다. 그러나 브람스를 손에 들었다가 다시 드볼작으로 바꿨다. 열아홉 살 때 좋아했던 그의 바이올린 협주곡 B단조. 태경은 2악장 아다지오만 들어 그 부분에 구멍이 패일 지경이었다. 태경이 테이프를 끼우고 돌아섰을 때 가스불 위에서는 주전자의 물이 보채듯 끓고 있었다. 그는 블랙으로 잔을 채운 뒤, 식탁의 한쪽에 놓았다. 김이 보이지 않게 올라와서 태경의 고인 턱과 코끝을 어루만지며 사라졌다. 태경은 아침 볕이 들고 있는 베란다를 바라보았다. 겉잎부터 갈색 기운이 돌기 시작하는 노란 국화 화분. 새싹이 돋을 때까지 슬픔처럼 붙어 있을 오그라든 흙빛의 단풍잎….

시를 써볼까? 태경은 쓰되 반가운 커피맛을 입 안에서 가라앉히며 이런 생각을 했다. 어린 날, 그리고 청춘기의 꿈이, 이 어이없는 마흔 중반의 나이에 되살아나다니. 그래도 되는 것일까?

이런 아침에 까마득히 잊고 살았어도 그립지 않던 드볼작과 만나, 어지러운 아침상 앞에서 블랙의 커피를 마신다는 건 상상도 해본 적이 없는 일이었다.

그 동안 내 젊은 날의 꿈들은 죽지도 않았으면서, 도대체 어디 숨어 있었을까. 태경은 그게 이상했다.

이상한 건 이런 것만이 아니었다. 갱년기 건망증이라고 수정이와 킬킬 댔건만, 옛날의 일들이 어쩌면 이리도 말갛게 되살아나는지….

추억은 죽은 사람처럼 나이를 먹지 않았다. 태경은 아직도 순결한 자신의 소녀와 청춘을 추억하고 있었다. 두잔째의 커피를 마시고 다시 아다지오에 자신의 추억을 실었다. 어쩌면 태경은 호준이 아니라도, 자신의 청춘기가 자신의 삶에 매장되지 않았다는 사실을 깨달아서, 그것만으로도 행복할는지 몰랐다.

이날 오후, 전씨가 태경이네로 왔다. 전씨는 가정부인들이 무슨 한뎃
잠을 자러 간다는 거냐고 태경을 나무랐다. 그러나 태경은 변명도 하지
않고 노여움도 나지 않았다. 그리고 소영이가 동창회를 어디서 하느냐고
꼬치꼬치 캐물어서, 태경은 불쑥 설악산이라고 대답해 버렸다. 호준과의
약속대로 막연히 '바다'라고 할 수는 없었던 것이다.

태경은 푹 자두고 싶었다. 일상의 피곤—그 걸쩍지근한 때가 다 벗겨
지도록. 그렇게 푹 자면 말간 물 같은 마음만 남을 것 같아서. 그런 모습
으로 그와 떠나고 싶어서.

자명종소리가 울리기 무섭게 태경은 새순처럼 눈을 번쩍 뜨고 일어나
앉았다. 새벽이야. 그는 자신의 가슴에서 울리는 이런 목소리를 들었다.

머리를 감고 샤워를 했는데 젖은 머리가 잘 마르지 않았다. 그래도 귓
밥 곁의 머리털 속에 향수를 찍었다. 지난밤 마사지를 정성스레 한 덕인
지 화장이 잘 먹었다. 눈썹도 눈화장도 입술도 잘 그려졌다.

소리없이 나가려고 했는데 잠귀 밝은 전씨가 일어나 태경을 배웅했
다.

"내일 일찍 오지?"

전씨가 태경의 등뒤에 흘러내린 머리카락을 떼어내며 물었다.

"예."

태경은 아무 생각 없이 무조건 습관처럼 대답했다. 어젯밤, 전씨는 딸
에게 자꾸만 여수로 다녀온다는 전화를 하라고 채근했다. 아녀자가 혼자
집 밖으로 나가는데 주인한테 그런 인사는 해줘야 한다는 것이었다. 그
래도 태경은 어머니의 당부를 듣지 않았다. 남편과 할말이 없었고 목소
리를 듣기가 거북할 것 같아서였다. 미움도 없었건만, 마음은 그랬다.

물기를 아련하게 머금은 새벽은 푸른 빛깔을 띠고 있었다.

태경은 이런 빛깔, 이런 대기 속으로 들어서는 자신의 생명이 느껴져
가슴이 두근거렸다. 덜 마른 그의 머리카락 사이로 늦가을의 차가운 바
람결이 스쳤다. 거리엔 유제품과 신문을 배달하는 사람, 등산복 차림의

29

중년 남자, 무거운 가방을 멘 학생들이 드문드문 지나다녔다. 태경은 손목시계를 보려다가 그만두었다. 시간이 알고 싶은데, 그걸 알기가 겁나기도 해서였다. 그러나 그는 이내 시간과 아무 상관이 없는 사람이 되어버렸다. 그의 눈앞에, 낯익은 자동차—검은색의 승용차가 보였기 때문이었다. 태경은 나비처럼 날아서 그곳으로 갔다. 태경이 닿기도 전에 운전석 옆자리의 문이 조용하게 열렸다. 태경은 무게도 없이, 공기처럼 빛처럼 그곳으로 들어가 앉았다. 그들의 눈이 서로 상대방을 보기도 전에 두 사람의 손이 하나로 뭉쳤다.

그들의 인사는 다만, 이러했다.

태경은 안전 벨트를 매고 나서야 가쁘게 느껴지는 숨결을 고르기 시작했다. 차는 속도를 냈고, 새벽의 푸른 기운은 바쁘게 바래어갔다. 이제 서울의 지저분한 소음들이 한꺼번에 눈을 비벼댈 것이었다.

"잘 잤어요?"

차가 고속도로로 들어섰을 때, 호준이 물었다.

태경은 그때 가슴 밑에서 크고 부푼 듯한 것이 목구멍 쪽으로 솟아오르는 느낌 때문에 아무 말도 하지 못했다. 그것은 말이 아닌 것. 그러나 호준의 물음에 대한 분명한 대답. 하지만 그것을 드러낼 도구로서의 말은 너무 초라하고 궁색했다.

"이렇게 이른 아침에 떠나는 여행도 좋지만 밤중에 떠나는 것도 좋아요."

호준이 말했다.

"밤중에?"

태경이 놀란 눈을 뜨고 그를 쳐다보았다.

"한여름엔 길이 막혀서도 그렇지만… 나는 가끔 그런 짓을 잘합니다. 캄캄한 길을 몇 시간이고 달리다 보면 새벽과 만나게 되거든요. 밤이 지고 새벽이 열리는 그 순간 속에 있게 되지요. 늘 기분이 묘해요."

호준이 씨익 웃어 보였다.

"좀… 야위셨나요?"

호준이 다시 말했다.

태경은 두 손바닥으로 자기의 얼굴을 감쳤다.

호준이 태경의 왼손을 그의 얼굴에서 떼어냈다.

"괜찮아요."

호준이 부드럽고 따뜻하게 들리는 목소리로 말했다.

그리고 그가 주머니에서 무엇인가를 꺼내 태경에게 주었다. 손바닥만한 크기의 두꺼운 종이였다.

"일에 파묻혔다가 잠시 쉬는 틈에 생각이 나서… 그랬어요."

호준이 말했다.

태경은 그의 설명을 까마득한 소리로 들으며 종이를 들여다보았다. 두께가 1밀리는 됨직한 종이 위에 보라와 연두 그리고 푸른색의 띠가 옆으로 차곡차곡 그어진… 그런 그림이었다.

태경의 마음이 연두색을 삼켰다. 보라색 푸른색도, 그렇게 했다. 종이를 든 태경의 손이 보일락말락 떨리었다. 이제 겨울과 맞닿은 가을의 들판, 거기에 머물고 있는 짧은 아침은 너무도 소박했다. 태경은 이미 푸른기가 가신 고추섶과 거기 매달린 벌레 먹어 허옇게 빛바랜 고추들을 바라보았다. 김장 배추와 무우, 파들을 거두어간 밭의 파장 모습도, 차라리 편안해 보였다. 다리 아래 강가의 흰 모래, 아침 햇볕과 만나 찰랑찰랑 인사하는 강물의 모습은 얼마나 따사롭고 정겹던지.

태경은 대지와 삼라만상의 신에게 감사드리고 싶었다. 더 이상 바랄 것은 없으며, 내게 이런 시간을 갖도록 배려한 운명에게 감사한다고, 그는 그렇게 말하고 싶은 것이었다. 욕망도 없고 아쉬움도 없으며 슬픔도 없고 걱정도 없는 상태. 이런 안식에 대해.

그들은, 서릿기 같은 희뿌연 아침 기운이, 그늘진 산기슭이나 후미진 샛강둑으로 밀려난 참에, 국도변의 한 마을로 들어섰다. 호준은 태경에게, 장작으로 불을 지펴 지어낸 밥에 산나물 반찬을 내는 집이라고, 지금 자기가 찾아드는 밥집 자랑을 했지만 그런 얘기는 태경의 귓등에서 흩어졌다. 태경은 깨끗한 시골 아침의 풍경—낮고 소박한 집들과 햇볕과 만나 춤추며 흐르는 맑은 샛강물 그리고 시원한 공기, 젖은 낙엽 냄새들에 정신을 잃을 지경이었다. 자기가 살고 있는 땅에 이런 정취를 자아내게 하는 풍경이 있었다니… 한편으론 반갑고, 다른 한편으론 여태 이런 걸 모르고 지낸 자신의 삶이 서러워 목이 메일 것 같았다. 그러면서도 이런 시간이 왠지 '자기 것' 같지 않아 문득 당황스럽고 때로는 자신에겐 과분한 것 같아 움츠러들기도 했다.

호준의 말대로 나무를 땐 온돌은 따뜻해서 정겨웠다. 그는 앉자마자 허벅지 밑에 손을 넣고, 따뜻해서 좋다며 아이처럼 기쁜 웃음을 함박같이 지었다. 그는 밥상 밑으로 발을 길게 뻗었다. 그리고 그는 등을 적당히 눕혀 벽에 대었다. 온돌에 닿는 면이 많아졌고, 온돌의 따뜻한 기운이 그의 뼈와 살과 피를 혼곤히 덥혔다. 그는 동동주나 한잔 마시고 이대로 잠들면 좋겠다는 생각을 했다. 그러자 그의 눈은 감겨 내려오는 눈꺼풀의 무게를 이기지 못했다.

문 밖이 소란스러워졌다. 옆방으로 너댓 사람의 남자들이 들어가는 기색이었다. 태경은 눈을 감고 있는 호준의 얼굴을 바라보면서, 자신이 앉은 데까지 뻗어온 그의 발에 조심스러운 손길을 대었다. 그리고 그 남자를, 처음으로 거리낌없이 바라보았다.

숱 많은 검은 머리와 넓은 이마, 속쌍꺼풀이 진 기다란 눈과 우뚝한 코, 선이 분명한 입술… 태경은 그렇게 생긴 남자를 바라보는 것이었다. 그가 잘생겼는지 아닌지, 그런 건 판단할 수가 없었다. 함께 있으면 그냥 좋은 남자. 그가 자기와 같이 있다는 게, '믿어도 좋은 사실'인지 문득문득 믿기지 않는 남자…. 그러나 지금은 저렇게 자기 앞에서 눈을 감고 비스듬히 누워 있는 남자. 태경은 도둑질하듯 호준의 발끝을 잡고 있는 손으로 밀려오는 무겁고 벅차고 뜨거운 격정을 느꼈다. 격정은 이내 그의 몸을 가득 채웠다.

이 남자.

태경은 아직도 그의 발을 잡고 있는 손으로 터질 듯이 흘러오는 격정을 느끼며 숨을 몰아쉬었다. 연두와 보라와 푸른 색깔들이 수평선의 모양으로 눈에 아른거렸다.

하느님, 감사합니다.

태경은 속으로 말했다. 이럴 때 부를 수 있는 또 다른 이름을 몰라서, 그는 잘 모르는 '하느님'에게 매달리는 것이었다. 지금 이 순간이 너무도 행복해서, 이렇게 충만한 행복은 자기에게 과분한 것 같아서, 태경은 끓는 물의 뚜껑을 열 듯이 그렇게 하늘을 쳐다보았다.

시간이 녹고 과거가 녹는 느낌.

그냥 좋아서, 자기조차 사라져버린 느낌.

태경은 자기도 모르게, 호준의 발을 잡은 손에 힘을 주었다. 불현듯 호준의 맨살, 그의 발에 입을 맞추고 싶은 충동이 솟구쳐서였다.

호준이 미동도 없이 눈을 떴다.

그의 눈동자는 속눈썹의 그늘 속에 숨겨진 채 태경을 바라보는 것이었다. 오래도록 거친 수줍음에 갇혀 지내다가 이제 마악 피어나는 꽃 같은 여자가 보이기 시작했다. 눈물날 것 같은 그 여자의 순결도 느껴졌다.

호준이 몸을 일으키고 앉으며 정작 상 밑으로는 태경의 손을 덥석 채었다.

두 사람의 마음이 상 위와 아래쪽에서 맞닿았다.

산나물과 두부와 숭늉을 누가 먹었을까.

언제 그런 아침식사를 끝냈을까.

그들은 아무 말도 하지 않고 밥을 먹었다. 서로 손이 먼 데 놓인 반찬 그릇을 서로의 앞에 놓아주고도 말은 하지 않았던 것이다. 태경은 마당 끝 출입구 옆으로 길게 일궈진 꽃밭가에 섰다. 누렇게 시든 잎이 줄기째 땅바닥에 누워버린 옥잠화, 잎사귀가 마른 국화, 아주 작은 초롱들을 매단 시든 사루비아. 그런데 거기 죽어가는 속에서 꽃을 피우고 있는 보라빛 들국화 한 송이가 있었다. 태경은 감동적으로 그 작은 꽃송이를 바라보았다.

계산을 하고 나온 호준이 그런 태경의 뒤에 와서 그의 허리를 안았다. 태경은 놀라지도 않았다.

"이거 보세요."

태경이 말했다.

호준이 태경의 어깨에 자신의 턱을 고이고 내려다보았다.

"가을이라고 다 한꺼번에 시들지는 않나 봐요. 이거 보세요. 죽어가는 가지에서 저렇게 이쁘게 꽃이 피어 있어요."

태경이 감동 어린 목소리로 말했다.

"아, 그렇네요."

호준이 말했다. 두 사람은 잠시 꽃을 바라보았다. 또 다른 여행객들이 밥을 먹으러 들어가다가 두 사람을 흘금거렸다. 호준이 태경의 손을 잡았다.

그들은 서로의 생명을 포갠 듯한 기분에 젖은 채 차에 올랐다. 호준이 태경의 안전 벨트를 고정시켜 주었다. 그리고 그의 팔 하나는 태경의 의자 등받이에 또 하나는 태경의 허벅지에 얹고서 그를 들여다보았다.

태경은 눈을 감았다. 그래도 호준의 눈길이 사방에서 보이는 듯했다.

"태경 씨."

호준이 그의 이름을 불렀다. 태경은 뭐라고 대답해야 할지, 생각이 나지 않아서 가만히 있었다. 호준의 손이 태경의 이마에 흘러내린 머리카락을 한 오라기씩 들어올렸다. 따사로운 햇살이 차창으로 가득 넘치게 들어왔다. 태경의 속눈썹이 속 깊이 참아내는 슬픔처럼 떨리기 시작했다.

"편해요?"

호준이 손가락으로 그의 얼굴을 그리듯 만지며 말했다.

"편해요."

태경이 대답했다.

"이제 어디로 갈까요?"

호준이 물었다.

"난 그런 거 몰라요."

"그런데도 편하세요?"

"네."

태경이 대답하며 눈을 떴다. 그 눈에 호준이 짧게 입을 맞추었다. 자신이 얇고 투명한 눈꺼풀을 지닌 새로 태어난 것 같은 느낌에 사로잡혔다. 그리고 그 가녀린 생명으로 호준의 운명 속으로 깊고 아늑한 닻을 내리고 싶었다. 태경은 탈진한 듯, 실신한 듯 등받이에 기대었다. 눈의 초점은 모든 보이는 것 속에 가 닿았지만 그는 아무것도 보고 있지 않았다.

"한잠 푸욱 자두세요. 그럼 바다에 닿을 겁니다."

차에 속도를 주며 호준이 말했다. 태경은 아무 말도 하지 않았다. 그는 지금, 저 햇살도 모르는 곳에 숨어서, 운명의 신도 모르게 목놓아 울고 싶었다. 비가 사물을 명료하게 씻어주듯 울음이 태경의 삶을 씻어내리는지도 몰랐다. 복잡하고 껄끄러워 자신이 무엇인지도 알아볼 수 없는 과거를 말갛게 씻어내고 싶은 것이었다.

차는 한동안 오르막길을 달렸다. 여러 개의 굽이도 돌았다. 사시사철 해가 닿지 못하는 골짜기에는 겨울 기운이 모여 있었다. 태경은 거꾸로 울었다. 눈물을 눈에서 가슴으로 역류시키며, 오그라들고 찢기고 패이는 가슴살 곁에다간 평화의 휘장을 드리우고… 그리고 그는 거꾸로 울었다.

"잠드셨어요?"

호준이 태경의 침묵 한쪽에다 말을 붙여보았다. 태경의 목에서 울대뼈가 경련처럼 움직였다.

"저길 보세요. 이런 안개 본 적 있어요?"

호준이 말했다. 태경은 막무가내로 감고 있던 눈을 떴다. 안개가 자욱했다. 두렵고 신비스러운 광경이었다.

"잠깐 내렸다 갈까요? 더운 커피를 한 잔씩 하지요."

호준이 말하면서 차를 세웠다.

"대관령인가 봐요."

태경이 안전 벨트를 풀었다.

"날씨가 묘하지요? 누가 정상에 이런 안개가 진을 쳤으리라고 짐작이나 했겠어요."

그렇다.

햇볕 밝은 길을 내내 온 것 같은데, 무슨 조화로 이 산꼭대기엔 안개의 나라가 있는 것일까. 태경의 눈은 차창 밖에서 두텁게 움직이는 잿빛에 박힌 채 꼼짝을 안 했다. 이미 안전 벨트를 풀고 호준은 밖으로 나가 굳은 몸을 이리저리 흔들고 있는데.

오고 가는 자동차의 전조등은 혼돈에 갇힌 어리석은 생명 같다고나 할까? 태경은 움직이는 잿빛 안개를, 안개의 마음을 알고 싶었다. 그리고 이런 것이 자신의 운명과 어떤 관계가 있는지. 태경은 안개의 비밀을 알아내고 싶은 것이었다.

"태경 씨."

태경이 무엇에 홀린 듯, 자기가 해야 할 다음 일을 잊고 이렇게 망연해 하자 호준이 차문을 열고 태경을 불렀다. 태경이 자신을 바라보는 호준의 얼굴을 돌아보며 반갑게 웃었다. 마치 자기가 혼자가 아니라는 걸 깨달은 사람 같았다. 태경은 서둘러 차에서 내렸다. 안개가 온몸에 휘감겨들었다. 물의 가루인지도 몰랐다. 태경은 호준의 팔에 매달렸다. 이제껏 이래본 적이 없는 태도였다. 호준이 그 팔에 힘을 주었다. 두 사람은 씩씩하게, 의지하는 모습으로 휴게소 쪽으로 걸어갔다. 휴게소 안은 한산한 편이었다. 두 사람은 종이컵에 커피를 받아들고 밖으로 나왔다. 안개는 여전히 연기처럼 움직이고 있었다. 태경은, 아 차라리 이 편이 낫다, 라고 생각했다. 호준과 자기가 서로 갈리지만 않는다면, 이런 안개의 태중에 있는 것이 편할 것 같았다.

두 사람은 커피 한 잔씩을 마시고 다시 차로 들어왔다.

"내가… 시인이 못 된 건 너무 당연한 일이라는 걸, 방금 깨달았어요."

차에 오르자마자 태경이 눈을 반짝이며 말했다. 그러자 시동을 걸려던 호준이 손을 멈추고 태경을 쳐다보았다.

"태경 씨한테서 늘 어떤 독특한 느낌이 느껴졌거든요. 그게 무언지 잘 생각나지 않았는데… 그래요. 태경 씨에겐 시인의 느낌이 있어요. 시인이 뭐냐구 물으면 또 막막해지겠지만…"

호준이 무게가 느껴지는 목소리로 말했다. 태경이 너무도 투명하고 깊은 눈길로 그를 바라보았다. 호준이 자신을 바라보는 투명하고 속 깊은 여자의 눈에 자신의 입을 대었다. 순간, 태경은 자신의 살갗이 낱낱의 꽃송이로 열리는 듯한 느낌에 젖어들었다. 현실의 시간 속에서 그런 시간은 짧았지만 그들의 영혼의 시간에는 아주 오랜 것으로 새겨졌다.

"정말 그래요?"

호준이 다시 시동을 걸고 차가 천천히 움직이기 시작할 때, 태경이 젖은 목소리로 물었다.

"물론!"

호준은 후진 거울에 눈을 주며 힘차게 말했다.

"글쎄… 나는 아직도 '시인'이라는 말을 편안한 마음으로 말할 수 없어요. 시인이라고 하면 마음 한구석이 늘 허전해지는 느낌 때문에…. 그런데 오늘 그런 느낌에서 놓여난 것 같아요. 그럴 수 있게 된 거 같아요. 내가 아무것도 아니라는 거… 시인이 아니라도 좋아요. 열등감의 오랜 창고에서 해방된 것 같아요…."

"그렇지 않아요. 태경 씨는 아마 시를 쓰게 될걸요. 웬지 그런 예감이 들어요. 다만 예술가는 타고난 재능도 있어야지만, 그것이 있어도 훈련되지 않으면 당연히 묻히니까, 이제 훈련을 해보세요."

"정말… 그… 럴… 까… 요…?"

태경이 중얼거렸다. 신음소리 같았다. 타고난 재능이… 훈련되지 않으면 묻힌다…. 태경은 이 말을 자꾸만 되씹었다. 내게도 재능이 있었을까? 교내 백일장에서 여러 번 상을 받았는데… 시인이라는 별명도 얻었는데… 시를 쓰는 인생을 살고 싶었는데… 왜 나는 지금 시인이 아니지?

그 동안 나는 무얼 하고 살았지? 내가 정신없이 파묻혀 살던 세계는 무엇이지? 그 세계가 내게 무엇을 주었지? 근우와 소영이를 낳았고, 이웃들이 깔끔하게 살림한다고 칭찬하는 집안살림을 챙겼나? 남편… 그 사람이 나를 어떻게 대했지?

태경은 오래도록 입을 꽉 다문 채 이런 생각에 잠겨 있었다.

"무슨 생각을 그렇게 오래도록 해요?"

호준은 태경의 얼굴을 짐짓 외면하고 물었다.

"나 자신을… 생각해 봤어요."

태경이 밑으로 가라앉은 목소리로 말했다.

"나한테도 그 생각을 나눠줄 수 있어요?"

호준이 말했다. 그리고 그는 여전히 앞만 보고 한 손으로 운전을 하고 있었다. 그러나 태경은 아무렇지도 않게 말할 수가 없었다. 결혼생활에 대한 자신의 쓰디쓴 이 기분을 설명한다는 것은 부끄럽고 괴로운 일이었다.

호준도 태경에게 입을 열도록 강요하지는 않았다.

하지만 한 시간쯤 지났을까? 그들이 강릉의 외곽 도로에서 북쪽과 남쪽 중 한 길을 택해, 휴전선으로 막힌 북쪽을 버리고 남으로 달려서 어떤 바닷가에 닿았을 때, 태경은 터진 봇물처럼 말하기 시작했다. 그는 차 속에서 카톨릭의 '고해성사'에 대해 생각해 보았고, 자기는 호준의 사랑에다 고해하겠다고 마음먹었던 것이다.

"… 오래도록 내가 꿈꾸는 희망을 순결하다고 믿었어요. 그런데 나이가 들면서 희망이 희미해지기 시작했고 나는 내가 보잘것없다는 걸 깨달았지요. 희망을 잃는 절망이 무서웠는지 몰라요. 그래서 어딘가에 숨고 싶었을 거예요. 그때 지금의 남편과 중매결혼을 하게 되었지요. 그리고 숨었어요. 내 눈은 가정 안으로만 고정된 렌즈 같았어요. 이것으로 충분하다고. 그리고 이것이 여자의 행복이라고. 괴롭거나 속이 상할 때, 모욕감에 치를 떨어야 할 때, 나는 어머니가 가르쳐준 대로 '숙명'이라는 굴레에 스스로 들어가 내 고통의 감각을 마비시키려고 했어요…. 둘째며느리였지만 동서가 유학을 떠나서 한동안 시집살이를 했어요. 지금 생각하면 어리석기 그지없지만… 나는 그걸 잘하면 훈장이라도 받을 것처럼 나를 죽이고 나를 돌보지 않고 살아냈어요. 아이를 둘 낳고…. 그런데 어느 날, 내가 그토록 보지 않으려 했던 가정 밖의 빛이 내 눈에 비쳐들었어요…. 너무도 늦은 시간에… 지쳐서 아무것도 할 수 없는 때에… 이렇게 초라하고, 쇠어서 더 이상 꽃도 피울 수 없는 나이에…."

태경은 한숨을 쉬었다.

바다는 달관한 듯한 모습이었다. 언제 이 모랫벌에 사람이 지천으로 모여 있었는지, 상상도 할 수 없는, 그런 인상이었다. 엷은 잿빛 구름이 낀 하늘색을 닮아, 바다는 희노애락을 속으로만 삭이는 중년의 표정이었다.

그런 바다 탓이었을까.

이곳에 발을 디뎠을 때, 그리고 드넓은 바다와 모래 벌판에 가슴이 열렸을 때, 무슨 조화속인 양 태경의 '멍울'이 풀리기 시작했던 것이다. 거리낌없이. 망설임 없이.

지금은 바다조차 눈에 보이지 않았다.

태경은 실타래처럼, 혹은 죽은 피처럼 흘러내리는 과거 때문에, 그것 이외엔 아무것도 볼 수 없었다.

… 그리고 어느 날 내게 당신이라는 남자가 나타났어요. 운명이라는 말로밖에는 설명될 수 없는 만남이지요…. 당신을 통해 내 어린 날과 소녀시절과 청춘의 꿈이 되살아나다니…. 기적처럼…. 이제 나는 어디 있나요….

태경은 속으로 이런 말을 했다.

약속도 없이 파도가 적시고 가는 모래밭에 길고긴 두 사람의 발자국을 새기며.

호준은 태경의 고뇌, 그 깊이까지는 들어갈 수가 없었다. 그것은 자신의 생활이나 감성과 분명히 다른 것이었다. 하지만 태경이 안타깝고 안쓰럽고 또한 부여안고, 이마를 맞대고 싶었다.

그는 발 밑에서 구멍이 뚫린 조개껍질 하나를 주워들었다. 그것을 태경에게 주었다. 우울하고 외로워 보이는 태경의 얼굴에, 기쁨이 물이랑 무늬로 번졌다. 그는 두 손으로 작은 조개껍질을 빨아 마실 듯이 만지작거리고 살피고 했다.

두 사람이 또 다른 조개껍질과 죽은 불가사리 하나를 주워들고 기뻐하는 동안 파도가 그들의 발목을 나꿔챘다. 그들은 똑같이 젖어버린 자신들의 발을 보면서 천사들같이 웃어대었다.

"난… 내가… 너무 부끄러워요."

부드럽게 오목한 선으로 뻗은 모래 벌판 끝쪽의 바위섶에 닿았을 때, 태경이 망설이는 목소리로 말했다.

"그런 부끄러움은 살아 있다는 표시겠지요. 당신은 순결한 여자입니다."

호준이 수평선을 바라보며 말했다.

순간, 태경은 몸이 굳는 걸 느꼈다. 그러나 그런 증세는 번개 스치듯 지나갔다. 호준이 그를 끌어안았기 때문일까. 태경은 자신의 몸이 물처럼 녹는 느낌에 가물가물 정신을 잃어가기 시작했다.

아, 녹아서 이대로 사라진대도 좋으리.

태경은 자신의 소멸조차 느낄 수 없는 상태에 빠졌다.

얼마나 시간이 흘렀던가. 잿빛 구름을 덮고 있는 하늘은 부드럽고, 바다는 아늑하고, 다함 없이 너그럽지 않던가. 그는 무게도 없이 다가드는 호준의 입술과 혀에 자신을 놓아버렸다. 바다와 하나가 되고 하늘과도 하나가 되는 느낌. 그가 남자고 자신이 여자라는 걸 잊는 시간. 사람의 냄새와 타인의 살이 부드럽고 달착지근하게 감각되는 순간….

언제 감긴 눈일까.

눈은 언제 스스로 뜨였던가.

태경은 호준의 어깨 너머로 수평선을 바라보았다.

파도가 장난스럽게 밀려와 모래를 툭 쳐보고는 달아나고, 거짓말처럼 갈매기 한 마리가 바다 가운데로 훨훨 날아가고….

"무슨 생각을 해요?"

호준이 태경의 이마와 뺨과 콧등에 입을 맞추고 나서 물었다. 태경은 거기 있는 그런 것을 보기만 했으므로 할말이 없었다.

"당신은… 샘 같은 여잡니다."

호준이 다시 한 번 태경의 반듯한 이마에 입을 맞추고 나서 말했다. 태경이 놀란 눈을 뜨고 호준을 쳐다보았다. 말갛게 씻긴 듯한 눈이었다.

"여자는… 남자의 고향인지 모르지요."

호준이 말했다.

"아니 모든 여자가 다 그렇지는 않겠지요. 단지 내게만, 당신만 내게 그렇습니다!"

호준이 태경의 손을 굳게 잡고 서둘러 고쳐 말했다. 태경은 방금, 호준이 그렇게 말할 때, 행복의 느낌을 너무도 뚜렷하게 감지했다. 그것은 따뜻한 액체였다. 가슴에서 따뜻하게 움직이는 것. 행복감은 그렇게 느껴졌던 것이다.

태경은 그도 모르는 사이, 모래 바닥에 무릎을 꿇었다. 그리고 자기의 손을 잡고 있는 호준의 손에 입을 맞추었다. 어쩌면 한 남자의 생명으로 세례를 받으려는 것처럼. 그런 것조차 느끼지도 못하면서….

이날 밤, 그들이 하루를 묵기 위해 들어간 방에서도 태경은 이와 똑같은 행동을 다시 한 번 했다. 호준이 그의 옷을 차례로 벗겨냈을 때, 자신의 알몸이 해방감 같은 자유를 느낄 때, 문득 그렇게 했던 것이다.

태경은 호준의 팔과 다리, 얼굴과 가슴, 배와 사타구니… 그의 전체를 자신의 혼으로 씻어내렸다. 그의 뼈는 흩어지는가 하면 제자리에 찾아들었고 물과 흙처럼 두 사람의 살이 서로에게 스며들었다. 실뿌리는 흙의 비밀 속으로 천진스레 찾아들었고, 흙은 허공의 이파리와 가지, 꽃과 열매에게 인사할 수 있었다.

어느 한 가지엔들 어긋남이 있으리.

이제 그들은 말이 하찮고 색깔이 우스운, 그런 삶 속에 있었던 것이다. 그들의 머리카락은 따뜻한 열기에 젖어들었으며, 마침내 다다른 자유 속에서 그들의 살과 뼈가 안식을 만나고 있었다. 호준에게 태경은, 품고도 팔이 남는 여자였지만 부족함이 없었다. 그가 마침내 태경을 소중하게 풀어놓았을 때, 태경이 그를 부드럽게 놓아주었을 때, 그들은 마주보고 웃었다. 더 이상 바랄 것이 없었으므로.

태경이 일어나서 바다로 난 창의 커튼을 젖혔다.

놀랍게도 수평선에선 새벽이 마악 진통을 시작하고 있었다.

어긋나는 꿈

　어두운 방 안에, 전화벨이 끝없이 울렸다. 부드러운 울림으로 여백을 채우는 그 소리는, 자정이 넘어서야 잠자리에 든 찬수의 두터운 잠을 비집고 들어갈 수가 없었다. 여수에 온 후로 찬수는 텔레비전에서 애국가가 끝날 때까지 켜놓는 버릇이 붙어 있었다. 그가 수면제처럼 펼쳐 들고 읽다가 잠결에 떨어뜨린 추리소설은 침대 밑에 곤두박혀 있었다. 전화벨은 아직도 끈질기게 울렸다.

　물방울도 바위를 뚫을 수 있어서일까. 마침내 찬수의 잠에 닿은 전화벨 소리는 그의 잠의 꺼풀을 하나씩 벗겨내고 드디어 그의 어지러운 꿈 속에까지 들어가고야 말았다.

　찬수는, 꿈이라고… 자기가 지금 어떤 꿈을 꾸고 있다고 생각하기 시작했다. 그러다가 곧, 이게 꿈이 아니라는 사실을 깨달았다. 그는 걷어차듯 다리에 힘을 주고 벌떡 일어났다. 뚜렷하지 않으나 어떤 예감이 그를 다급하게 했다. 수화기를 들면서, 그는 오늘이 무슨 요일인가를 기억해 내려고 애썼다. 주말에 내려온다던 아내가 맨 먼저 떠올라서였다. 그런데 이상스럽기도 했다. 월화수목금토일이 한데 뒤엉킨 늪의 수초처럼 그의 머릿속에서 뒤죽박죽이 되는 것이었다.

　"여보세요."

그는 잔뜩 잠긴 목소리로 말했다.

"김 이사? 나요!"

그쪽은 남자였다. 귀에 익은 목소린데, 분간이 안 되었다. 찬수는 잠시 멍청하게 말을 잊고 있었다.

"김 이사!"

그쪽에서 다시 말했다. 물을 먹인 종이의 떨림 같은 목소리였다. 누구인가….

"아! 손 형! 웬일이야. 벌써 왔어?"

드디어 찬수는 답답한 망각에서 솟구쳐나오며 이렇게 소리쳤다. 그의 학교 친구 손은 오늘 골프장에서 사귄 유부녀 둘을 데리고 여수로 오게 되어 있었다. 깨끗한 여자들이라고 그가 여러 번 강조해서, 찬수는 간밤에 '깨끗한 여자'에 대한 여러 가지 근거 없는 상상으로 잠을 잘 이루지 못했던 터였다.

"여긴 서울인데… 차암 세상이… "

손이 절망적인 목소리로 말했다.

"무슨 일 생겼나?"

찬수가 다급하게 물었다.

"재만이가… 죽었다네…."

손이 말했다.

"재… 만… 이… 가? 재만이가 왜? 죽다니… 죽는다는 게 뭔가?!"

찬수가 놀란 목소리로 더듬거렸다. 그는 전화벨 소리를 분간하지 못했듯이 '죽었다'는 말도 알아들을 수 없었다.

"재만이가 죽어?!"

그러나 짧은 혼돈과 침묵 후에 그는 모든 것을 명료하게 깨달았다. 재만이라면 손과 함께 찬수가 가장 친하게 지냈던 친구였다. 고등학교를 각기 달리 진학했다가 대학에서 또다시 만난 '일류'들이었다.

"… 저녁을 시켜다 먹으면서… 뉴욕 현지 법인에 무슨 말썽이 생긴

44

모양이라… 급히 부서장 회의를 주재하다가 그냥 슬그머니 쓰러지더란
다. 그 친구가 지난 여름에 전무 승진한 건 알지. 전무 턱 내겠다구 벼르
더니 그 턱 낼 시간도 못 내구 일에 미쳐 살다가 그만…"

그들은 더 이상 말을 할 필요가 없었다. 'ズ'그룹에서 기획실 말단으로
시작해 오너들과 친인척 관계도 없이 그 자리에 오른 재만. 마흔도 되기
전 어느 날 밤부터 발기가 되지 않아 아내를 '놓아 먹인'다던 친구. 사춘
기의 자식들과 대화를 할 시간이 없어서 3백만 원짜리 과외를 시켜준다
던 일류 학벌 출신의 능력 있는 아버지. 지난 80년의 산업구조 개편 때,
기업 통폐합에서 살아남으려고 생사를 걸었던 덕에 회사를 살리고 자신
의 검은 머리를 반백으로 물들였던 남자.

그가 회의를 주재하던 중, 너무도 싱겁게 슬며시 쓰러지더니 세상을
버렸다는 것이었다. 병원에 도착도 하기 전에 이미 맥이 끊겼더라고, 그
래서 유언 한 마디 남기지도 못했다고… 손이 울먹이며 말했다. 손이 울
먹이지 않을 수 없듯이, 찬수도 재만의 죽음에서 자신의 삶을 확인하지
않을 수 없었다. 그들의 열정이 한 기업의 성장에 남김없이 쏟아 부어졌
다는 의미에서 세 사람은 도토리 키재기인 셈이었다. 우리는 애국자라
고, 우리만큼 나라 경제 발전에 전력투구한 사람 있으면 나와보라고, 언
젠가 룸 살롱에서 그들은 접대부를 제각기 끌어안고 짐승처럼 소리친
적이 있었다.

"… 오전 중에 올라갈게. 영안실은 어디지?"

"원남동 대학병원이야. 부인이… 기절을 하더라는구만… 부부라는 게
뭔지…"

"동창들한테 연락은 다했나?"

"몇 명이 나눠서 하구 있는데…"

찬수와 손은 여기서 얘기를 끝냈다.

수화기를 내려놓은 찬수는 머리를 두 손으로 움켜쥐고 한동안 고개를
떨군 채 죽은 듯이 있었다. 그렇게 조각된 조형물같이.

한동안 굳은 시간이 지난 뒤, 그는 아주 힘겹게 손을 풀고 천천히 일어섰다. 창가로 걸어갔다. 커튼을 밀어냈다. 보이는 건 어둠뿐이었다. 멀리 해안의 접안등이 보이고 가까이엔 가로등 불빛이 보였다.

이 세상에서 나라는 존재는 무엇인가.

경쟁심 때문에 애증이 뒤섞였으되 늘 연민의 내용이 같았던 친구. 재만이는 이제 목소리도 들을 수 없고, 얼굴도 볼 수 없지 않은가. 생일이 두 달 빠르다고 언제나 취하면 동생! 하며 으름장을 놓으려던 자식… 한국의 40대 남자 사망률이 세계 1위라고, 스트레스는 그때그때 풀고 살아야 한다더니… 풀어내지 못한 어떤 스트레스에 목숨 줄이 옥죄였던가…. 만나면 매출액과 부채 비율, 미국과 일본의 자본주의의 상이점 따위를 즐겨 얘기하더니… 그것은 결국 동양과 서양의 차이라고….

찬수는 마흔아홉, 자기 나이를 생각했다. 어느 한때, 돈 주고도 좌절을 사본 적이 없다는 남자였다. 그는 자신의 부챗살 눈길의 끝부분에 서 있는 이상한 것─꼭 자기 키만한 어떤 어두운 물체가 느껴져 흠칫 몸을 떨었다. 그것은 죽음이었다. 죽음이 그와 나란히 서 있었던 것이다. 하지만 그것은 그가 그것의 존재를 소름끼치게 깨닫는 순간 사라져버렸다.

찬수는 어둠이 싫었다.

그는 다급하고 거칠게 ·커튼을 닫았다. 빈틈도 남기지 않고 꼭꼭 여며 놓았다. 그리고 그는 삼각팬티만 입은 몸으로 다시 침대로 왔다. 그러나 그는 그 위에 눕지 않고 끝에 엉덩이만 대고 앉았다. 아주 멍한 얼굴로 초점이 흔들리는 눈을 하고서.

그가 울기 시작했다.

세상에 대해.

어느 순간, 너무도 어울리지 않는 나이에 죽음이 불러간 재만을 생각하며, 그리고 여기 남아 있으되, 불현듯 자신의 삶이 어이없는 허망한 존재로 느껴져서. 이미 자신을 낳아준 부모를 죽음으로 잃은 적이 있고, 연전엔 회사를 구멍가게로부터 창업시킨 창업주가 세상을 뜨는 경험을 했음에도 불구하고, 이렇게 중년의 건장하고 당당한 인텔리가 알몸이나 다름없는 모습으로 텅 빈 방에서 혼자 울고 있는 것이었다.

누가 살아 있다고 말할 것이며, 죽음을 모른다고 얼굴을 돌릴 것인가. 죽음은 끝없는 나락이어서 한번 떨어지면 다시는 돌아오지 못할 것이다. 왜 살아 있는 동안 하찮은 일로 투기하고 경쟁하고 보살피지 못했던가.

찬수는 생각하면 할수록 회오의 감정만 더 짙어갈 뿐이었다.

오래도록 진한 울음을 울다가 그는 여러 번 깊고 큰 숨을 쉬고 자신에게로 돌아왔다.

오전 비행기가… 토요일이라 이미 예약이 끝났을 것이었다. 그래도 찬수는 표를 구할 수 있으리라고 생각했다.

그는 이미 잠 같은 건 아주 멀리 달아나버렸으나, 그래도 측은한 고아처럼 침대에 누워 담요를 끌어 덮었다. 아이들과 아내가 생각났다. 그들은 너무도 믿는 자기 살과 같아서 도리어 잘 생각나지 않는 피붙이들이었다. 만약에…. 찬수는 자신의 갑작스런 죽음을 떠올려보았다. 아내는 도저히 아이들을 추슬러 이 거친 세상을 살아갈 수 없을 것이라고. 그 여자는 자기만 믿고 바라보며 살림만 하며 살아온 여자이므로. 그래서 그는 죽어서는 아니 된다고 생각을 마무리지었다. 일에 미치는 건 자기 성취감 때문이지만 그 성취감 뒤엔 아내와 자식이라는 가정이 손바닥의 앞뒤처럼 붙어 있었다.

찬수는 다시 일어났다. 그는 아내에게도 재만의 죽음을 알려야겠다고 생각한 것이다. 아내가 오늘 1박2일의 동창여행을 떠난다던 건 까맣게 잊은 채.

"아이구 김서방. 웬일인가 이 아침에."

사위의 전화를 받자마자 장모가 끔뻑 죽는 시늉을 했다.

"애 엄마한테 할 말이 있어서요."

찬수는 인사말도 잊고 용건을 말했다.

"어멈은 나갔다네. 자네한테 알렸다던데…. 이 일을 어쩌나… 모르구 있었나아?"

장모가 안절부절 못하였다. 찬수는 그제서야 태경이 동창 어쩌고 하던 걸 기억해 냈다.

"아, 예 제가 깜빡했었네요. 동창들과 설악산 간다구 했었습니다. 내일 오겠네요. 괜찮습니다. 제가 오전에 올라가긴 하는데… 집엔 못 들르구 … 전화를 하겠습니다. 애들은 별일 없지요?"

찬수는 이렇게 태연한 척 말했지만 발목이 빠지듯 전신에서 기운이 달아나는 걸 느꼈다. 아내가 집을 비운다는 게, 그것도 자신의 '허락'으로 그렇게 했건만 너무도 허전한 것이었다. 자기는 이제 집으로 들어가야 할 이유도 잃은 기분이었다.

아내에 대해 이런 기분에 젖어들게 되리라곤 상상도 못 한 일이었다. 그가 자신의 몸에 붙은 팔이나 다리에 대해 그 존재를 의심하지 않고 역할에 대해 알 필요를 느끼지 않듯, 태경이라는 이름의 아내는 그의 팔과 다리였다. 밖에서 돌아가는 그곳, 돌아가는 마음에 망설임이나 거리낌이 생길 수 없는 그의 소유인 집의 일부이기도 했다.

아무리 돌이켜보아도, 찬수는 태경에게 불만거리가 없었다. 아내는 늘 남편을 '위해' 살아왔기 때문이었다. 더욱이 남편인 찬수가 아내에게 요구하는 기대치라는 것이 '내조'의 역할뿐이었고 그런 면에서 태경은 나무랄 것이 없었다. 정말 아내는 '가정'밖에 모르는 여자였다. 언제나 가계부를 적고 연말이면 자신에게 보여주며 가계 경영의 노하우를 쌓는 여자. 남편의 건강 돌보기와 아이들의 학교생활 관리, 집안 가꾸고 대소가의 경조사에 찾아다니면서 남보다 먼저 부엌에 들어가는 여자. 그래서 찬수에게 태경은 고향일 수밖에 없는 여자였다. 그런데, 아내가 집에 없다니….

이날 새벽, 찬수는 결혼한 이후 처음으로 태경에 대한, 그 존재의 의미를 곰곰이 생각해 보았다. 하지만 그의 생각, 그 마지막에 고인 느낌은

'괘씸함'이었다. 왜 내가 집으로 가야 할 때, 마땅히 기다리고 반겨줘야 할, 반겨서 그의 필요한 부분을 요구하기도 전에 들어줘야 할 임무가 있는 아내가 '없느냐'는 것이었다. 아내가 누리는 기쁨과 행복감은 궁극적으로 자신을 섬기는 데 있지 않겠는가. 그런데… 아내가 다른 '재미'를 찾아 집을 비웠다니. 효자보다 악처가 낫다는데… 하물며 악처도 아닌 여자가…. 찬수는 다가오는 아침보다 더 진하게 자신을 사로잡는 삶에 대한 처연한 느낌을 달랠 길 없어, 자기도 모르게 자꾸만 아내를 미워하는 쪽으로 빠져들어갔다.

퇴근시간도 필요 없는 회의로 진을 빼고 혹은 발기 불능에 이르러 아내를 풀어 먹이는 이 시대의 소위 유능한 남편의 애환을 어찌 아내라는 여자들이 냄새나마 맡을 수 있으리….

차가 태경의 집으로 들어가는 찻길에 이르렀을 때, 태경은 가슴이 철렁 내려앉는 느낌에 깜짝 놀랐다. 왜 갑작스럽게 수많은 눈들이 이 차를 보고 있으리란 생각이 느닷없는 발작처럼 끼쳤을까.

"여기서 내리는 게 좋겠어요."

태경이 안전 벨트를 흡사 밧줄마냥 움켜잡고 말했다. 호준은 눈을 크게 떴으나 이내 태경의 걱정을 읽었다. 그들은 그들이 만난 이후 처음으로 근심과 불안, 초조와 걱정이 없는 상태를 살고 있었던 것이다. 마음이 따사로운 봄날같이 편안했다. 그런데 태경에게 이런 복병이 나타난 것이었다.

잘가요. 호준이 눈으로 인사했다. 그러나 태경은 그렇게도 하지 못했다. 그는 문틈에 꼬리가 낄새라 허둥지둥 내려 고개를 땅으로 처박고 골목길로 접어들었다. 밤이 10시도 넘었건만 슈퍼와 비디오 가게, 전기구이 맥주집 따위가 늘어선 골목은 한산치가 않았다.

"이제 오세요?"

아직껏 길가에 사과며 배, 홍시와 단감 상자를 내놓고 오고 가는 이웃

단골들과 눈을 맞춰보려 애쓰던 과일집 주인이 소리쳤다. 태경은 발목을 채인 짐승처럼 우뚝 섰다.

"늦으셨네요. 어디 좋은 데 다녀오세요?"

주인은 손님 하나 잡은 것만 좋아서 이렇게 지껄이며 태경에게로 다가왔다. 그러나 태경은 그가 생각 없이 뱉은 말이련만, 그래도 그 말 중에 끼인 '좋은 데'라는 것이 목에 가시처럼 걸려 여간 불편하지 않았다. 태경은 주인을 외면한 채 과일 상자 앞에서 두루 눈을 주었다. 딱히 사고 싶은 것도 없었다. 하룻밤 자고 오는 여행이었는데도 그는 떠나기 전날 사과며 배를 짝으로 들여놓았던 것이다.

"단감이나 살까요!"

태경이 말했다. 세 개에 2천 원이라는 그것을 그는 열두 개 사서, 주인의 관심으로부터 자신을 해방시켰다.

태경이 집에 닿아 초인종을 누른 시간은 10시 27분이었다. 그는 언제나 가볍게 한 번 눌러서 식구들은 벨소리로 그가 태경이라는 걸 알아차렸다.

"어미냐?"

현관문의 철판 틈서리로 전씨의 가슴 조이는 목소리가 흘러나왔다.

"저예요."

태경의 목소리도 전씨의 것과 흡사했다. 좁은 현관 사이로 마주보고 사는 앞집과 그 위층들에, 자신이 이제 돌아왔다는 걸 들킬까 염려스러운 것이었다.

"왜 이렇게 늦었니?"

문을 열자마자 전씨가 여전히 조심스럽고 한껏 기를 죽인 목소리로 말했다. 태경은 대답하지 않았다. 그는 어머니의 주눅든 습성들이 싫었다. 마치 낫지 않는 부끄러운 상처를 보는 느낌이었다.

"얘! 김서방이 왔다아!"

전씨가 고개 숙인 딸에게 첩보원처럼 소곤거렸다. 이때, 태경은 현관

복판에 여덟 팔자로 놓여 있는 찬수의 신발을 보고 있던 참이었다. 그리고 너무 놀라서 떨군 고개가 그 모양대로 굳는 느낌을 아프게 느끼고 있던 중이었다.

"지금은 잔다아."

전씨가 딸의 두려움에 이런 고자질로 위로를 하고 싶은 것이었다. 찬수의 구두는 크고, 구두코는 언제나 반짝반짝 윤이 났다.

"언제… 왔어… 요….."

태경이 두터운 두려움의 각질을 밀어내며 더듬더듬 말했다.

"저녁에 왔더라. 어제 너 나가구 얼마 안 있어 전화를 했어. 서울 올라온다구. 아범한테 얘긴 했었지?"

"갑자기… 왜 왔대요?"

태경은 거실로 올라서며 대답 대신 이렇게 물었다.

"친구가… 누구라더라? 갑자기 세상을 버렸다더라. 대학 친구라고 하던데….."

전씨가 아이처럼 딸의 뒤를 따라다니며 말했다. 태경은 코트를 소파에 놓고 정작 식탁의자에 앉았다. 태경은 '갑자기 세상을 뜰 만한 찬수의 대학 친구'를 생각해 보았다. 그가 누군지 좀체 떠오르지 않았다.

태경은 이런 상황에서도 호준을 생각했다. 그가 이제쯤은 자기 집에 닿았으리라고. 그리고 그가 자기는 자신의 아내에 대해 무식하던 말을 까닭 모르게 떠올렸다. 혹시… 나도 내 남편에 대해 무식한 건 아닐까? 호준과 함께 지낸 시간보다 몇 배나 되는 세월을 살아낸 남자에 대해….

태경이 이런 생각에 파묻혀 있는 사이에, 전씨는 잠든 아이들 방을 살피고 나와 딸에게 말했다.

"소영이 그게 지 아비한테는 차암 곰살궂게 굴더라. 아빠가 들어오니까 두 팔을 활짝 벌리구 아빠 부르며 달려가 안기니… 꼬리 치며 달려드는 개도 그 맛에 키우는 건데….."

전씨는 태경이 두려워하는 것 같아서, 짐짓 이런 얘기로 딸의 마음을 다독거리려는 속셈이었다. 하지만 태경의 침묵은 전씨로선 상상도 할 수 없는 것이었다. 태경은 자기가 없는 이 집안을 상상하고 있었던 것이다. 근우와 소영이는, 역시 이 김씨 집안의 자식이 아니겠는가…

태경의 이런 생각이 아주 터무니없이 떠오른 것은 아니었다. 그는 돌아오는 차 속에서 호준의 손을 잡거나, 떨어져 앉아서도 그의 온몸이 느껴지곤 할 때, 그와 함께 사는 상상에 빠져들었던 것이다. 단 둘이.

단 둘이… 그래도 부족함이나 허전함이 느껴지지 않을 것 같던. 태경은 지금 그 느낌에 다시 빠져들고 있었다.

"어서 들어가봐라. 영안실에서 밤샘을 했다구… 정신이 없는 것 같더라."

전씨가 말했다.

태경은 다시 자신의 현실로 돌아왔다.

그의 손때와 마음이 다닥다닥 붙어 있는 집 안이건만, 웬지 예전 같은 친숙함이 느껴지지 않았다. 지루한 풍경같이, 꼭 그러했다.

전씨는 맥놓고 앉은 딸이 조금씩 미워지기 시작했다. 아녀자가 바깥출입에서 돌아오면 죄송한 맘에서라도 더 자세가 공손하고 싹싹해야 하겠거늘, 저 애의 저런 표정이며 태도는 무슨 수작인가 싶어서였다. 그래도 그는 40 중반의 유부녀 딸이 손아래 애인과 1박2일의 여행을 했으리라곤 꿈도 꾸어보지 못했다. 그저 저렇게 멍청히 제 할 일 잊고 앉았는 건 피곤해서, 그 피곤 탓이려니 여기고만 싶었다.

"11시가 다 된다아!"

전씨가 말했다.

태경이 게으르게 일어섰다. 그리고 옷을 벗으러 안방으로 들어가기 위해 그쪽 방문 앞에 이르렀을 때, 태경은 몸이 굳는 걸 느꼈다. 황갈색의 문이 너무도 무겁게 느껴졌고, 그 안엔 자신과 아주 다른 감성이 자리하고 있을 것 같은 이질감에서였다. 등뒤에서 전씨가, 그럼 난 잔다아, 하고 말했지만 태경은 대꾸도 하지 못했다. 그러나 마냥 문 앞에 서 있을 수는 없었다. 문을 열자, 찬수의 덩치만큼 큰 숨소리가 들렸다. 태경은 그의 깊은 잠에 걸리지 않으려고 조심스럽게 문을 닫고 불도 켜지 않은 채 옷을 갈아입었다. 씻기도 싫어서 그냥 자리에 들기로 했다. 그런데 그는 선뜻 침대에 오르지 못했다. 찬수가 가운데에 누워서이기도 했지만, 침대가 아주 비좁게 보여서였다. 이제껏 단 한 번도 자신들의 침대가 작다고 느낀 적이 없었다.

태경은 그 비좁은 데에 들어가기 싫었다. 그는 차라리 방바닥에 눕고 싶었다. 잠들어 있는 남편이라는 남자가 살 부대끼기 거북한 타인처럼, 그런 느낌도 들었다.

얼마나 어슴푸레한 방 안의 침대 곁에 서 있었을까. 이윽고 태경은 이불장을 열었다. 문짝이 전에 없이 삐이꺽 소리지르며 열렸다. 태경은 질겁해서 문틀을 잡은 손에 힘을 주었다. 그리고 찬수의 동정을 살폈다. 그는 계속 고른 숨소릴 내고 있었다. 태경은 숨을 깊게 내쉬고 이불과 요를 꺼내었다. 그때, 이불과 요가 방바닥에 큰소리도 없이 내려지는 순간, 찬수가 돌아누웠다. 태경은 그것도 모르고 소리날까 두려워 열린 이불장 문은 닫지도 않은 채 요를 폈다.

"누구야!"

찬수가 잠에 푹 잠긴 목소리로 말했다. 그는 아직 눈을 감고 있었다.

아.

태경은 소스라치게 놀랐다.

"여보!"

태경은 자기도 모르게 비명처럼 남편을 불렀다. 찬수가 무거운 눈꺼풀을 밀어올리려 애쓰며 허비적대며 손을 들었다.

"으으음… 당시이이인…."

그리고 그가 투정하는 목소리로 이렇게 웅얼거렸다. 그러나 태경은 자기를 찾는 것이 분명한 남편의 흔들리는 팔도 잡을 수 없었고, 그에게 뭐라고 더 말도 할 수 없었다. 그저 소금기둥처럼 서 있는 것밖에는.

"당신… 이게… 뭐야… 뭐하는… 거야… 언제 왔는데…"

찬수가 더듬더듬 말하며, 비로소 반쯤 감긴 눈으로 태경의 모습과 침대 밑에 그득한 이불, 요를 두리번거렸다.

"저어… 당신이 너무 곤하게 자서… 깨울까 봐 난 밑에서 자려구…"

태경이 우울한 목소리로 말했다.

"별 쓸데없는 소릴!"

찬수가 엄격한 목소리로 말했다. 이제 그는 무거운 피로의 덮개를 젖히고, 아내와 방 안 풍경을 제대로 보았던 것이다.

"지금이 몇 시야?"

다시 찬수가 물었다.

"뭐… 한… 10시는 좀 넘었어요."

태경은 시간을 뻔히 알면서도, 자기도 모르는 사이에 거짓말을 했다.

"이제 왔어?"

"아니요. 차가 좀 밀리긴 했지만. 당신 친구 누가 돌아갔어요?"

태경은 찬수가 다른 상상을 할 틈을 주지 않아야 했다.

"츳!"

찬수는 혀를 찼다. 그는 지금 재만의 죽음을 기억하고 싶지 않았다.

"쓸데없는 짓은… 당신두 고단할텐데. 올라와 어서 자라구…"

찬수가 이렇게 말하며 한켠으로 몸을 밀었다. 태경은 방바닥에 이부자리를 그대로 둔 채 침대에 올랐다. 몸에서, 마른 수수깡이 바람에 부대끼는 듯한 소리가 들리는 것 같았다. 찬수가 태경이 쪽으로 돌아누웠다. 그가 아내를 끌어안았다. 아내가 그를 밀어내며 말했다.

"누가 죽은 거예요?"

"재만이야!"

찬수가 짜증스럽게 대꾸했다. 그는 죽은 친구조차 지금은 잊고 싶었다. 잊고 싶은 것은 그것만이 아니었다. 그의 생명과 존재 의미까지 거머쥐고 있음이 틀림없는 회사일도 그렇고, 아직도 자신의 장래가 불투명한 개인기업의 조직 생리도 그랬다. 그는 지금은, 그저 온순한 아내, 따뜻한 아내의 품에 고향 가듯 안기고 싶을 뿐이었다. 자기가 없으면 굶어죽을 수밖에 없는 아내라는 가엾은 존재에, 지금은 반대로 자기를 의지하고 파묻고 싶은 것이었다.

"그 사람이요?! 그렇게 강단으로 생긴 사람이!"

태경은 여전히 남편의 갈증을 모른 체하며 놀란 목소리로 말했다.

"그렇다니깐! 나두 믿지 마. 사람 목숨은 파리 목숨보다 믿을 게 못 되니깐."

"어휴, 당신은 무슨 말을…."

태경이 말했다. 찬수는 태경의 말을 채 끝맺을 수도 없게 있는 힘을 다해 아내를 바닥에 못박았다. 태경의 팔과 다리가 한동안 버둥거렸지만 바닥의 개구리는 이미 해부가 시작되었다.

"여보… 제발… 아니… 정신을… 정신… 좀… 차리게… 너무너무 고 단해… 여보… 제발… 난… 지금은… 제발… 제발… 이러지 말아… 난 … 지금은…."

태경은 눈을 아프게 감고 이를 악물었다.

그는 자기가 만들어놓은 평화 속에, 그 평화가 아직 제자리를 잡기도 전에 쳐들어오는 포악스런 힘에 저항해 보려 했지만 어림도 없었다. 태 경의 어줍잖은 저항은, 차라리 찬수에겐 새로운 양념맛이라고나 할까?

저항이 아무런 소용이 없어졌음을 깨달았을 때, 태경은 호준을 생각했다. 그의 손이 부드럽게 닿았던 자신의 몸과 감촉 그리고 기쁨을 기억해 냈다. 호준의 어깨 너머로 발견한 수평선과 해안선, 한가로운 파도, 바다로 향해 날던 갈매기… 그리고 그가 자신의 생명의 샘으로 씻긴 호준의 온몸… 진통처럼 열리던 수평선의 여명….

마침내 찬수는 사정을 했다. 그의 무기력해진 성기는 제풀에 태경의 질에서 쓸려내리듯 빠졌고, 그의 몸도 흘러내리듯 제자리로 돌아갔다.

"집이 최고야…."

찬수가 신음처럼 중얼거렸다. 이제 그의 아내는 남편의 끈적거리고 지친 성기와 사타구니를 닦아줄 것이며 질 좋은 꿀물을 타서 그의 피로를 쉬 풀리도록 해줄 것이었다.

마누라가 편해.

찬수는 태경의 오래된 습관을 기다리며 속으로 말했다.

사내라는 게 시도 때도 없이 물건이 서면 제때 달래주곤 해야 하지만, 그래도 아내와의 성교가 그중 편하다고 생각하면서.

다음날, 재만의 발인을 위해 찬수는 이른 아침에 집을 떠났다. 그는 그 일만 끝내면 본사에 들렀다 여수로 내려갈 것이라고, 현관에서 아내에게 말했다.

"앞으론 자주 올라오도록 할게."

문 밖에 한 발을 내딛던 찬수가 문득 뒤돌아보며 아내에게 말했다. 그는 기운이 하나도 없는 모습으로 자신을 배웅하는 아내가 웬지 측은해 보였던 것이다. 시집이라고 와서 자기 하나 의지하고 사는 인생이 아닌가. 남편에게 잘가라는 인사말 한 마디 못 하게 입이 굳어 있던 태경이 찬수의 이런 말에 대뜸 대꾸를 했다.

"여보, 여긴 걱정 말아요."

찬수는 문 밖으로 내디딘 발 한 짝을 안으로 다시 끌어들여, 마루 끝에 서 있는 아내에게 다가왔다. 그리고 그는 아내의 무방비 상태인 입술에 입을 맞추었다.

"잘 있어."

뜨거운 목소리로 이렇게 말했다. 허전해 보이는 아내의 등을 토닥거려 주면서…. 그리고 그는 떠났다.

태경의 입은 남편의 입맞춤에 봉인된 채 굳어 있었고, 그는 닫힌 문 안에서 멀어져 가는 남편의 발소리를 들었다.

태경은 한동안 문턱에 그렇게 서서 꼼짝을 못 했다. 남편의 표정, 그

의 태도에서 전달되어지던 애틋함이 징그러운가 하면 갑갑하고, 한편으
론 그의 그런 감정에 쓰러져 울고 싶기도 해서였다. 이런 감정의 대혼란
이 태경을 지치게 만들었다. 지난밤, 남편과의 성교 때 느낀 절망이나 슬
픔과는 비교도 되지 않는 혼란에 빠져든 것이었다. 그러나 태경은 자기
자신이나 아내로서의 자기가 아닌 또 다른 역할이 있음을 깨달았다. 이
제 학교에 갈 아이들의 아침 준비를 해야 했다.

  그는 거실의 커튼을 열었다. 밤이 길어, 어둑한 아침이 유리문 밖에
있었다. 호흡처럼, 호준이 떠올랐다. 그에게 아침 인사를 하고 싶었다. 눈
뜨면, 사랑하는 사람의 맑은 눈과 맨 먼저 마주칠 수 있다면…. 이런 생
각을 하는 태경의 몸에서 전신의 세포들이 도들도들 꿈틀거리기 시작했
다.

  태경은 격정 때문에, 움직이는 비안개처럼, 희희 어두운 기운이 사라
지는 뜰을 바라보고만 있을 수 없었다. 그의 마음과 몸은 호준이 있을
어떤 곳으로 빛처럼 달려가는 것이었다. 하지만 실제의 그는 최근에 사
들이기 시작한 테이프 중에서 슈베르트를 찾아내고, 알페지오네 소나타
를 듣는 것으로 끝이었다. 식탁에는 조금 전 찬수가 마시고 난 찻잔이
놓여 있고, 커피가 흰 자기잔 바닥에 질척이는 웅덩이처럼 남아 있었다.
태경은, 그 잔을 들어 설거지통에 밀어넣었다. 그리고 자신을 위해 커피
한 잔을 마련했다. 첼로와 피아노의 선율이, 태경의 혼란과 우울 그리고
그리움의 갈피를 파고들기 시작했다.

  "김서방이 차암 양반은 양반이다아."

  김말이를 썰어 아이들의 도시락 반찬통에 담고 있는 태경의 옆으로
와서 전씨가 말했다. 그는, 이유야 어찌되었건 딸이 없는 빈집에 들어온
사위에게 몹쓸 죄를 지은 기분이었고, 그런 기분의 뒤에 깔린 벌에 대한
조바심나는 기다림이 아무런 소리없이 지나가버리자 사위의 권위에 대
한 고마움으로 가득 찬 것이었다. 성질 나쁜 사내라면 아내에게 싫은 소
리라도 내지르고, 심하면 시끄러운 소리라도 낼 법하지 않은가. 그런데

57

아무 일없이 사위가 떠난 것이었다. 전씨는 자신의 경험에 비춰보건대, 가장의 그런 너그러움은 은혜나 다름이 없었다. 자기로선 남편이나 아이들, 아니면 시집의 일로 외박을 하기 전에야 무슨 명목으로 집을 나가잔단 말인가. 그런 일은 꿈에도 꾸어보지 못한 것이었다. 기품 있는 아녀자로선 마땅히 그래야 했다. 붙박이로 집안을 지키되 가장을 위해 몸과 마음을 늘상 대기시켜야 옳았다. 그렇게 사는 게 편안하고 행복하기까지 했다. 그런데 세상이 달라지는 것이었다. 태희네에 가면 아주 딴 세상 같은데, 그는 태경에게선 그런 '딴 세상'을 용납하고 싶지 않았다. 그런 마음은 맏딸에 대한 그의 애정이고 기대이기도 했다. 그가 한평생 지켜온 올바른 아녀자의 삶의 도리가 맏딸로서 이어지기를 바라는.

태경은 대꾸도 하지 않았다. 지금 그에겐 어머니의 감정이 중요하지도 않았고 어머니의 기분이 그의 머리카락에도 닿지를 않았다. 아이들 도시락을 문턱에 놓아두고, 아이들이 아침을 먹도록 준비해 준 다음, 그는 방금 잠을 깬 나비처럼 방 안으로 들어갔다.

"애들아. 이거 볼래?"

곧 그가 방에서 나와 식탁 위에 조개껍질 몇 개를 하나하나 내려놓으며 들뜬 목소리로 말했다.

"조개껍질이네요."

근우가 밥을 씹으며 말했다.

"엄마가… 바닷가에서 주웠단다. 이쁘지?"

구멍 뚫린 모시조개, 어린 홍합껍질, 파도에 오래도록 쓸리어 끝이 뭉툭해진 고동껍질….

"설악산에두 바다가 있나아?"

소영이가 눈을 반짝 뜨고 물었다. 순간 태경의 얼굴이 벌겋게 물들었다. 그는 재빨리 아이들을 외면하려고 돌아섰다.

"왜 없어! 해수욕장이 얼마나 많다구."

근우가 동생에게 퉁명스레 뱉었다.

"엄마는 설악산 간댔지 언제 바다루 간댔냐?!"

소영이도 지지 않았다.

"맹꽁이 같은 게. 설악산 가면 바다 가구 그렇지, 넌 안 가봤냐?!"

근우가 수저를 내려놓고 일어서며 동생을 한껏 얕잡아보는 투로 말했다.

"그래 잘났어!"

소영이가 뾰로통해서 내뱉었다.

"들었다났다 오누이뿐인 게…. 하기야 다투며 커야 정이 도타워진단다."

전씨가 소영이의 어깨에 가방을 메어주며 말했다.

태경은 웬지 초라해 보이는 조개껍질을 하나씩 주워들었다.

"태희가… 아직 나갈 때가 아니지?"

전씨가 아이들을 배웅하고 돌아오더니 이렇게 중얼거리며 전화기 옆으로 가 앉았다.

태경은 아이들이 먹은 식탁을 치울 생각도 않고, 어머니와 자기가 아침을 먹어야 된다는 생각도 못 하고 안방으로 들어가, 자신과 함께 여행에서 돌아온 가방을 살피기 시작했다. 우선 호준이 준 그림을 꺼냈다. 뚫어지도록 들여다보았다. 연두와 보라와 푸른 색깔이 움직이기 시작했다. 태경은 그것을 가슴에 품었다가 화장대에 세웠다. 그것은 크고 작은 화장품들을 단숨에 압도해 버렸다.

태경은 다시 가방을 정리했다. 사방에서 모래알이 떨어졌다. 손수건을 꺼내도, 심지어 휴지와 화장품에서도 모래알이 떨어졌다. 태경은 그렇게 방바닥으로 떨어지는 모래알들이 슬프도록 반가워서 손가락 끝으로 낱낱이 찍어 모았다. 그렇게 소중할 수가 없었다.

"언니 좀 바꾸란다아!"

이때 전씨가 들어와 태경에게 말했다.

단잠을 억지로 깨어야 할 때처럼 짜증이 나서, 태경은 낯을 찡그렸다.

"잘 다녀왔수 언니?"

태희가 기분 좋은 목소리로 물었다.

"응."

그러나 태경은 이렇게 짧고 마음 묻지 않은 말투로 대꾸했다.

"형부가 갑자기 올라오셨다더니…."

"자기 친구가 죽었다나 봐."

"40대지!"

"그럴 거야."

"정말 40대 남자들이 많이 죽는구나. 형부는…."

"괜찮아."

태경은, 형부도 마흔아홉인데… 하지만 죽은 재만 씨는 쉰인지 몰라. 형부가 학교를 일찍 들어가서 친구들보다 한 살이 적더라구… 하는 말은 속에서 혼자 우물대고 말았다. 이런 말을 하기도 귀찮아서였다.

태희는 자기가 아는 40대 누구누구도 죽었다고 말하더니, 형부가 아무런 눈치도 채지 못하더냐고 물었다. 태희가 궁금한 것은 바로 그것이었다.

"그렇지 뭐."

태경은 지리한 목소리로 대답했다.

태희는 언니가 더 이상 말하고 싶어하지 않는다는 걸 눈치챘다. 그는 수화기를 든 채 잠시 침묵하다가 말했다.

"엄마가 지금 오시겠다나 봐. 노인네라 어린애랑 같이 있는 게 좋으신 모양이야."

"그렇겠지. 여긴 애들이 다 컸으니까."

태경이 말했다.

태희는 언니가 어디에서 무엇을 보고 무엇을 먹고 어디서 어떻게 잤으며 무슨 얘길 나누었고 기분은 어떤지… 그런 가슴 근질거리는 얘길 듣고 싶었던 게 허사가 되어 섭섭했지만 여기서 통화를 끝냈다. 태경이 전화를 하는 동안, 전씨는 벌써 세수를 하고 나왔다.

"밥 먹어야죠."

태경이 식탁으로 가며 말했다.

"먹고 싶지두 않다. 노인 되면 하루에 두 끼 식사두 괜찮다더라."

전씨는, 말은 이렇게 하면서도 식탁으로 왔다. 태경이 식은 찌개냄비에 가스불을 켰다.

"고녀석이 할미를 찾는다더라. 애구 어른이구 그저 저 좋아하는 건 귀신같이 아니…."

전씨가 태희의 아이 이야기를 했다.

태경은 고개만 끄덕이었다.

"김서방은 언제 또 온다니?"

"글쎄 뭐 자주 올라오겠다구…."

태경은 뱀꼬리 감추듯 말끝을 흐렸다.

"남편한테 잘해야 한다."

전씨가 자기 앞에 놓인 수저 끝을 만지작거리다가 무슨 생각에선지 툭 뱉었다.

"왜 그런 말을 해요? 내가 뭘 어쩐다구…."

태경이 볼 부은 소리로 말했다. 속은 켕겨들었건만 그랬다.

이때 전화벨이 유난히 크게 울렸다. 전씨가 홀쩍 고개를 돌리는가 싶더니 일어섰다.

"엄마! 내가 받을게요!"

찌개냄비를 들던 태경이 소리쳤다. 전씨는 뜨악한 표정으로 의자에 엉덩이를 붙였다.

"… 괜찮아요. 그래요. 하늘이요? 어머 그렇네요. 어쩌면… 어쩌면 저렇게 파랗죠? 바다 같아요. 정말 그래요. 다시… 꼭 하세요. 언제든지. 행복해요. 꿈을 꾸고 있는 것 같아요. 네…."

전씨는 고개를 돌리고 딸의 이런 숨넘어가는 듯한 말소리를 들었다.

예사롭지 않은 느낌이 끼쳤다.

"누구 전화냐?"

전씨가 발갛게 상기된 얼굴로 다가오는 딸에게 물었다.

"엄마!"

태경이 전씨를 소리쳐 불렀다. 백기를 추켜들 듯이, 어쩌면 방패막이인 듯. 그러나 그의 얼굴엔 불안의 기색이 전혀 없었다. 무엇을 감추려고도 하지 않는 것 같았다. 그의 얼굴에선 해맑고 뿌듯한 기쁨이 넘쳐흐르고 있었던 것이다.

"어디서 온… 전…"

이젠 전씨의 불길한 걱정이 쫓기는 형국이 되어서, 그는 도리어 얼떨떨한 채 중얼거렸다.

"엄마!"

다시 태경이 어머니를 불렀다. 두 눈이 반짝이는 얼굴로, 어머니 곁으로 다가와서, 아직 놀란 표정인 전씨를 뜨겁게 끌어안았다. 얘, 징그럽다, 왜 이러니, 다 늙어가지구…. 어머니가 결코 싫지 않은 목소리로 웅얼거리며 당치도 않은 팔 힘으로 딸을 밀어내는 시늉을 하였다.

"엄마. 걱정하지 말아요. 내가 언제 엄마를 슬프게 한 적 있어요? 내가 기쁘면 엄마도 틀림없이 기쁠 거야…"

태경이 어머니를, 이젠 야위어 살갗과 뼈가 제멋대로 노는 게 옷 속으로도 느껴지는 어머니를 부둥켜안고 뜨겁게 말했다.

전씨는 그래도 불길한 느낌을 말끔히 지우지는 못했다.

"그래. 누구 전화냐니깐…"

전씨가 딸의 팔 힘이 느슨해지며 풀려나가자 다시 물었다.

"아이구 엄마두. 괜찮다니깐. 그런 건 뭐… 친구지 뭐."

태경은 잊고 있던 식탁 쪽으로 걸어가며 가볍게 털어버리듯 말했다.

"친구?"

전씨가 혼잣말처럼 물었다. 태경은 무슨 노랜가를 흥얼거리며 상을 걷고 다시 차리기 시작했다. 전씨는 옷을 갈아입고 나와, 입맛이 당기는 건 아니었지만 그래도 습관이어서 식탁에 앉았다.

"설악산 같이 갔던 친구냐?"

딸이 마주앉자마자 전씨가 물었다.

"엄마. 엄만 그게 그렇게 궁금하우?"

"그래. 웬지 자꾸만 알구 싶다."

"내가 딸이긴 하지만… 엄마. 내 나이가 몇 살이유?"

"사람이야 실수하려 들면, 무슨 나이가 따루 있는 줄 아니?"

전씨가 국사발을 들어 벌컥 마시고 나서 딸을 외면한 채 말했다.

"엄마, 실수?!"

태경이 전씨를 똑바로 쳐다보았다. 태경에겐 왜 전씨의 '실수'라는 말에서 엉뚱하게도 피냄새를 느꼈을까.

전씨는 대꾸하지 않았다. 태경도 더는 말하지 않았다. 그들은 제각기 한 공기가 채 되지 않는 밥을 다 먹을 때까지, 자기 생각에 잠겨 있었다. 그러다가 전씨가, 이젠 태희네로 가야겠다고 일어섰을 때, 태경이 나직한 목소리로 말했다.

"엄마. 절 믿으세요. 내가 무슨 실수를 하겠어요."

한 그리움이 다른 그리움에게

　태경은 하늘을 보았다. 너무도 파란 하늘이 드높은 곳에서 세상을 에워싸고 있었다. 태경은 이제껏 한 번도 본 적이 없는 하늘이라고 생각했다. 아무도 저런 하늘을 자신에게 가르쳐준 사람이 없었으므로….

　태경은 이제 자기가 저 드높고 푸르른 초겨울 하늘을 '가졌다'는 기분에 사로잡혔다. 하늘을 품은 것처럼 마음이 뿌듯한 것이었다. 태경은 하늘을 거기 그대로 놓아두고 돌아섰다. 거기 있어도 하늘은 이미 그의 가슴에 들어와 있었으니까. 그래서 하늘을 품은 그의 몸은 바람같이 가벼웠다. 걸음을 걷는다는 감각도 느낄 수가 없는 상태였다. 고통스럽던 혼란의 어젯밤도 흔적조차 찾을 길 없고… 지금 집 안에는 밝은 햇살과 푸르른 하늘의 기운과 바람 같은 태경이뿐이었다.

　그는 방에 들어가 화장품 사이에 세워져 있는 손바닥 그림을 집어들었다. 태경의 눈은 그림의 색깔 속으로 들어가 추억을 되살려내었다. 모래밭과 파도, 갈매기와 수평선 그리고 자기 살 같은 느낌으로 닿던 그리운 호준의 몸… 생각만 해도 태경은 기뻤다. 태경은 이런 기쁨과 만족의 느낌을 어딘가에, 누군가에게 알려주고 싶었다. 어딘가에 꼭 추억을 증명해 놓고, 어느 누구든 좋으니 맘껏 자랑하고 싶은 것이었다.

　아무리 들여다보아도 눈이 아프지 않은 연두와 보라와 푸른 색깔 사이에 태경은 자신의 기쁨을 묻었다. 그러면서 그는 노래를 흥얼거렸다.

눈부신 아침 햇살에 산과 들 눈뜰 때 그 맑은 시냇물 따라 내 마음도 흐르네. 가난한 이 마음을 당신께 드리리. 황금빛 수선화 일곱 송이도.

태경은 노래를, 대나무에 부딪는 바람소리처럼, 소나무 잎사귀에 매달린 빗방울처럼 부르면서 화장대 서랍 맨 밑에서 잠든 자신의 일기장을 꺼냈다.

1991년 12월 2일

내게 온 이 기쁨에 대해… 감사합니다. 부디 겸손할 수 있도록. 사랑하는 그에게 축복과 행운이….

태경은 표현하고 싶으되 표현되지 않는 자신의 마음을 이렇게 적어넣었다. 그리고 일기장을 덮었다. 제자리에 놓았다.

그는 집 안에서 이상한 기운—이제껏 한 번도 맡아보거나 느껴본 적이 없는 기운의 냄새를 맡고 느꼈다. 벽이나 문이 없어진 것 같은 느낌. 집과 세상이 하나로 잇닿은 것 같은 착각. 그리고 자신의 몸, 손끝 하나하나의 움직임마다 자기 아닌 다른 사람이 함께 있는 듯한 그런 기이한 느낌….

그러나 태경은 이 모든 새로운 것들에 대해 반갑기 그지없었다. 그의 모든 감각은 사람보다 먼저 봄을 아는 새싹 같았다. 그는 이런 움트는 새로운 기운에 넘쳐서 집안일을 하기 시작했다. 빨랫거리를 찾아내어 가루비누에 불리고, 의자에 올라서서 손 닿지 않거나 잊고 지내던 액자 틀의 먼지도 닦아내었다.

오후에, 태경은 마음에 드는 시 한 편을 찾아냈다.

무학의 노인네가 꼭 책을 펴들고 성경을 외우듯, 아니면 이제 갓 글을 깨친 어린아이가 동화를 읽듯 시집을 펴들고 읽고 또 읽었다. 눈으로도 읽고 소리내어도 읽었다.

어느 날 당신과 내가
날과 씨로 만나서
하나의 꿈을 엮을 수만 있다면
우리들의 꿈이 만나
한 폭의 비단이 된다면
나는 기다리리, 추운 길목에서
오랜 침묵과 외로움 끝에
한 슬픔이 다른 슬픔에게 손을 주고
한 그리움이 다른 그리움의
그윽한 눈을 들여다볼 때
어느 겨울인들
우리들의 사랑을 춥게 하리
외롭고 긴 기다림 끝에
어느 날 당신과 내가 만나
하나의 꿈을 엮을 수만 있다면

정희성의 시 〈한 그리움이 다른 그리움에게〉

태경은 하이얀 종이에 이 시를 옮겨 적었다. 호준을 만날 때, 자기 자신을 주듯 그에게 주고 싶어서였다.
어느 날 당신과 내가
날과 씨로 만나서
하나의 꿈을 엮을 수만 있다면
......
태경은 종이를 들여다보았다. 검은 글자들이 낱낱으로 꼬물대기 시작했다. 그러다간 서로 팔 걸고 한 줄씩 춤추는 듯도 했다.
태경은 종이와 글자가 부러웠다. 자신의 마음을 그렇게 교합시키고 싶

66

은 열망이, 잃어버린, 이젠 아주 지워진 자신의 먼 과거로부터 불현듯 줄 달음으로 달려와 태경의 현재를 붙잡았다. 태경은 숨이 막히는 것 같아서, 가슴에 손을 대었다. 진저리가 쳐졌다. 한 사람의 과거란, 그것이 인생으로서 아주 소멸되어 버리기 전까지는 여전히 현재와 잇닿아 있는 것인가. 왜 과거가 두꺼운 바위와 흙먼지를 젖히고 이렇게 피처럼, 열정처럼 다그치는 것일까. 무엇 때문일까. 왜 호준은 자신의 차곡차곡 쌓이고 허물어지고 지워지는 일상의 질서를 아픔도 없이 뒤집어버렸을까. 무엇이 과거를 새파랗게 살아나도록 했을까.

… 외롭고 긴 기다림 끝에

어느 날 당신과 내가 만나

하나의 꿈을 엮을 수만 있다면

기쁨도 사람을 울게 했다. 태경은 눈물 때문에 보이지 않는 글자들을 이젠 마음으로 읽었다. 찬수와의 결혼생활은 결코 불행한 것은 아니었지만 결코 행복한 것도 아니었다고, 태경은 투명한 물 밑을 들여다보는 기분으로 자신에게 말했다. 그리고… 중년의 나이에 느닷없이 한 남자를 통해 찾아낸 '자기'가, 태경은 왜 이다지도 서럽고 쓸쓸하고 또 한편 기쁜지….

그러나 태경은 편안했다. 그는 호준에게 줄 〈한 그리움이 다른 그리움에게〉를, 그것이 적힌 종이를 차마 조각나도록 접기가 싫었다. 궁리 끝에 그는 그것을 돌돌 말아 핸드백에 넣었다.

풀 먹여 넌 호청은 드문드문 젖은 풀기가 만져졌지만 대부분은 말라서, 태경은 그것을 걷어 손을 보았다. 바짝 마른 데엔 물을 품어주어 양손으로 잡아 늘려 끝을 잡았다. 그리고 밟아서 다림질을 했다.

짧은 해는 저녁도 만들어보지 못한 채 북한산을 넘어갔다. 밖은 이내 어두워졌고 수은등은 혼수에서 깨어나듯 느리게 빛을 밝히기 시작했다. 소영이는 발야구를 하다가 늦었다며, 책가방을 내던지자마자 피아노를 치러 개인교수 집으로 갔다.

태경은 어둠이 깊어져 가는 밖을 바라보았다. 그의 편안하던 마음은, 수은등과는 반대로 혼수에 빠져들었다. 그는 자기가 지금 어딘가로 가야만 할 것같이, 마음이 천천히 달떠오르는 걸 느꼈다. 아주 캄캄해지면 '그'에게로 가는 길이 막히거나 지워질지도 모른다고, 그렇게 생각하면서. 하지만 태경은 마냥 어둠에 시달리고만 있을 수도 없었다. 자기 자신의 일부분이 되어버린 어머니라는 역할이 그의 마음을 잡아당겼다. 그는 커튼으로 어둠을 감추고 돌아섰다. 어둠이 가리워진, 무대 막 뒤켠 같은 집 안은 형광등 빛으로 환했다. 태경은 가스불 위에 밥솥을 올리고 명란을 숭덩숭덩 썰어 알찌개를 마련했다. 그런데 왜 그의 이력이 나고도 남은 이런 부엌 일손의 한켠으로 자꾸만 허전함이 잡아당기는 것 같을까. 학교에서 곧장 친구 영식이네로 가서 같이 저녁 먹고 영어 과외하러 간 아들이 없어서일까. 아니면 남편 찬수가 없어서일까.

태경은 끓기 시작한 찌개냄비에서 고기와 명란의 거품을 걷어내었다. 태경은 더 이상 걷어낼 거품도 없건만 찌꺼기 묻은 수저를 냄비에 넣고 저었다. 다진 마늘을 넣어야지, 생각은 이렇게 하면서도 그는 수저를 꺼내는, 그 단순한 행동도 하지 못했다.

이런 태경을 불현듯 구해 낸 것은 거실 구석에서 울린 전화벨 소리였다.

아마 이런 것을 축지법이라고 했을지 모른다. 기대감 때문에 속도를 못 느끼는 걸음으로 태경이 다가가 수화기를 들었던 것이다.

"호준 씨세요?"

태경의 목소리는 반가움으로 힘이 넘쳤다.

"지금 무얼 하고 계세요?"

호준이 한 호흡 틈을 두었다가 물었다.

"밥했어요."

태경은 웬지 쑥스러움을 느끼며 대답했다. 자신의 속옷이 삐죽이 빠져나오는 것같이 민망스런 기분이 들었던 것이다.

"아, 지금이… 그럴 때군요…."

이렇게 말하는 호준의 목소리가, 미끄럼질 치듯 점점 낮아졌다.

"다 끝났어요"

태경이 뜻도 모르고, 하지만 아이의 본능 같은 육감으로 조급하게 대꾸했다. 그러나 호준은 말이 없었다.

"무얼 하세요? 퇴근할 때 되지 않았나요?"

태경은 늘 거기 있는 벽시계를 한눈에 찾지 못해 두리번거리며 물었다.

"퇴근을… 안 할려구요…."

호준의 목소리는 여전히 뒤끝이 가라앉는, 그런 것이었다.

"그… 건… 퇴근을… 무슨 뜻이세요?"

공연히 태경의 목소리는 떨리었다.

"밤에 그려야 할 게 있거든요."

"전 직원이요?"

"아니요, 혼자서요."

"그럼 너무 힘들지 않으세요?"

"글쎄요…."

호준이 얼버무렸다. 그는 건축쟁이가 혼자서 밤새워 도면을 그리고 싶은 기분을 설명할 수 없었다. 그리고 또 하나, 자기가 이렇게 일하는 곁에 한 명의 여자─태경이 있어주길 바라는 마음도 차마 말하지 못하는 것이었다. 그 여자는 '남의 집의 아내'가 분명하다고, 지금 그런 사실이 이유없이 선명하게 떠올랐기 때문이다.

"그럼 저녁밥은 어떻게 하세요?"

태경이, 오랜 여자의 역할에서 터득된 익숙한 걱정을 했다.

"그거야 뭐 적당히… 배달시킬 수도 있고… 점심을 늦게 먹어놔서요…."

호준이 싫증난 목소리로 말했다.

"그러지 마세요. 내가 김밥을 말아서 가져가면 안 될까요? 금방 갈 수 있는데… 그렇게 하고 싶어요!"

태경이 말했다. 그의 마음은 벌써 김밥 봉투를 들고 호준의 사무실 문을 미는 것이었다.

"정말… 그럴 수 있어요? 김밥은 성가시니까… 빵을 좀 사와두 되는데…."

호준은 너무 기뻤다. 태경이 오면, 그가 자기 방의 어딘가에 앉아 있기만 해도, 그는 아무런 잡념 없이 일에 열중할 수 있을 것 같았다.

태경은 눈을 감고도 김밥을 말 수 있었다. 소시지로 속을 넣으면 간단하련만, 태경은 참기름에 다진 쇠고기를 볶아 속을 박았다.

"엄마! 왜 김밥 싸?"

소영이가 저녁에 김밥을 마는 태경의 옆에 와서 지단 한 오라기를 집어먹으며 물었다. 태경이 애 떨어지도록 놀라며,

"너 언제 왔니?"

소리쳤다. 그는 방금, 다녀왔습니다아! 하고 소리치며 들어오는 딸의 목소리도 듣지 못했던 것이다. 소영이는 피아노 선생님이 잘 친다고 박하 사탕을 주어서 기분이 좋았다.

"엄마 나 들어오는 거 몰랐어?"

소영이는 김밥만 좋아 건성으로 이렇게 물으며, 엄마가 어서 그것을 썰어주길 기다렸다.

"엄마. 이거 우리 먹을 거지?"

소영이가 이번엔 단무지를 집어들고 물었다. 태경은 갑자기 목구멍이 막히는 걸 느꼈다. '우리'라는 딸의 표현에 태경의 '어미 마음'이 미끼에 걸리듯 꿰인 것이었다.

"엄마. 왜 밤에 김밥을 해?"

이렇게 묻는 소영이의 궁금증은 실상 별 게 아니었다. 어머니는 언제나 아침에 김밥을 말았기 때문에, 그 오랜 습관으로 보면 오늘 이것은

특별해서, 그래서 궁금할 뿐이었다. 이번에는 태경이 대답하지 못했다. 호준은 자기를 기다릴 것이고, 그 기다림의 먼 길 사이에 장애물처럼 딸이 가로질러 놓인 것이었다.

"손 씻었니?"

태경이 엉뚱하게 엄격한 목소리로 말했다.

"응, 씻어야지."

도리어 어린 딸아이의 목소리는 선선했다.

아이가 손을 씻고 텔레비전을 켜고 저녁 신문에서 텔레비전 프로그램을 훑어보는 동안, 태경은 쫓기듯 은박지 도시락에 김밥을 담았다. 자투리가 섞인 김밥 한 접시를 따로 식탁에 올려놓았다. 김밥 반기던 소영이는 벌써 관심이 텔레비전에 가 있었다. 태경은 여느 때와 달리 그런 딸이 안중에 들지 않았으므로, 아니 그런 딸의 눈에 띌새라 살그머니 방에 들어가 외출복으로 갈아입고 나왔다.

소영이는 어머니가 쇼핑백을 들고 나설 때야 비로소 '새로운' 것을 발견하고 화난 표정이 되었다.

"엄마! 어디 가? 또 나가?!"

아이는, 그가 태어난 이래 가장 진한 가혹함이 담긴 목소리로 소리쳤다.

"어머, 얘… 또 나가다니?"

태경은 신을 신으며 어눌하고 비굴하게 들리는 목소리로 얼버무렸다. 아이의 눈에 원망과 분노가 거침없이 서렸다. 태경은 아이의 얼굴을 똑바로 바라볼 수 없었다.

"혜진이 봐라. 엄마가 매일 나가두…"

이제 태경은, 이 문만 열고 나가면 된다고, 도망가는 사람의 기분으로 말했다.

"혜진 엄만 선생님이잖아! 엄마가 선생님이야?! 엄만 집에만 있잖아!"

소영이가 악을 썼다. 태경은 아이의 악을 우박처럼 뒤집어썼다. 그러면서, 그런 속에서도 그는 자기가 열쇠를 챙기지 않은 걸 깨달았다. 태경은 그래서 신을 벗고 올라섰다. 그걸 소영이는 자기 때문에 어머니가 나가려던 걸 포기한 줄 알고 기뻐서 이내 입을 찢으며 웃었다.

"오빠 오면, 김밥 먹구… 알았지? 소영아. 엄마가 나중에 너가 원하는 거 해줄게. 곧 올 거야."

태경은 마음이 급해서 무슨 말을 하는지도 모른 채 지껄이고 집을 나섰다. 문이 닫기자마자 소영이가, 세상에 태어난 지 이제 11년이 조금 넘은 딸자식이 통곡을 했건만, 태경은 들을 수도, 느낄 수도 없었다. 그는 한시 바삐, 택시를 탈 수 있기를 간절히 바라며 골목을 달려나갔다.

아직도 길은 러시아워였다. 택시는 이내 잡혔지만 차는 마치 죄악처럼 태경의 마음을 지겼다. 뒷머리가 새집처럼 어지럽고 마음은 턱없이 조급했다.

"어쩌면… 차가 이렇게 밀리지요?"

태경의 조급함이 저절로 이런 말을 뱉어냈다.

"글쎄… 나가는 것까지 이 지경이니… 차라리 도둑질을 해 밥 먹는 게 낫지…."

뒷모습은 단정해 보이는 젊은 기사가 말은 모질게 했다. 이런 건 아무래도 좋았다. 태경은 차가 고장나지 않고, 그가 가는 방향에서 사고 차량이 길을 막지만 않아줘도 좋겠다고… 마음을 이렇게 가라앉히려 애썼다.

태경이 호준의 사무실 앞에서 내리는 걸 호준은 2층의 네모진 유리창으로 바라보고 있었다. 그는 미끄러지듯 아래층으로 내려가 태경이 문에 손을 대는 순간, 안에서 잡아당겼다. 태경은 바람과 함께 어두운 공간으로 빨려들어왔다. 호준이 문을 닫아 걸 때, 태경은 아득한 곳에서 들리는 듯한, 쇠붙이가 경쾌하게 얽히는 소리를 들었다. 그 소리는 태경의 긴장을 풀어주었다. 태경의 긴장을 푸는 것은 잠기는 문고리의 울림만이 아

니었다. 자기의 삶을 송두리째 싸 안는 호준의 팔과 가슴 그리고 자신의
머리와 얼굴, 목과 어깨에 뜨거운 숨결로 닿는 호준의 그리움… 그리고
태경의 그런 것…. 이제, 따뜻하고 부드럽고 달착지근한 그들의 입이 서
로를 확인하고 두 사람의 몸이 서로의 몸에서 그리움을 열기 시작했다.
어두운 아래층은 그저 어둡고, 태경은 공간이 낯설었지만 아무런 걱정도
없었다. 그들은 어두운 공간에서 저 홀로 흐르는 시간과 움직이는 공기
처럼, 그렇게 스스로의 생명이 흐르고 움직이도록 내버려두었다.

태경이 들고 들어온 김밥은 어디에서 세 있을 곳을 찾았을까. 태경은
자신의 몸이 타는 걸 보았다. 타서 공기가 되어 날아가는 걸 웃으면서
지켜보았다. 자신의 공기가 어두운 하늘, 먼 구름에 닿고 달에 닿고 별들
과 만나는 걸 쳐다보았다. 별과 별 사이의 부드럽고 따뜻한 길 위에 태
경은 몸을 풀었다. 공기가 된 태경의 생명이 다시 살이 되었고 그 살은
한 남자를 덮었다. 깃털처럼 무게가 없는 한 남자의 몸. 태경은 그와 자
신의 온 생이 한꺼번에 하나로 뭉치는 걸, 어둠 속에서 눈을 감고 느꼈
다. 이렇게 편하고 이렇게 만족스런 시간을 가져도 되는지, 태경은 그가
만난 구름과 달과 별에게 묻고 싶었다.

이윽고, 호준이 일어나려 했다. 태경은 아직, 싫었다.

잠시 후 태경과 호준은 웃으면서 깨어났다. 그들은 기쁨의 가운데에
있어서 지금은 기쁨도 느끼지 못했다. 그냥 서로의 손, 허리, 뺨과 입술,
눈썹과 머리를 확인하며 아이들처럼 웃었다.

"배고픈데…."

호준이 투정하듯 말했다. 태경은 그의 등을 장난스레 밀었다.

"봉투가 어딨지?"

태경이 두리번거리며 말했다.

"난 알아. 내 눈이 불인걸. 여기 있잖아요."

호준이 개구쟁이처럼 말했다. 그리고 소파 한쪽에 있던 쇼핑백을 부시
럭 소리나게 집어들었다. 그들은 소리내어 웃고 촉수 낮은 등이 천장에

박혀 있는 나무 계단으로 올라가기 시작했다. 태경이 앞섰는데 호준은 자꾸만 태경의 허리에 머리를 쑤셔박았다.

그들은 호준의 방에다 나들이 같은 저녁상을 차렸다. 태경은 김밥 도시락 뚜껑을 열고 나무 젓가락을 갈라놓고 호준은 두 잔의 물을 가져왔다. 호준은 정신없이 김밥을 먹었다. 태경은 두번째의 도시락 뚜껑을 열었다.

"나는 벌써부터 당신이 김밥을 이렇게 잘 만들 줄 알았어요."

호준이 어지간히 배가 찬 뒤에 말했다. 그리고 밥을 먹기 시작하면서부터 잡고 있던 태경의 오른손을 놓아주었다. 태경은 밥을 먹고 왔다고 거짓말을 해서, 그가 이따금씩 입에 넣어주곤 했던 것이다.

"누가 질투하지 않을까? 아무래도 문을 꼭꼭 닫아야겠어요. 저 창의 덧문을 닫아요."

호준이 말했다.

태경은 엉거주춤 일어섰다.

"누가… 들여다볼 수 있나요?"

태경은 은근히 걱정이 앞섰던 것이다.

"저기 저 달 좀 봐요. 우릴 들여다보잖아요. 질투가 심할 것 같지 않아요?"

호준이 말했다.

정말 창 밖으로 달이 들여다보고 있었다. 둥글고 힘 세어 보이는 달이었다. 태경은 한동안 달을 쳐다보았다. 달이 무슨 말인가를 하는 것 같았다. 그리고 달이 어떤 표정을 짓고 있는데, 그것이 무엇인지 헤아릴 수가 없었다. 호준이 그저 지나가는 말로 내뱉은 달의 표정은 '질투'만은 아닌, 아주 복잡한 것이었다.

달이 복잡한 표정을 지으며 태경에게로 점점 더 가까이 다가오기 시작했다. 태경은 저 달이 무서워졌다. 기이한 표정을 더 이상 보고 싶지 않았다. 태경은 도망치듯 덧문을 닫고 돌아섰다. 놀란 표정이었다.

"누가 이겼어요?"

빈 은박지 도시락을 구겨 휴지통에 넣던 호준이 물었다.

"누가 이기다니…?"

태경은 언 목소리였다.

"여태 달하구 싸우지 않았어요?"

호준이, 아직도 창의 덧문을 여미듯 닫고 그 자리에 서 있는 태경에게
로 다가오며 말했다. 태경은 얼굴을 찡그렸다. 그 찡그린 얼굴에 호준이
고개 숙여 지붕처럼 감쌌다.

"괜찮아요."

호준이 따뜻하고 너그럽게 들리는 목소리로 속삭였다. 그래도 태경은
괜찮지가 않았다. 딴전을 피우는 것 같더니 자기를 다 꿰뚫고 있는 이
남자가 얄밉고 겁나고 좋았다. 도망치는 꿩처럼 머리만 그의 가슴패기
틀어박았다. 호준이 그런 태경을 으스러지게 안았다. 태경은 숨쉴 수가
없었다. 그러나 기뻤다. 그들은 손을 잡았다. 나란히 걸었다. 열 발자국도
걷지 않아, 호준이 자신의 책상의자에 앉고, 태경은 그의 무릎에 앉았다.
호준은 등받이에 몸을 기대고 태경은 그의 어깨에 몸을 실었다. 두 사람
은 서로의 숨소리를 들었다.

"이렇게 잠들었으면…."

호준이 잠에 젖은 목소리로 중얼거렸다.

나두. 태경이 속으로 대답했다. 호준은 눈을 감았다. 이 밤 안으로 끝
내려던 일을 생각했다. 그런데, 이 여자를 어디에 두고 일을 해야 할지,
그게 해결되지 않았다. 마음 같아서는 자기의 무릎에 앉혀놓고 일하고
싶었다. 접을 수 있다면 자신의 서랍에 넣어두고도 싶었다.

"아까 내가 왜 달하구 싸웠다고 했어요?"

문득, 태경이 호준의 어깨에서 자신의 몸을 분리하며 물었다.

"내가 그런 말을 했나?"

"그랬어."

"아, 생각난다. 달은 여자니까… 둘이 노려보구… 아닌가?"

호준은 대수롭지가 않았다. 그는 책상 위에 놓인 담배를 한 개비 꺼내 입에 물고 라이터를 켜댔다.

"달이 여자라구?"

태경이 호준을 바라보며 물었다.

"글쎄, 옛날부터 그렇게 전해 내려오지 않나?"

호준은 담배맛이 좋아서 줄기차게 빨아당겼다.

"내 동생이 들었으면 질색할텐데…."

태경이 중얼거렸다.

"동생이 있어요?"

"태희라구… 나보다 열한 살이나 어린데… 사는 게 나하구는 아주 달라요. 아이 하나 낳더니 지금은 동시통역사 되겠다구 영어공부하러 다녀요. 그 앤… 내가 사는 방식을 비웃는 거 같아요. 그 앨 만나면 그런 기분이 들어요. 내가 이미 낡고 가치 없는 삶을 살았다는…."

태경이 말끝을 흐렸다. 두개비째의 줄담배를 태우던 호준이 자신의 무릎 위에 얹힌 태경의 손을 잡았다. 짧게 자른 손톱과 마디가 굵은 손가락. 오랜 물일로 손바닥의 감촉이 거친 손. 그리고 이젠 늙기 시작해 주름이 쥐어지는 손등을 어루만졌다.

한동안 그들은 침묵했다. 그러다가 태경은, 호준이 자기의 몸을 싣고 있던 허벅지를 움직이자 재빨리 일어섰다.

"사람한텐, 이런 한계가 있어요."

호준은 태경이를 오래도록 태우지 못하는 자기 다리의 허약함에 대해 이렇게 변명을 했다. 그러나 태경은 다른 생각에 잠겨 있었다. 그는 호준이 끌어다준 의자에 앉으며 고요한 목소리로 입을 열었다.

"호준 씨를 만난 다음, 나한텐 큰 변화가 하나 생겼어요. 달이 나를 보았듯이, 내가 내 인생을 보게 된 것이에요. 그전엔 내 인생이 무언지 몰랐어요. 그냥 주어진 일을 열심히 하고 살았지요. 그렇게 사는 게 인생인

줄 알았어요. 내가 무엇인지… 그런 건 생각도 할 수 없었어요. 그런데 지금은 '나 자신'이 보여요….“

호준은 태경의 말을 새겨들으려고 노력했다. 그러나 태경이라는 한 여자의 고뇌가 무엇인지 잘 감지되지 않았다. 그는 다만 태경이가 좋을 뿐이었다.

“… 나는 후회하지 않아요.”

호준의 침묵 속에다가 태경이 비수를 꽂듯 말했다. 호준은, 비감에 젖은 표정의 태경을 바라보았다. 그는 이제, 자기가 말해야 할 차례라고 생각했다. 무슨·말을 어떻게 시작해야 할지… 때때로 말은 주인의 진심을 잘못 전달하기도 하고 듣는 사람이 달리 해석하기도 했다. 그래서 그는 중요할 때, 말을 신뢰하기가 싫어졌다. 건축주들을 설득할 때 간혹 경험하게 되는 일이었다.

“사실…”

호준이 태경이 쪽으로 몸의 중심을 바짝 당겨서 머리가 닿도록 하고 말했다.

“난 여자를 잘 몰라요. 여자는 무얼 생각하고 무얼 원하고…. 어머니나 애인에 대해서는 알겠는데… 여자… 여자에 대해선 정말 모르겠어요. 솔직한 고백이에요. 그래서 태경 씨가 애인일 땐 당신을 송두리째 소유한 것 같다가도 당신이 여자라고 생각되면 이상하게 거리감이 생겨요. 싫다는 의미하고는 달라요. 그냥 미지의 어떤 것… 그런 뜻이에요.”

태경은 호준이 말을 다 끝냈다는 걸 알면서도 뭐라고 말을 하지 못했다.

“미안해요. 화났지요?”

호준이 태경의 침묵에다 물었다.

“아니 왜 화가 나요? 화 안 났어요!”

태경이 질겁을 했다.

“그래요. 중요한 건… 내가 당신을 사랑한다는 겁니다. 당신이 옆에 있으면 시간이 어떻게 가는지 모르겠어요. 당신을 생각하면 힘이 샘솟아요. 좀 지쳐 있었는데… 지금은 그렇지 않아요…. 머리도 더 맑아져서 일도 잘되고 사람들에게도 너그러워져요. 당신이 나를 그렇게 변화시켰어요. 내가 당신에 대해 아는 건 이게 전부지요. 당신이 없으면 당신이 궁금하고 보고 싶고 같이 있고 싶고, 같이 있으면 시간이 너무 빨리 가고 … 그래요 태경 씨."

호준이 말끝에 힘을 주었다. 그리고 태경의 허벅지에 자신의 손을 얹고 그의 다리 사이에 얼굴을 묻었다. 태경이 그의 검고 숱 많은 머리를 만졌다. 손끝에서 가슴으로 한 남자의 인생이 전류처럼 흘러드는 걸 느꼈다.

사방이 고요했다. 먼 데서 자동차소리가 들렸지만, 그건 바깥의 사정이었다. 태경은 이상했다. 아무것도 생각할 수 없는 상태였다. 머릿속이 얼얼한지 먹먹한지… 그저 아무 생각도 할 수 없었다. 방금 그의 전신으로 퍼진 호준의 인생을 실은 전류 때문이었을까?

이윽고 호준이 목을 들어올렸다.

"우리 커피 한잔 마실까요?"

그가 좋은 생각을 찾아낸 아이처럼 말했다. 태경이 고개를 끄덕거렸다.

호준이 커피포트에 물을 담아 전기를 꽂았다.

이때 전화벨이 울렸다.

"태경 씨가 받아줄래요?"

"제가요?"

"어때요? 아 안 되겠다. 웬 여자가 전화를 받느냐구… 누군지 모르니까…."

"그래요."

태경도 호준과 생각이 같았다. 테이프를 찾던 손을 놓고 여러 번째 울리고 있는 전화 수화기를 호준이 들었다. 까만색의 전화기는 책꽂이의 키 작은 책들 사이에 놓여 있었다.

"주운…"

호준이 '준 건축'의 준을 발음하다 말고 낯빛을 굳혔다. 의자에 앉아서 그런 그를 바라보던 태경의 표정도 의아해졌다.

"나야."

호준이 말했다. 그리고 그는 자신을 바라보고 있는 태경에게 등을 보이며 돌아섰다.

태경은 이제 그의 뒷모습만 볼 수 있었다. 그리고 그의 등에서, 태경은 호준이 누구와 통화를 하는 건지, 읽을 수 있었다. 태경의 고개가 나락처럼 떨어졌다. 그는 통화 내용을 듣고 싶지 않았다. 웬지 엿듣는 기분이 들어, 스스로 언짢았다.

"바쁘다니까… 알았어… 날보구 어떻게 하라구… 그래서… 알아서 하라니깐… 그래… 응… 응…."

듣지 않으려 해도 이렇게 말하는 호준의 볼 부은 목소리가 태경의 귀를 후벼팠다. 태경은 호준이 수화기를 내려놓는 소리도 들었다. 그런데 한번 아래로 떨어진 그의 고개는 제자리로 돌아오지 않았다. 무엇이 태경을 이 지경으로 만들었을까.

"태경 씨!"

호준은 고개 숙인 태경의 이름을 불렀다. 태경은 아직 말하지 못했다. 호준은 태경이 앞에 무릎을 끓었다. 그렇게 해야 두 사람이 얼굴을 마주 볼 수 있었다.

호준이 태경의 얼굴을 들어올렸다. 태경은 눈을 감고 있었다.

"날 봐요."

태경이 눈을 뜨도록, 잠시 기다리다가 호준이 말했다. 태경은 눈을 감은 채 고개를 저었다. 잠시 괴로운 침묵이 그들을 지켜보았다.

"우리… 뜨거운 커피를 마십시다."

호준이 정작 하고 싶은 말은 가슴에 간직한 채, 이렇게 말했다. 태경이 고개를 끄덕이었다. 태경은 어쩌면 호준도 자기와 고통이 같을지 모른다고 생각했다. 태경이 눈을 떴다. 호준이 열린 그의 눈에 입을 맞추었다. 그리고 두 사람은 한 시간 전쯤, 이곳에서 만났을 때와는 다른 감회를 교감하며 서로를 포옹했다. 길고 따뜻하되 좀체 슬픔이 감춰지지 않는 시간 속에서.

"내가 커피를 어떻게 맛을 내나 봐줘요. 만드는 솜씨는 당신이 더 나을테니까."

호준이 팔을 풀며 말했다. 태경은 웬지 울고 싶어서, 눈물이 솟구칠 것 같아서 아랫입술을 아프게 깨물었다. 태경의 슬픔이 호준의 몸에 물결처럼 닿았다. 그 무게가 호준의 마음과 몸을 휘청거리게도 했지만, 호준은 짐짓 모른 체했다.

커피포트의 물은 여태 아우성으로 끓고 있었다. 호준은 전원에서 플러그를 뽑아놓고 커피잔에 가루 커피를 스푼으로 되질해서 넣었다. 그의 굵은 손이 어울리지 않게 떨려서 탁자 위에 설탕과 프림 가루를 흘렸다. 태경은 눈 안에 호준의 움직임을 송두리째 담은 채, 아까부터 계속 이 말만을 삭이듯 입 안에서 굴렸다.

당신의 아내는 어떤 커피맛을 내는지… 나는 그것이 궁금합니다… 라고.

"한번 마셔볼래요?"

이윽고 호준이 잔을 들고 태경이 앞에 왔다. 그의 표정은 얼핏 보면 아주 밝았다. 뜨겁지 않을까? 하고 중얼거리며, 호준이 잔을 태경의 입술에 대었다. 태경은 남자의 이런 친절이 너무도 낯설어서 질겁하며 제 손으로 잔을 잡았다.

"괜찮아요."

낮은 목소리로 호준이 말했다.

결국 태경은 남자의 치다꺼리를 받아들여서, 자기 손 하나 대지 않고 커피를 한 모금, 또 한 모금 삼켰다.

"좋은 것 같아요."

태경은 자기 얼굴을 빤히 들여다보고 있는 호준에게 말했다.

"좋지 않구 좋은 것만 같아요?"

호준이 웃음 섞인 목소리로 물었다. 태경이 고개를 갸웃하면서 다문 입술을 찡그렸다.

"사실은… 난… 지금… 정신이 없어요…."

태경이 겨우겨우 이렇게 말했다.

그들은 다시 침묵 속에 놓여졌다.

입도 대지 않은 호준의 커피는 통째 식고 있었고, 태경의 마시다 만 커피는 더 빨리 식어가는 중이었다.

"태경 씨? 나를 똑바로 쳐다봐요."

한참만에 호준이 태경의 손을 잡고 말했다. 태경은 최면에 걸리기로 작정한 사람처럼 호준이 시키는 대로 고개를 들고 그를 쳐다보았다.

"우리는 어젯밤에 헤어지고 오늘 저녁에 다시 만났어요. 당신과 헤어진 후로 거의 내 마음속에서 당신이 떠나지를 않았어요. 꿈도 꾸었던 것 같은데 기억이 안 나요. 오늘도 바쁜 일들이 시작되는 날이지요. 아침에 회의를 하고 오후 2시엔 클라이언트와 만나고… 소장이라고 이런 사무실 유지하자면 자금도 관리해야 합니다. 그런데 그런 일들 사이사이로 당신이 떠올랐어요. 당신은 작은 틈이라도 있으면 스며드는 햇빛이나 공기 같습니다. 지금 내겐 그래요. 이런 상태가 언제까지 계속될지, 또 이것이 우리 인생에 어떤 의미를 가지게 될지… 그런 건 아직 모르겠어요. 하지만 난 당신과 같이 있고 싶어서 함께 야근하기로 한 직원 둘을 일찍 돌려보내고… 지금 이렇게 당신과 함께 있어요. 이게 내 전부입니다. 아까 전화를 한 게 와이픈데, 당신이 그걸 눈치챘고 그것이 당신의 여린 마음에 고통을 끼쳤다는 걸 알아요. 하지만… 태경 씨. 우린 서로 다른 배우자와 결혼생활을 하면서 만나게 된 사이입니다. 이게 우리의 어려운 숙제입니다…."

호준은 숨도 쉬지 않는 것같이 말했다. 그의 목소리는 떨림과 열정으로 얽혀서 태경의 몸을 휘장처럼 감쌌다. 태경은 자기의 몸에서 긴장과 조바심이 녹아 배설물처럼 빠져나가는 걸 느꼈다.

"… 당신이 오면 당신을 이 방 어디에 앉도록 할까 궁리했어요. 내가 일하는 동안 당신이 내 곁에 있어만 준다면…. 그게 가능할까, 욕심인가, 위험한 일은 아닌가… 우리는 똑같은 고통의 조건을 등에 지고 있습니다. 다만 그 고통보다 더 진한 욕망이 그리움이기 때문에… 죄악감도 느껴지지 않아요…."

호준은 말하고 나서 길고 큰 숨을 내쉬었다. 태경은 그의 손을 들어 입을 맞추었다. 양쪽 손에 그렇게 했다. 숙명의 신이 있다면, 지금 태경의 입술로 하여금 그렇게 낙인을 찍었으리라. 호준이 더는 참을 수 없어서, 태경을 힘차게 감싸안았다. 그 여자의 몸은 작디작아서 그의 우람한 품속에 박히듯이 안겼다. 그래도 태경은 편안했다. 거리낌없는 수면, 혹은 세상일을 잊은 휴식 같은 시간이 그들의 생명을 담았다. 이제 이 땅에서 살도록 주어진 그들의 생명이 수십 년 익어, 비로소 맛을 갖게 되었을 때, 두 맛이 어우러지듯 그들은 편한 교합에 들어선 것이었다.

호준이 태경의 윗옷섶을 헤치려 했다. 태경이 손쉽게 단추를 끌렀다. 부드럽고 따뜻하고 잘 삭은 태경의 가슴살이 호준의 얼굴을 덮었다.

태경의 젖은 슬프고 기쁜 호준의 고향이었다. 그 여자의 질 깊숙이 자신의 남근을 넣었을 때, 마치 자궁 속 같은 낙원을 느꼈듯이….

태경은 자신의 '여성'을 열었다. 크고 작은 문, 깊고 가파른 골짜기, 사소한 틈까지도 남김없이… 소리도 냄새도 버거움도 없이 그런 것을 열었다. 그가 한 남자의 아내가 되던 그날 밤, 예물처럼 바쳐진 그의 '순결'을 남편이 '소유'할 때, 태경은 자기의 성이 무엇인지 깨달을 수 없었다. 그는 단지 자기가 '처녀'라는 것만 믿고 있었으므로, 남편의 소유가 만족스러우리라고, 관습 같은 생각을 했었다.

태경은 기뻤다. 그가 자신의 여성을 스스로, 스스로의 힘으로 남성을 향해 열었을 때, 그 열림 사이로 벅차게 들어오는 기쁨을, 태경은 생명처럼 호흡했다. 그는 호준의 입술을 핥고, 그의 얼굴을 어루만지고 그의 불끈 선 남근을 기쁘게 만졌다.

바람이 잠든 바다처럼, 그들의 숨결이 잔잔해졌을 때, 태경은 '우리는 하나'라고, 속으로 말했다. 호준은 의자에 파묻히듯 길게 깊게 앉았고 태경은 그의 앞에서 그의 무릎에 얼굴을 묻고 있었다.

말없는 시간이 흘렀다.

"일은 언제 하지?"

호준이 감미로운 목소리로 중얼거렸다. 그리고 웃었다.

"이제, 시작하세요."

정작 태경은 움직이지도 않고 말만 이렇게 했다.

"난… 시간이… 신이 아닌가 하는 생각을 해. 시간은 하나밖에 없으니까. 우리가 하나의 시간 속에서 여러 가지를 할 수 있다고 생각하지만 자세히 보면 언제나 하나만 할 수 있어요. 지금도, 그렇잖아?"

호준이 긴 팔을 뻗어, 태경의 머리칼을 낱낱으로 헤아리며 나직이 말했다. 태경은 호준의 말을 듣지 않았다. 그는 속으로, 다만 자기가 호준이를 '방해'해서는 안 된다고, 그런 생각만 하고 있었다.

"사람은 말이에요. 서로 잘 맞는 사람이 있다고 해요. 건축이라는 게 땅이 원하는 원형을 찾는 건데… 제 형태를 제자리에 있게 하는 것… 그걸 찾고 알아내고 세운다는 건 어렵고 지독한 일인데… 맞지 않으면 서로 거슬리게 되고… 사람도 그와 같을 거예요. 서로가 원하고 필요로 하는 원형을 찾아 괴롭고 행복한 여행을 하는 게 아닐까요? 인생이라는 게…."

호준이 말했다. 태경은 무조건 행복했다. 자기가 이런 이야기를 들을 수 있다는 게 꿈만 같았다.

이제껏 그가 살아낸 일상 속에선 들을 수도 없고 생각할 수도 없는 이야기였다.

태경은 문득 자신의 '언어'들이 우스워졌다. 자신이 오래도록 잡고 있던 언어들—가계부 속의 낱말… 월급·상여금·예금 이자… 쌀·고기·생선·야채·과일·교육비… 아무개는 공부 잘하지요? 학교 가보셨나요? 식빵에다 피자를 하는 것보다 머핀이 더 쫄깃거려서 애들이 좋아해요. 남편한테 태를 회쳐 먹이는 아내두 있대요. 40대는 지방을 빼는 게 좋대요. 고등학교는 어디로 보내지요? 사업하는 남편이 뭐가 좋아요. 월급쟁이가 편하다구요. 거길 가보세요, 10프로는 싸요. 교회에 갑시다. 나이를 먹을수록 신앙생활이 필요해지지 않아요? 그 집 아이는 과외를 해서 한 달에 백 만원을 번대요. 월부루 소형 승용차 뽑아서 타고 다닌다나요. 왜 반상회에 안 나왔어요. 그 집 남편이 젊은 여자를 두고…. 태경은 그의 일상들이 필요로 하는 언어의 한계 속에서 해방된 느낌을 느끼는 것이었다. 이건 태경에게 전혀 새롭고 행복한 경험이었다.

"왜 건축가가 되었어요?"

태경이 누에처럼 고개만 들고 물었다.

"처음엔 환쟁이가 꿈이었어요. 세상에 있는 색깔들, 형태들을 흉내내고 싶었겠지요. 고등학교 때두 그림을 그렸는데, 그래서 미대에 1년 다녔지요. 그러다가 다시 시험을 쳤습니다. 건축을 하면 그 속에 그림과 조각이 들어갈 뿐 아니라 사람이 직접 생활하게 되니까… 건축이 훨씬 크고 다양성을 요구하는 예술 같더라구요."

"만족하세요?"

"나 자신에 대해?"

호준이 물었다. 태경은 얼굴이 화끈거렸다. 자기의 질문이 맞는지, 혹은 터무니없는 건지 문득 부끄러워졌던 것이다.

"지금은 그런 걸 생각할 여유도 없어요. 물론 나 자신의 능력에 대한 회의가 때때로 찾아오지만…. 더욱이 건축은 다른 예술과 달라 '건축주'가 있고 혼자서 할 수 없는 작업이라 어떤 땐 내가 혹시 목이 매인 개가 아닌가 생각될 때두 있지요."

태경은 '건축을 하는 정호준'에 대해서는 잘 알 수 없었다. 그의 일과 맞닥뜨린 적도 없고 그 일의 동업자도 아니며 건축 예술에 대한 이해의 폭도 거의 지니지 못한 거나 다름없었기 때문이다. 하지만 태경은 그에게 무엇이 필요한지, 그런 것이 있다면 남 먼저 그것을 해결해 주고 싶었다.

"지금부터 내가 일벌레로 변하는 걸 볼래요?"

호준이 말했다.

"네!"

태경은 무조건 힘차게 대답했다. 호준은 일단 앉았던 자리에서 일어섰다. 학생처럼 태경도 호준을 따라했다. 호준은 자신의 이 방에, 자기가 작업을 하는 동안 태경을 어디에 '둘까' 궁리하는 것이었다. 그가 있고 자기가 있되 각자의 생각과 일에 묻힐 수 있도록, 마치 서로가 서로의 호흡이 되길 바라며.

마침내 호준은 한 공간을 찾아냈다. 자기가 때때로 쉬고 싶을 때, 도망가고 싶을 때 앉아서 음악을 듣거나 책을 뒤적이거나 눈을 감고 있는 자리였다. 길 쪽의 벽을 등지고 아래층에서 올라오는 계단 쪽과도 외면이 되는 곳이었다.

호준은 태경의 손을 잡고 그 자리에 갔다.

"내가 일하는 동안 당신은… 잠잘래요?"

호준은, 말은 이렇게 하면서도 책꽂이를 두루 훑어보았다. 태경은 벌써 다리가 짧아서, 파묻혀 앉으면 회의용 큰 책상 밑으로 가라앉게 되는 의자에 잠겨들 듯 앉았다. 곧 호준이 그에게 두꺼운 책 세 권을 가져왔다.

"여긴 바로 당신을 위한 공간이군요. 지진이 나두 안전하겠어요."

호준은 의자에 잠긴 태경이를 내려다보며 말했다. 태경은 말없이 미소 지었다. 호준은 태경이 앞에 앉았다.

"이건 춤에 관한 책이고, 이건 조각, 건축인데… 심심하면 봐요. 이제부터 난 일하고… 당신은 자유야!"

호준이 말했다. 그는 아무 말도 하지 않는 태경의 눈을 들여다보았다.

"사람이 희망하는 자유가 개인의 상상력을 뛰어넘을 수 없듯이, 당신의 자유는 아마 내 사랑의 폭과 깊이 속에 있을 거야. 그렇지 않아요?"

다시 호준이 말했다. 태경은 아랫입술을 깨물며 눈을 감았다. 가슴속에서 이상야릇한 느낌이 꿈틀거리기 시작해서였다. 슬픔인지 기쁨인지 분간이 안 가는 느낌이었다.

"여기, 있을 수 있지요?"

호준이 잠긴 목소리로 물었다.

태경이 고개를 끄덕거렸다. 가슴이 벅차서 차마 입을 열 수가 없었던 것이다. 호준은, 마치 한데 내놓은 아이에게 바람이 탈새라 염려하는 어머니처럼 태경의 머리를 어루만지고 어깨를 가볍게 눌러 앉은 자리가 틈 벌리지 않도록 하였다. 그리고 나서 태경이 책 하나를 집어들고 겉장을 넘길 때 자기 자리로 돌아갔다.

로뎅과 부르델의 작품을 한데 엮은 책에 태경은 눈을 주고 있었다. 흉상과 얼굴들을 보고, 서 있는 사람들의 조각도 보았다. 비굴함이 느껴지는 근육질의 아담과 자기 자신을 싫어하는 것 같은 이브의 조각을 오래도록 들여다보았다. 그러나 그는 이미 죽은 예술가의 작품 사진에 빨려 들어가지 못했다. 그의 고개는 어느 결에 들리워졌고, 눈은 호준을 향해 그윽하게 열리고 있었다.

호준의 머리 앞부분과 오른손이 삿갓등의 빛에 젖어 있었다.

저 남자….

지금 저 삿갓등의 조명 속에서 그가 계획하고 담아내려는 인생은 무엇일까. 트레이싱지 위에서 한동안 침묵하고 있던 그의 손이, 밑으로 내려가고 홀더가 움직이는 소리가 났다.

태경은 일에 빠져 있는 남자를 이렇게 가까이에서 본 적이 없었다. 자기의 남편이 어떤 물건을 만들어내는 회사에 다닌다는 건 알고 있지만,

그 회사의 창업주가 누구이며 그가 어떤 여배우와 살림을 차린 적이 있다는 건 알지만 정작 남편의 '일 자체'에 대해선 무지했다. 남편은 집에 오면 언제나 쉬었고, 태경은 그가 쉴 수 있는 '일'을 했던 것이다.

남자의 일에 여자인 자기가 이런 식으로나마 속해 있다는 게 태경은 신기하기까지 했다. 도대체 어떻게 이런 경우가 가능한지, 자기 자신이 지금 그 가능성을 살고 있으면서도 쉽사리 믿지를 못했다. 아내는 남편의 바깥일을 알 필요가 없다고, 태경은 그렇게 배웠다. 남편으로서 자기 일을 아내에게 흘리는 건 옹졸한 남자라고, 그렇게 배운 기억이 났다. 그래서 태경은 남편의 일에 무식했고 남편은 아내가 '섬겨야 할' 대상이기만 하였다.

그런데 호준은 달랐다. 그는 태경에게 자기 일을 이해시키려고 틈만 있으면 건축에 대해 이야기했다. 그가 들려준 많은 이야기들을 태경은 제대로 이해할 수 없었고 기억도 많이 하지 못했지만, 태경은 늘 기뻤다. 태경은, 언제나 이런 삶을 살았으면 좋겠다고 생각했다. 일 속에 남편과 아내가 함께 있는 상태. 남편과 아내가 서로에 대해 전부 알 수 있는 관계. 서로가 가진 것을 모두 알려고 노력하고 서로가 가진 것을 존중해 주는 사이. 보호하고 보호받는 남편과 아내가 따로 있고 따로 있어야 하는 것이 아니라 동질감을 느끼고, 동반자로서 뭉치고 갈등하는 관계…. 태경은 지금 이런 생각에 사로잡히고 있었다.

겨울

그들의 맨몸은 한가운데에서 맞물린 채, 지금은 전혀 움직이지 않고 다만 포개진 모습으로 누워 있었다. 그래서 방 안은 고요했지만, 고요 속에 맥박이 느껴져서 생기가 감돌았다. 태경은 언제 감았는지도 모르는 눈을 눈썹도 모르게 떴다. 그러나 천장에 닿은 그의 눈길은 아무것도 보지 않았다. 자신의 오른쪽 어깨 너머로 떨어진 호준의 얼굴에서 숨소리가 들려오고, 숨소리에 귀를 기울이자 살 속에서 움직이는 심장의 박동이 자신의 가슴에 규칙적으로 닿는다는 사실을 깨달았다.

한 남자.

태경의, 아무것도 보지 않는 눈은 천장을 지나 더 크게 열린 채 깜박이지도 않았다. 그는 '한 남자'라는 이미지에 자신의 혼이 닿는 걸 감지하면서 그의 생명도 느끼기 시작했다.

한 남자.

한 생명.

태경은 일찍이 타인의 생명을 이렇게 살과 살이 닿는 상태에서 감득해 본 경험이 없었다. 비록 제 살을 찢고 제 피와 기쁨으로 하나의 인간을 태어나게 하고 길렀다 할지라도, 그는 그때 자신의 자식이라는 존재와 '하나'가 되기엔 아직 서툴렀다. 그리고 무엇보다 그는 그를 기다리는

형식적인 인간관계의 요구에 무조건 순응하느라 자기의 경험에 탐닉할
여유가 없었다. 산후조리나 아기의 젖먹이기보다 한집 살림하는 시아버
지, 시누이, 시동생들의 요구가 태경을 더 구속했기 때문이었다.

태경은 왼손을 호준의 등에 대었다. 그의 손은 천천히 남의 살이라고
느껴지지 않는 한 남자의 맨살을 더듬기 시작했다. 무수한 땀구멍과 보
드라운 털이 태경의 손가락 지문 사이에 감촉되고, 지문과 땀구멍과 솜
털이 거리낌없는 친교의 느낌으로 부딪치고 헤어졌다. 등뼈의 마디 마디
를 지나 이윽고 안식과 화해의 마지막 형태일 둥근 선으로 그의 손길이
다가갔다. 사람의 엉덩이 선이 이렇게 부드럽고 포근하며 믿음직스러운
형태를 가졌다는 게 태경은 사뭇 놀랍고 반가웠다.

태경의 손이 잠시 반가움과 만나고 있을 때, 또 다른 손―볼이 넓고
마디가 굵은 손이 태경의 손을 잡았다.

그래. 당신이었지….

태경의 몸이 말했다.

그러자 태경의 몸 위로 호준의 몸이 올라왔고 태경의 어깨는 기왓장
처럼 그의 어깨 속에 맞물렸으며 또한 그들의 몸 한가운데서 두 사람의
힘이 세차게 솟구치고 어우르며 다시 치솟기를 되풀이했다.

태경의 질 속에선 수많은 즐거움들이 은하수처럼 반짝거리며 눈을 떴
다. 즐거움은 저희들끼리 물방울처럼 부딪치고 민들레 꽃씨같이 흩어졌
다. 태경은 반짝이는 즐거움의 무리를 보고 싶어 눈을 크게 떴다. 물방울
의 부딪침과 민들레 꽃씨의 흩어짐을 감촉하기 위해 자신의 뼈를 옥죄
었다. 그리고 호준의, 느낌조차 허락하지 않던 성기가 질 속에서 마침내
자유와 해방의 공간을 찾아냈을 때, 태경은 자신의 자궁이 시간을 삼키
는 작용―섬광을 똑똑히 보았다. 시간이 자궁에서 녹아, 그 존재가 없어
지는 것이었다.

호준의 허리를 부서지게 끌어안았던 태경의 팔이 깃털처럼 시트 위에
떨어졌다. 그의 솟구쳤던 머리도 아무렇게나 옆으로 뉘어졌다.

이런 순간 태경은 무슨 노래를 부르고 싶었다. 그의 입 안에서, 가슴에서 어떤 노래가 흐르기 시작했다. 그것은 소리가 없는 노래였다. 소리가 없는 노래 속으로 그가 들어갔다. 곧 그는 아무것도 알 수가 없는 잠 속에 스며들었다. 태경은 거짓말같이 잠이 들었다.

호준은 사정의 갈무리에서 눈을 떴을 때, 잠든 여자를 보아야 했다. 평화와 해방이 느껴지는 저 무저항의 맨살과 표정…. 호준은 그런 모습을 한동안 바라보다가 성큼 침대에서 내려왔다. 갑자기 머리를 치는 영감이 있어서, 그는 그것이 사라지기 전에 옮겨놓고 싶었던 것이다.

그는 영감을 옮겼다.

선과 공간.

공간과 사람 사이의 길―여러 개의 창들―이 사람과 사람을 향해 열리고 하늘을 향해 열리고 산을 향해 열리고 나무와 풀을 향해 열린 창들을 만들었다. 길과 문과 창을 통해 세상과 하늘과 나무와 초목이 공간 속으로 들어올 것이며 사람은 그것들을 통해 우주와 교합하게 될 것이었다.

이윽고 호준의 열정과 절제가 마침내 손끝에서 침묵으로 쉼표를 찍을 때, 태경은 눈을 뜨고 그를 바라보았다. 태경은 눈을 뜨는 순간 자신의 옆이 비어 있어서 기절할 듯 놀랐다. 그러나 그는 끔찍스런 공포의 순간이 끝나기도 전에, 혼을 모으고 있는 호준을 찾아냈던 것이다.

저… 모습… 그날 밤 그가 일을 할 때와는 또 다른 저 모습….

태경은 숨소리도 내지 않고 그를 바라보았다.

태경의 그윽한 눈길이 호준의 마음 어디에 닻을 내린 것일까. 호준이 태경을 바라보았던 것이다.

알몸의 태경이 그림자처럼 일어나 앉았다.

알몸의 호준이 태경의 곁으로 갔다.

그들은 등뒤에 베개를 대고 기대앉았다.

"이걸 봐."

호준이 말했다. 경건하고 떨리는 목소리였다. 그들은 자신들의 맨살을 덮은 시트 위에 호준이 스케치한 종이를 올려놓았다. 태경이 그것을 들여다보았다. 그는 그림—선과 공간이 무슨 내용을 담고 있는지 알 수 없었으나 웬지 가슴이 울렁거렸다. 잘못하면 마구 울게 될 것 같은 걱정도 들었다. 그래서 그는 호준의 왼쪽 팔을 두 손으로 움켜잡았다. 그리고 깊이 숨쉬었다.

"… 이건 꽃담이야. 야트막하니 언덕이 진 길이 꽃담 속에 있고 그 속에 계단이 있지? 자, 이 길로 들어서요."

호준이 말했다.

"왼쪽을 봐요. 텃밭인데 뭐가 자라는지 알아요?"

다시 호준이 말했다.

"텃밭?"

태경이 물었다.

"텃밭이야."

"그렇다면… 상추, 쑥갓, 고추가 있을 거야… 그렇지?"

"그건 당신이 원하는 대로야. 두번째 계단에 올라왔어요? 첫번째와 두번째 계단 사이엔 평퍼짐한 길이 끼어 있는 거… 지나 왔지? 그럼 고개를 들어서 집을 봐. 거실 통유리벽에 서서 당신을 기다리는 남자가 보이죠? 내가 손을 흔들었더니 당신도 웃으며 손을 흔드네."

호준이 말했다.

"맞아! 그래요!"

태경이 감격적으로 소리쳤다.

"현관은 왼쪽으로 꺾어져서 있네."

다시 태경이 말했다.

"현관문 안으로 들어오자마자 당신은 맞은켠 창으로 산을 보았을 거야. 그쪽에 산이 있으니까."

태경은 자신의 스케치를 보고 설명하는 호준의 어깨에 머리를 기댔다. 태경은 이제 더 이상 자신의 몸을 스스로 가누고 있기가 싫어졌다. 지금은 그랬다.

"… 현관 출입구 쪽으로 돌출된 반원형의 공간은 주방과 식당이고 그 옆으로 평행선의 통로가 있지. 통로가 끝나고, 문을 열고 들어가면 흡사 누에고치 같은, 형식을 해방시킨 공간이 있지. 누에고치의 머리 쪽 한켠 은 욕실이고 그 옆은 명상의 공간이야. 우리가 싸운 뒤에 머무는 곳이겠 지…."

태경은 호준의 어깨와 팔에 입을 맞췄다. 그는 스스로 숨쉬기조차 싫 어졌다. 차라리 호준의 살 속에 들어가 그의 생명이 된다면… 더 이상 어떤 욕망이 있으리….

"늘상 싸움은 파멸처럼 보이지만 그 속엔 새로움, 시작이 숨어 있어. 우리도 싸움 끝에 자기 자신과 서로를 새롭게 발견하게 될테지…."

호준이 말했다. 태경은 아주 작아진 또 하나의 자기가 자신의 가슴속 에서 숨어 울고 있는 걸 느꼈다.

"여기 봐. 누에고치의 잘룩한 허리선을 지나면 통로에서 들어서는 문 과 사선으로 만나는 책상이 있어. 내가 출장을 가면 아마 당신이 해맑은 언어로 편지를 쓸 거야."

"시인같이!"

태경이 울먹이는 목소리로 크게 말했다. 호준이 고개를 숙여 태경의 젖에 자신의 뺨을 대고 입술을 대고 혀로 젖꼭지를 오래도록 애무했다.

"우리는 어디서 자는 거야?"

태경이 물었다.

"물론 짐을 자야지!"

호준이 태경의 입술을 손가락으로 쓰다듬고 나서 말했다. 그들은 다시 호준의 스케치를 들여다보기 시작했다.

"여기 둥근 원이 침대야. 침대 옆에 1, 2, 3으로 표시한 이 세 개의 원 은 하늘을 향해 뚫린 천창이거든. 이 천창을 통해 춘분과 추분, 하지와 동지의 '정오의 빛'이 들어와. 정오의 빛을 통해 두 사람은 우주의 섭리와 교합하게 될테지…"

이렇게 말하고 나서 호준이 고개를 낮게 떨구고 있는 태경의 얼굴을 들여다보았다. 태경은 터질 것 같은 감격 때문에 아랫입술을 아프게 깨물고 있었다.

"태경 씨. 자아, 다시 한 번 꽃담길로 들어와 보실까요? 길과 계단을 지나 네모진 거실의 딱딱한 공간으로 들어와요. 부엌은 기하학적 곡면이고 침실로 통하는 통로는 평행선을 이루었죠? 통로에서 다음 칸으로 가봐요. 누에고치 같은 해방된 공간이 나오죠? 혼돈과 질서, 낡은 것과 새 것, 만남과 헤어짐, 그리움과 생식이 있고 인간과 우주가 있는 유기적 공간에 서봐요…. 당신은 이곳에 있을 자격이 있는 여자니까. 당신이 내게 이런 공간을 조형하도록 만들었으니까…."

호준의 목소리는 깊은 물 속으로 가라앉듯 점점 작아졌다. 그리고 마침내 그의 목소리는 바다 밑 모래에 스며들었다.

더 이상 아무 말소리도 들리지 않았다.

소리와 소리 사이, 그 텅 빈 고요 속에서 그들은 시트를 걷어냈다. 태경은 천천히 자신의 몸을 호준의 긴 다리에 얹고, 그의 손은 호준의 허리에서 뱃살로 혼처럼 더듬어오기 시작했다. 살며시 들어간 배꼽이며 겹친 아랫배와 까실거리고 수북하게 손바닥 안으로 타오르는 거웃, 순하게 가라앉은 성기와 믿음직스런 껍질에 싸인 불알…. 태경의 손은 그림을 그리듯 어쩌면 사람의 모습을 빚는 조각가처럼 살아 있는 호준의 몸을 세포 한 조각 빠뜨리지 않고 만져나갔다. 그리고 드디어 그는 두터운 두 개의 기둥 사이에 자신의 몸을 빠뜨리고, 호준의 성기에 입을 대었다. 그의 혀가 세례처럼 그것에 닿았을 때 그리고 그것이 여자의 타액으로 축축하게 젖기 시작하자 그것은 마치 푸성귀처럼 푸릇푸릇 살아나기 시작했다.

… 그들은 자기를 버려도 되는지, 궁금해 하지도 않고 의심도 하지 않

왔다. 그리고 마침내, 버리면 안 된다고 믿었던 자기라는 것이 일상의 그물 같은 질서라는 걸 깨달았다. 그들이 알게 모르게, 스스로 혹은 타의에 의해 입고 있던 옷을 벗어도 부끄럽지 않다는 것을 알아냈다. 그리고 자신들의 생명은 질서의 그물 속에 보호되는 것 같지만 실상은 그것이 억압이었다는 것도 보아버렸다.

　… 이윽고 그들이 함께 다다른 곳, 날아갈 것 같은 황홀 속에서 두 사람은 둘로 나뉘어 손을 잡았다.

　그들이 처음 이 방에 들어와 함께 지낸 시간 내내 다른 의견을 갖지 않던 공간이 문득 표정을 바꾸었다. 두 사람은 그런 보이지 않되 날카로운 변화를 호흡이 곤란해지는 걸 깨닫듯, 알아차렸다. 이제 돌아가야 하리라. 두 사람이 서로 깊이 상대방의 열정 속으로 들어가기 전의, 그 장소로 돌아가야 하는 것이었다. 태경은 문득, 돌아가는 건 옳지 않다는 생각을 했다. 그것은 마치 영감처럼 태경의 가슴에 닿았다. 여기에, 호준과 함께 있는 것—지금은 그것이 정답이라고, 태경은 그렇게 생각했다. 하지만 웬일일까. 왜 이런 생각이 그를 허둥지둥 어지럽게 만드는 것일까.

　"왜 우린 지금 헤어져야 하지?!"

　호준이 침대에서 일어설 때, 태경은 그에게 달린 곁가지처럼 팔을 잡고 부리나케 물었다. 태경의 커다랗게 열린 눈이 호준의 알몸을 삼켰다. 순간, 호준은 자신의 사고 기능이 멎는 느낌을 느꼈다. 그러나 그것은 아주 순간적인 느낌이었다. 태경은 호준의 대답을 기다리는 게 아니라 시계를 보는 것이었고, 호준의 팔을 잡았던 그의 손은 나뭇잎처럼 떨어지고 있었다. 그들은 비록 말하지 않았지만 서로의 의문과 해답의 갈등, 그 깊이를 서로 똑같이 헤아린 것이었다.

　호준이 샤워를 끝내고 돌아왔을 때 태경은 벌써 옷을 다 입고 있었다. 시간으로 치면 이미 지금은 새로운 하루가 시작되었던 것이다.

　"호준 씨. 결혼은 이렇게 헤어지는 게 거짓 같을 때… 그럴 때 하는 거 아닐까? 난 아무래도 그런 게 결혼일 것 같아…"

자동차가 움직이기 시작하자, 태경이 말했다.

"그래요. 당신 말이 옳아."

호준이 앞을 응시한 채 조용하고 가라앉은 목소리로 말했다.

자정이 넘어 1시가 다 되어가건만 거리엔 차가 많았다. 호준은 앞만 바라보았다. 태경이, 그들이 처음 만났을 때 호준이 그랬던 것처럼, 걸쳐 있는 테이프를 밀어넣었다. 바하의 무반주 첼로 소나타가 통명스럽게, 그러나 그 속에 깊은 부드러움을 숨기고 흘러나오기 시작했다.

"오늘은… 너무 늦었지요?"

차가 미아리 쪽으로 접어들었을 때 호준이 정말 미안하고 안타까운 목소리로 말했다.

"글쎄…."

태경이 욕처럼 뱉었다.

호준은 '이 여자'를 위하는 방법에 대해 생각하고 싶었다.

"호준 씨도 너무 늦지 않았어요?"

"나는 괜찮아요."

호준이 말했다. 태연한 목소리였다. 그러나 그 말을 방금 너무도 분명하게 들은 태경은 아찔했다. 전혀 태연할 수 없었다.

"… 내가 남편으로 옳지 않다는 거야…."

호준의 목소리는 차라리 무심했다. 태경의 눈길은 그의 얼굴에 박혀서 움직이지도 못했다.

"사실 난 뭐가 옳은 남편인지 생각하고 싶지 않아요."

잠시 신호등에 걸려 정지한 채 앞을 보고 있던 호준이 내뱉듯 말했다. 그리고 그가 자석에 끌린 것처럼 자신에게 붙박인 태경을 돌아볼 때, 뜻밖에도 태경은 도망치듯 고개를 돌렸다.

그의 눈길은 부산하게, 오른쪽 차창 밖 어둠 속에 장난스레 떠 있는 가로등과 가지뿐인 가로수에, 아무렇게나 내던져졌다.

"… 결혼이라는 게…"

호준은 말하다가 멈춤에서 다시 출발했고 그 바람에 말이 끊겼으나 이내 덧붙였다.

"… 신비한 요술의 끈이나 상자라곤 믿지 않아…"

호준이 중얼거리듯 말했다.

웬일일까. 태경은 그의 말을 더 듣고 싶은가 하면, 이젠 더 이상 그런 얘길 듣기가 두렵기도 하였다. 하지만 자정을 넘긴 밤거리를 바라보면서, 태경은 허공에다 끝도 없이 물었다. 우린 어떻게 될 것인가…. 당신의 부인은 어떻게 생겼는가. 무엇을 하는 여자인가. 당신을 사랑하는가…. 우리의 관계를 알고 있는가….

그러다가, 이렇게 텅 빈 허공에다 아지랑이 같은 의문을 풀어, 한사코 흘려버리는 것도 숨이 차서, 태경은 의자 등받이를 뒤로 젖히고 비스듬히 기대었다. 그는 지친 것처럼 보이는가 하면, 어떤 생각에 푹 잠긴 듯도 보였다.

그 사이 차는 삼양동을 지나고 있었다. 이제 곧 수유리에 닿을 것이었다. 이건… 안 된다!

태경은 불쑥 의자 등받이를 앞으로 당기고 긴장했다. 그리고 허둥지둥 바깥을 살피고 호준을 쳐다보았다. 옆모습은 한결같이 단정해 보이는 남자였다. 차는 화계사 네거리에서 왼쪽으로 방향을 틀었다.

"호준 씨!"

갑작스럽게 태경이 그를 불렀다. 호준은 태경을 돌아보며 그 여자의 손을 잡았다.

"난… 웬지… 우리의 이런 생활이 소모적이라는 생각이 들어요…."

태경이 떨리고 젖은 목소리로 다급하게 말했다.

난… 더 이상 이런 식으로 우리가 따로 나뉘는 게 싫어. 견디기가 힘들어. 정직하지 않은 것 같아….

태경은 속으로 이렇게 덧붙였다.

오래 전부터 바하는 차 안을 채우고 이미 익숙한 길로 차는 달렸다.

왜 헤어질 때가 정해졌음에도, 그 정해진 때를 잘 알면서도 호준은 태경의 고통스런 의문에 아무런 대답도 하지 못할까.

차는 언덕과 내리막을 그리고 네거리와 골목을 지났다. 이제 헤어져야 했다. 두 사람은 아무 말도 하지 않았고 기어 변속을 위해 호준은 태경의 손을 놓았다가 다시 잡았다. 그들 두 사람의 침묵 사이로 냉동된 것 같은 슬픔이 바하에 묻혀서 흘러다녔다. 호준의 차는 빌라의 경비실을 지나 차들이 두 줄씩이나 늘어서 있는 마당으로 들어갔다. 태경은 본능처럼, 졸고 있는 경비를 보았고, 호준은 차를 되돌려 세울 때, 갑자기 머리가 튀겨질 듯 부푸는 느낌 때문에 쓰러질 지경이 되었다. 태경은 그림자처럼 차에서 내렸다. 그리고 내린 다음, 자기도 모르는 사이에 호준의 손에 입을 맞추었다.

"잘 자요."

호준의 무겁고 우울한 목소리를, 태경은 얼얼한 머릿속으로 감지했다. 결국, 두 사람은 이렇게 나뉘었다. 차는 떠나가고 태경은 등 돌려서 차의 속도처럼 집으로 들어가다가 밤의 고요를 깨는 자신의 구두굽소리에 스스로 질겁해서 구두 뒷굽이 콘크리트 바닥에 닿지 않도록 조심했다. 뿐만 아니라 걸린 고리쇠를 벗기는 열쇠의 움직임은, 지나치게 크게 들렸다. 이제야 집으로 들어오는 중년의 가정주부, 유부녀인 자기를 누군가가 볼까 봐 그리고 어느 집에선가 잠들지 않은 사람이 있어, 이런 사실을 눈치챌까 봐 태경의 마음이 졸아들었다.

앞집 여자는 태경과 마주치면, 모든 비밀을 다 알고 있다는 표정을 거침없이 지어 보이며 훑어보았다. 태경을 이런 표정으로 바라보는 사람은 앞집 여자만은 아니었다. 이미 오래 전부터 냄새처럼 태경의 '바람'에 대한 소문이 불결하게 이웃집에서 이웃집으로 퍼지고 있었다. 이런 소문을 모르는 사람은 오직 태경뿐이었다. 태경은 열린 문 안으로 들어서서, 문을 건 다음 한동안 신발도 벗지 않고 서 있었다.

2, 3분 전의 태경과 지금의 그. 이 원시와 현대처럼 비교도 할 수 없는

차이에 태경은 모든 신경이 마비된 것 같았다. 어떤 것이 자신의 현실이고 삶이어야 하는지 생각하지도 못했다.

한참 후에, 그는 신을 벗고 형광등이 켜진 거실 의자에 앉았다. 아이들은 제각기 제 방에 있을 것이었다. 벽의 시계는 그가 하루를 넘기고 들어왔다는 사실을 시위하듯 째깍거렸다. 형광등에선 전류가 어린 벌레 울음처럼 소리내며 흘렀다. 식탁에는 우유가 절반쯤 담긴 유리잔이 놓여 있었다.

아, 차라리… 죽어버리면….

태경은 문득 찾아낸 출구를 가슴속에서 보았다. 느꼈다. 그는 고개를 번쩍 추켜들었다. 아직 호준은 그의 집으로 가는 길 위에 있을 것이라는 생각이 번개 치듯 그의 가슴을 찢어놓는 것이었다.

태경의 고개가 다시 밑으로 추락했다. 그는 속절없이 아래로 떨어진 얼굴을 무릎에 파묻고 흐느끼기 시작했다. 자신의 그리움이 빛보다 더 빨리 호준에게로 달려가는 것이 보이고 느껴져서, 그러나 정작 자신의 몸이 이곳에 갇힌 것이 너무도 분명해서, 그리고 이런 화해할 수 없는 두 개의 반역이 무서워서, 참혹해서… 태경은 울고 또 울었다. 울다가, 태경은 울고 있는 자기를 비추고 있는 형광등 빛이 싫어서 불을 껐다.

……
오랜 침묵과 외로움 끝에
한 슬픔이 다른 슬픔에게 손을 주고
한 그리움이 다른 그리움의
그윽한 눈을 들여다볼 때
어느 겨울인들
우리들의 사랑을 춥게 하리
외롭고 긴 기다림 끝에
어느 날 당신과 내가 만나

하나의 꿈을 엮을 수만 있다면

　태경은 하나의 위안처럼 시를 떠올렸다. 그리고 눈물 젖은 얼굴을 들었다. 소파도 텔레비전도, 째깍거리는 시계도 식탁과 의자와 싱크대와 가스 레인지, 냉장고, 찬장… 들도 태경을 볼 수 없는 어둠 속에서 태경은 아직도 눈물이 질퍽한 얼굴을 들었다. 그는 자꾸만 자꾸만 시큰해졌다간 참아내지 못하고 눈물을 쏟는 눈을 뜨고 유리문으로 걸어갔다. 닫힌 커튼 한쪽을 들췄다. 겨울 밤이 고스란히 뜰에 있었다. 바람도 잠이 들었는지 겨울 나무는 미동도 하지 않았다. 지금쯤 밤의 가운데에서 새벽이 음모처럼 아침을 장만하고 있을 것이었다.
　태경은 오직, 그 사람이 보고 싶었다. 그와 함께 있을 수만 있다면…. 그 이외엔 아무것도 갖지 않아도 좋았다. 태경의 그리움은 몸둘 바를 몰랐다. 들리지도 않는 바하의 무반주 첼로를 들었으며, 있지도 않은 호준의 살과 자신의 살이 닿아서 불현듯 전율하곤 하였다. 죽어서… 차라리 … 바람이나 될까…. 태경은 이런 생각을 하는 자기를 느꼈다. 아무렴. 그래도 좋으리. 태경은 자신의 소망에, 아픈 허락을 내렸다….

　꽃담길을 걸을게요. 누가 텃밭의 채소에 물을 주고, 햇볕은 어느새 이파리와 혼인을 했을까요. 당신은 여태 거기서 나를 기다렸나요. 첫번째 계단을 지나고 두번째 계단을 지나, 문을 열면 먼 산의 얼굴과 맨 먼저 인사하게 되는 거실로 내가 들어갈 때, 당신의 기다림으로 목욕하고 우리의 그리움이 서로를 씻어내려도 좋겠지요. 그러나 아직 완성의 길은 멀어, 우리는 기하학적 곡면의 식당에서 허기를 달래고, 수목이 있는 데크와 닿은 평행선의 통로를 걸어요. 문을 열면, 우리의 불화와 화해가 함께 있는, 마침내 이생의 삶―그 유기적 공간에 들고…. 우리는 우주의 섭리가 아닌 틀과 거짓들의 허물을 마침내 벗어 태워야 해요….

내 사랑 정호준에게.

이날, 태경은 방으로 들어와서 일기장을 꺼내 이런 편지를 뜸뜨듯이 썼다. 그리고 나서 그는 마치 관 속에 들 듯이 침대에 똑바로 누워, 두 손을 배 위에 가지런히 모아 얹고 잠을 불렀다.

마침내 잠이 한 겹씩 그의 몸 위에 덮이고… 태경은 기쁨과 슬픔 그리고 고통과 그리움의 정령들과도 차례로 헤어졌다.

새벽 2시 반쯤 되었을 때였다.

하지만 그의 잠은 얕고 불안했다. 그는 두어 시간 후에 눈을 뜨고 아직 어두운 방 안을 잠깐 두리번거리다가 다시 잠이 들었다. 그리고 또 두어 시간 후에 다시 한 번 눈을 떴다가 이불 속에 머리까지 묻었다. 차마 그의 신경은 잠에 빠질 수 없었고, 그의 고통은 가볍게 일어설 수도 없는 것이었다. 그래도 태경은 얕고 불안한 잠에 매달렸다.

무슨 꿈을 꾸었는지, 그것이 꿈인지 생신지… 사뭇 어수선하게 몇 시간을 더 잠들었다가, 태경은 누군가의 목소리에 슬며시 눈을 떴다. 그를 깨운 건 목소리만이 아니었다. 태경의 가슴에 묻히는 어떤 무게 그리고 몸에 닿는 살의 감촉들도 그를 깨웠다.

"엄마아. 엄마아."

웬일일까. 소영이가 아기처럼 그의 품을 파고들며 옹아리를 하고 있는 게 아닌가. 하지만 태경이 눈을 떠서, 자기를 깨운 게 소영이고 지금 자신이 누워 있는 곳이 안방이라는 사실을 깨닫기는 쉽지 않았다.

태경은 잠이 깨면서, 누군가의 목소리를 들으면서 아주 잠깐, 그러니까 숨 한번 들이쉬는 동안쯤 암흑의 무분별 속에 갇혔다. 여기가 어딘지, 지금 이 목소리는 누구의 것인지… 암흑은 너무 질기고 깊어서 손 하나 까딱할 수 없었으며 생각도 할 수 없었다. 이제껏 한 번도 경험한 적이 없는 이 무분별의 암흑이 5분만 더 계속되었더라도 어쩌면 태경은 미치거나 죽었을지도 몰랐다.

"소영아. 소영이. 우리 딸!"

태경이 암흑의 순간에서 풀려나는 순간, 그는 딸을 와락 끌어안고 이름을 불렀다. 딸은 어미가 격정적으로 반기는 것만 좋아서 몸을 내맡긴 채 쌔근거렸다. 태경은 딸의 숨소리와 체온을 느끼면서도 문득문득 조금 전에 느꼈던 그 캄캄한 무분별의 순간이 떠올라, 숨기라도 하려는 듯 소영이를 악착같이 품었다. 어쩌면 딸이 공포의 부적이라도 되는 듯이.

"소영아. 넌 누구지?"

"나? 김소영이지."

"김소영이는 누구야?"

"엄마 아빠 딸!"

"엄마가 좋아?"

"너무너무 좋아."

"이 세상에서 제일?"

"이 세상에서 첫째로 좋아!"

"정말?"

"응!"

딸이 씩씩하게 대답했다.

태경이 소리내어 짧게 웃었다. 어린 딸은 제 어미의 짧은 웃음소리가 누더기 같다는 걸 아직은 분별할 수 없었다. 이런 어미와 딸의 대화는 아이가 말을 배울 무렵부터 수도 없이 해온 것이었다. 태경의 눈길은 다시 천장을 뚫고 집 밖의 허공으로 나갔다. 어디 잠시 머물 데를 찾지도 못한 채 불안하게 헤매었다. 슬픔에 젖어. 어쩌면 슬픔마저 숨긴 채 허공 중에 헤매는 것이었다.

"엄마아."

소영이가 태경을 불렀다. 아이는 어미의 상태를 분간하진 못해도 느낌이 달랐는지 몰랐다.

"왜 안 일어나?"

"그래. 일어날까? 지금이 몇 시니? 오빠는 일어났니?"

이때 화장실 변기에서 물 내려가는 소리가 들리고 근우의 큰 발걸음소리가 났다. 태경은 이불을 걷어내고 일어나 앉았다. 일어나는데 몸의 살갗들과 허벅지 뼈가 뻐근하고 욱신거리는 느낌이었다. 순간, 어제 호준과 지칠 줄 모르고 몇 번이나 되풀이했던 성교가 떠올랐다. 태경의 가슴속에서 부끄러움과 황홀함이 서로 힘을 겨루기 시작했다.

"오늘 무슨 날인지 알아?"

태경이 무겁고 뻐근한 다리를 침대 아래로 내려놓는 걸, 먼저 나가 서서 그런 엄마를 지켜보던 소영이가 물었다. 태경은 알 수 없어서, 아이 얼굴을 쳐다보았다.

"엄마가 오늘 나랑 꼭 백화점 간댔지?!"

소영이가 못박는 듯한 목소리로 말했다.

"오늘이 몇 일이지?"

태경은 자기 스스로에게 물었다.

"내일 모레가 크리스마스야! 내일은 백화점이 복잡하다고 오늘 간댔어! 엄마가 그렇게 약속했다!"

아이가 도전적으로 말했다. 소영이는 어미가 자기로부터 웬지 모르게 멀어지는 것 같은 느낌 때문에, 저도 모르게 목소리에 못이 박히는 것이었다. 그래. 그랬어. 생각난다. 오늘이 벌써 그렇게 되었구나… 태경은 다리를 방바닥에 대고 손을 뻐근한 허벅지에 지압으로 누르면서 생각했다.

태경은 자기가 한동안 다른 곳에 여행이라도 다녀온 기분이었다. 비워 두었던 집에 다시 돌아왔을 때의 반가움과 낯설음이 한꺼번에 느껴지는 것이었다.

"내일 아빠두 온다아!"

아이가 뒷짐을 지고 가슴을 앞으로 내밀며 뻐기는 목소리로 말했다. 태경이 그런 아이를 색다른 눈길로 바라보았다. 언제 아빠가 온다는 걸 알았을까. 어쩌면 찬수가 아이들에게 그렇게 말했을 것이고 태경에게도 애기했을지 모른다… 그런데 태경은 그걸 까맣게 잊고 있었다…

"엄마두 기쁘지?"

"뭐가?"

"아빠두 오구 크리스마스두 되구…."

아이가 티없이 말했다.

태경은 일어나서 방문을 열며 딸을 외면했다. 소영이에게 찬수라는 남자는 남편이 아니지…. 찬수는 나의 아버지가 아니야…. 역할이 다르기 때문에 서로 교감하는 정서도 다를 수밖에…. 태경은 딸을 외면한 채 방을 나서며 이런 생각을 했다.

근우의 방문은 닫혔건만 그 틈으로 시끄러운 음악소리가 흘러나왔다. 근우가 새로 사온 스콜피언스의 노래인데, 태경은 그저 시끄러울 뿐이었다. 태경은 눈살을 찌푸리고 부엌 쪽으로 갔다. 여느 때 같으면 아이의 방문을 열고, 소리를 낮추라고 꾸짖었을 것이다. 소영이는 어머니의 꽁무니를 졸졸 따라다녔다. 아이는 아침이고 뭐고 어서 외출이나 하고 싶은 것이었다. 어머니와 함께 외출한다는 것은 얼마나 기쁜 일인지. 소영이는 왜 어른은 아이의 마음과 다른지 이해할 수가 없었다.

아이들은 아침부터 핫도그를 먹겠다고 해서 태경은 차라리 간편한 그것으로 아침 준비를 했다. 아이들이 우유와 핫도그를 먹으면서 텔레비전을 보는 동안 태경은 또다시 멍청히 안방에 들어가 방 가운데에 서 있었다. 무슨 까닭에 방으로 들어왔으련만 태경은 이유를 잊고 있었다. 소영이는 핫도그만 먹고 나면 나가자고 조를 것이었다. 백화점은 10시 반에 문을 열던가? 벌써 10시가 넘었으니 지금 나서도 시간이 맞았다.

몇 년 전만 해도 이때쯤이면 태경이 더 들떴다. 아직 산타클로스 할아버지를 믿고 있던 아이들에게 줄 선물을 사서 감쪽같이 숨겨두었다가 이브 날 밤에 잠든 아이들 머리맡에 놓아두는 재미. 그리고 이튿날 아이들이 눈을 뜨면서 불안과 기대로 머리맡을 볼 때, 선물을 발견하고 기뻐 어쩔 줄을 몰라하는 아이들을 보는 즐거움. 성탄절 무렵이면 아이들을 산타클로스 할아버지를 담보로 '말 잘 들으라'고 얼마나 을러대었던지.

그러나 지금 이런 추억은 아주 먼 곳에 있었다.

이때 왜 태경의 눈에 문갑 위의 가계부가 보였을까. 모란과 봉황, 소나무와 난이 수놓인 겉장이 태경의 시선을 잡아 매었던 것이다. 결혼이 곧 가계부를 적는 일인 것처럼 하루도 빠뜨리지 않고 적어, 한 해도 버리지 않고 쌓아둔 가계부가 벌써 열 몇 권째던가. 그리하여 살림살이에 대한 자신의 성실성이 자기 삶의 지주이지 않았던가. 그런데 태경은 그것을 벌써 두어 달째 적지 않고 있었다. 돈이 필요하면 남편과 자신의 통장에서 꺼내 쓰고 잔액만 염두에 두었던 것이다.

태경은, 언젠가 가계부에서 숫자들을 이리저리 붙들었다 놓았다 하며 연말 결산을 해본다고 할 때 침대에 느긋이 누워 자신을 대견스레 바라보던 찬수의 표정을 잊을 수 없었다. 그런데도 지금, 태경은 저 가계부로부터 도망치고 싶어하는 자신을 느꼈다.

한 사람의 여자가 이 세상에 태어나 한평생 동안 펼칠 수 있는 수많은 꿈과 가능성들을, 저 가계부는 아주 작게 갉아내지 않았는지… 가계부를 바라보는 태경의 눈빛엔 적개심이 어리고 적개심 한켠엔 경멸도 끼어 있었다. 도대체 지금, 태경의 적개심과 경멸의 고향은 어디일까.

태경은 문갑 앞에 털썩 주저앉았다. 태희가 한 말이 떠올랐다.

자기가 남편 재혁과 '동등'해지려고 노력해도, 그가 벌어오는 돈으로 살림을 도맡아 하는 동안은 그리고 아내와 주부의 일이 사회적으로 남성의 직장일과 동등해지지 않는 현실에서는 불가능하다고.

재혁은 자신의 경제적 사회적 '보호자'일 수밖에 없다고. 비록 재혁이 혼자서, 아내를 자신과 똑같은 인격체로 존중해 준다 하더라도, 사회구조와 환경이 그것과 갈등관계이기 때문에 역시 불가능하다고.

지금 태경은, 태희가 가장 좋은 배우자라고 선택한 진보적이고 여성 억압의 야만성을 인정하는 남자—재혁과 결혼했지만 짧은 결혼생활 중에 깨달은 불평등에 대해 속속들이, 태희처럼 느끼지는 못했다. 그래도 저 가계부의 환상을 깨닫는 순간 태희의 말을 감성적으로 기억해 냈다.

나는 잘 살아왔나? 나는 과연 행복했었나? 혹시 행복이니 불행이니 하는 말을 잊고 있진 않았던가.

태경은 지난 세월 속으로 마구 달음박질치는 자신의 마음에다 이런 질문을 던졌다. 다른 여자들은 결혼생활 10년에 아파트 평수 늘려가거나 제 집을 장만하면 장롱을 바꾼다지…. 저 반짝거리는 내 혼수. 이사 때면 흠집 생길새라 귀퉁이마다 스폰지로 단도리를 해두었지…. 그래서… 잘 났나?《접시꽃 당신》이라는 시집이 유행을 했을 때, 나는 책방에 가지 않았어. 책방에 가서 시집을 사는 건 가정주부답지 않아서…. 정말 그런 이유 때문에 가지 않았을까? 태경은 어둡고 일그러진 얼굴로 자신의 과거를 생각했다. 그는 자꾸만 자신의 과거가 어둡고 싫어졌다. 틀림없이 기쁨도 행복도 있었을 터인데, 태경은 무슨 살이 끼었는지 그런 건 기억하기 싫었다.

"엄마아!"

소영이가 방으로 들어오며 즐거운 목소리로 태경을 불렀다. 그러나 아이는, 태경이 자기를 돌아볼 때 그만 입을 벌린 채 발을 멈췄다. 엄마 얼굴이… 너무도 무서워서였다.

딸과 어머니는 육친의 관계이건만 두 사람은 마치 기름과 설탕이 한 그릇 속에서 잘 섞이지 못하고 있는 것처럼, 그렇게 어색한 틈을 가져야 했다. 설탕과 기름이 하나의 다른 성질로 변하기 위해선 시간과 힘이 필요할 것이고 딸과 어미의 정서가 일치하자면, 아니 서로 이해하게 되자면 적어도 20년의 세월은 필요치 않을까.

"지금 갈래?"

어색하고 거친 틈으로 먼저 마음을 내놓은 건 나이 먹은 여자, 어미였다.

"그런데… 엄마… 엄마 무슨 생각하고 있었어?"

딸이 탐색하는 목소리로 물었다.

"아니. 아니야. 배가 좀 아팠어."

태경이 둘러대었다.

"그럼 못 가?!"

"아니. 가자. 너두 옷 갈아입어."

"나 다 입었는데…."

아이가 자신의 옷차림새를 내려다보며 말했다.

"오빠두 간댔어."

다시 소영이가 말했다.

그래. 태경은 표정 없이 방바닥을 바라보며 속으로 대답했다.

아이가 침묵 속에서 그런 '이상해진' 엄마를 지켜보았다. 배가 몹시 아픈 엄마한테 괜히 백화점에 가자고 조른 건지, 그러나 안 가면 너무도 실망이 큰데…. 아이는 이런 생각들을 했다.

엄마, 빨리 준비해. 우린…. 소영이는 속으로 말했다. 씩씩하고 거침없는 성격의 소영이조차 지금 저런 모습의 어머니는 '어려운 존재'였다.

하지만 더 오래, 시간을 끌지는 않았다. 태경이 무겁게 일어섰고 세수를 하러 화장실로 들어갔던 것이다. 소영이는 태경이 화장도 하지 않고 옷만 갈아입고 나서는 10분도 안 되는 시간 동안, 텔레비전을 켜서 채널을 수도 없이 돌리고 오빠의 방에 가서 책상 옆에 붙어 있는 소피 마르소의 사진을 구경했다. 소피 마르소 옆에는 제임스 딘의 흑백사진도 붙어 있었다.

"엄마랑 나가니까 너무 좋다!"

소영이가 태경의 팔짱을 끼고 깡총깡총 뛰면서 말했다.

근우는 내외라도 하는 듯이 몇 발자국 앞서서 걸었다. 이미 자기 아버지보다 키가 1센티가 더 자란 사내아이였다. 태경은 흐린 겨울 하늘을 바라보았다. 눈이 내릴 기미는 없으나 회색이었다. 소영이는 마주 오던 아이와 손바닥을 부딪쳐 인사하곤, 백화점 간다! 하고 묻지도 않은 말을 큰소리로 했다.

"엄마. 산타클로스 할아버지가 없다는 걸 알지만, 그래두 아빠가 대신

하면 안 될까?"

소영이가 말했다.

"그게 뭐 좋아?"

태경이 짜증스럽게 대꾸했다. 그는 흐린 겨울 하늘만큼도 딸에게 마음을 주지 않아서, 아이의 기분을 헤아릴 수 없었다.

백화점은 붐볐다.

근우는 농구화를, 소영이는 스웨터를 성탄절 선물로 선택했다. 근우는 덤으로 CD 몇 장을 더 사고 소영이는 발목에 장미 무늬를 수놓은 양말 두 켤레를 샀다. 그리고 그들은 지하 식품부로 내려갔다. 아이들은 전기구이 닭과 순대를 먹고 태경은 장을 보았다.

이렇게 이곳저곳에서 물건을 사고 사람들과 부딪칠 때도, 아이들과 얘기를 하는 동안에도 태경은 허깨비 같았다. 자기가 무엇을 하는지 잊고 있는 것 같은 현상은 태경이 아이들과 함께 있을 때뿐만 아니라 다음날 찬수가 돌아왔을 때도 마찬가지였다. 그리고 24일 밤, 태희 내외와 조카, 어머니까지 모여 저녁을 먹고 케이크를 자르고 선물을 나눌 때도, 여전했다.

그러나 아무도 태경의 이런 변화를 알아채지 못했다. 단지 한 사람, 태희만이 언니의 상태가 걱정되어, 더 즐겁게 얘기하고 크게 웃곤 했다. 그리고 태경에게 이야기를 시켜서 그가 다른 생각에 빠지는 걸 막아보려 애썼다.

소영이와 근우는 어른들에게 카드와 선물을 했다. 태경에겐 꽃무늬 화려한 손수건이었다.

"언제 이걸 샀니?"

태경이 손수건을 펴들고 물었다.

"엄마가 고기 사는 동안 우리가 화장실 간댔지? 그때 오빠랑 살짝 갔다왔어. 오빠가 엄마한테 준 브로치는 내가 골랐다? 엄마 까만 코트 깃에 꽂아. 멋있지?"

107

소영이의 즐거움은 집안의 구세주 같았다. 기분이 좋아진 찬수는 신정 연휴엔 처제네랑 다 같이 스키장에 가자고 말했다. 재혁은 방송 스케줄을 보아야 했지만 무조건 좋다고 대답했다.

"내년 봄쯤엔 서울로 올라오시지요."

재혁이 와인 잔을 비워 찬수에게 건네며 말했다.

전씨는 태희의 어린아이를 데리고 놀고, 다른 두 아이는 텔레비전을 보았다.

"그럴까 생각중인데…"

찬수가 중얼거렸다.

"처형 얼굴에 고독이 배었어요. 안 그렇습니까, 형님?"

재혁은 즐겁게 너스레를 떨었다. 하지만 태희는 '고독'이라는 표현에 가슴이 철렁 내려앉았다.

"고독? 그거 야 참 오랜만에 들어보는 말이다. 그런 말이 있다는 것두 모르구 정신없이 사니 말이야… 여보 당신두 한잔 하자구. 당신 술이 센 거 여기서 모를 사람이 누가 있어, 자. 건배하구…"

벌써 눈 가장자리가 불그레한 찬수가 말하며 태경에게 잔을 들도록 했다. 다음엔, 행복감이 어색한, 그런 전씨까지 끼어 다섯 사람이 건배를 하고 또다시 건배했다.

재혁은 자고 갈 테니 마냥 취해도 좋다고 마냥 마셨다.

그러나 태경은 오랜만에 동생네와 함께 모였고, 아들 딸이 자기네가 만든 카드에 '사랑하는 엄마 행복하세요'라는 말을 적어 선물과 함께 준 걸 받았으며, 남편의 애틋한 마음이 살갗에 닿는데도 그는 정말 '혼자 있고' 싶었다. 혼자서 생각하고 싶었다. 한기처럼 느껴지는 느닷없는 그리움에 숨이 가빠서 태경은 모르는 척 가족들과 어울리는 게 이젠 힘이 들었다. 그리고 무엇보다 너무 오래 혼자 있지 못해서, 머리가 어지러울 지경이었다. 비록 호준과 만나지 못한다 하더라도, 벌써 며칠 그와 통화 한 번 할 수 없었지만… 제발… 그리움이라도 조용히 보듬고 그리움을 그리워할 수만 있다면, 그래도 편해질 것 같았다. 태경은 이런 안타까움을 느끼며 잔을 비웠다.

"이 사람하구 대작하면… 난 못 당한다니깐."

찬수가 사람 좋은 목소리로 말했다.

"언니야 뭐 술을 잘 삭이니까요. 좋은 체질이지요."

태희가 거들었다.

"저 애 외할아버지가 저러셨어. 애주가였거든."

무릎에서 잠이 든 아이의 등을 하릴없이 문지르고 있던 전씨가 끼어들었다. 태경은 갑자기 콧날이 시큰해져서, 코를 훌쩍거렸다. 그러면서 그는 스스로 제 잔에다 술을 따르었다.

"취해 보세요. 주부들두 가끔 취하는 게 정신 건강에 좋다구 언젠가 방송국에 온 정신과 의사가 말하대요. 방송 끝나구 사석이긴 했지만… 인간들이라는 게 진실은 늘 비공식적인 채널에 은폐시키지 않습니까?"

아무것도 모르는 재혁은 혀 꼬부라진 소리로 이렇게 지껄였지만 무엇을 아는 태희는 시간이 갈수록 조마조마했다. 태희는 언니를 무심히 바라보는 형부의 시선을 가로채기 위해,

"형부! 저하구 건배하세요!"

라고 서둘러 말했다. 찬수는 유쾌했다. 그는 처제와 잔을 부딪치며, 집이라는 게 뭔지… 집을 떠나 있어봐야 안다구… 이렇게 중얼거렸다.

찬수의 중얼거림 때문이었을까? 아니면 술기운 탓이었는지… 갑자기 태경의 젖은 눈에서 눈물이 흘러내리기 시작한 것이었다.

"아아, 웃긴다. 좌우간 갱년기는 못 말린다니깐!"

태희가 짐짓 어이없다는 듯이 말했다. 순간적으로 분위기가 이상해졌지만 남자들은 그것을 느끼는 데 더디었다.

"외할아버지 생각났구만. 저 애가 얼마나 곶감을 좋아했는지… 태경이 준다고 돌아가시기 전에도 곶감을 말리셨으니깐…."

전씨가 외손녀 사랑이 지극했던 자신의 인정 많은 아버지를 떠올리며

말했다. 찬수가 태경을 바라보았다. 태경이 손으로 얼굴을 감싸쥐고 화장실로 갔다. 문이 완강하게 닫히고 잠기는 소리가 나고 다시 물이 쏟아지는 소리가 들려왔다. 태희는 속이 상했다. 언니가 답답했다. 저렇게 어리석다니… 나약하기 이를 데 없고… 저래서 무엇 하나 제대로 해낼 것인가…. 태희는 눈을 내리깔고 입을 다물었다. 전씨는 내친 김에 자신의 친정아버지가 얼마나 인정이 많은 남자인지를 얘기하고 있었다.

"여보. 어떻게 된 거야? 무슨 일 있어? 처형이…."

재혁이 아내와 동서를 번갈아보며 물었다.

"당신은 장모님 애긴 귓등으로 들었어?"

태희가 톡 쏘았다. 속이 쓰라린 건 찬수였다. 그는 자기가 아내에게 너무 '무심하지 않았나' 문득 반성을 하였다. 그러면서도 그는 잘 익어가던 술판이 성기게 되는 걸 바라지 않아 재미있는 이야기를 꺼냈다.

"… 금실 좋기로 이름난 부부가 한날 한시에 죽어 염라대왕 앞에 갔대. 부정한 죄를 가리는 순서가 왔는데, 죄 한 가지에 살을 한 바늘씩 뜨는 모양이라. 두 사람은 서로 지은 죄가 없다고 당당한데, 먼저 남편이 불려 들어가더니 곧 아얏! 하는 소리가 거푸 세 번 들리더라나."

"세 번 오입을 했군요."

재혁이 웃음 먹은 목소리로 말했다. 그리곤 킬킬댔다. 태희가 눈을 동그랗게 뜨고 두 남자를 번갈아 바라보았다.

"… 이번엔 마누라가 들어갔다지. 엉덩이에 세 바늘을 떠서 죽을 상이 된 남편이 밖에 나와 기다리는데, 마누라가 들어가자마자 재봉틀 소리가 나더라는군…."

"아 뭡니까! 셀 수도 없다는 거 아닙니까!"

재혁이 큰소리로 말했다.

"글쎄… 그렇지…. 둘 다 쥐도 새도 모르게 해치웠다고 맘 푹 놓고 있다가, 역시 염라대왕은 다르다고 했다나 뭐…."

찬수가 말하며 웃었다. 그는 지난주에 여수로 와서 하루를 같이 지낸,

한 유부녀를 떠올리고 있었다. 남편이 중소기업을 경영하는데 '하고 싶은 대로 다하되 아프지만 말라'고 한다는 여자였다. 친구 '손'이 골프장에서 만나, '신분 확실하고 뒤탈 없는 물건'이라며 두 여자를 데리고 왔다. 찬수는 '그런 여자'와 자신의 아내 태경을 단 한순간도 비교해 본 적이 없었다. 천재지변이 나지 않는 한 자신의 명의로 된 재산이 자기 것이듯, 아내도 그와 같이 의심하지 않았다.

"꼭 저렇다니깐!"

찬수의 말이 끝났을 때 그리고 그 얘기를 단지 색다른 술안주로 여기며 남자들끼리 킬킬대고 술잔을 돌릴 때, 태희가 앙칼지게 소리쳤다.

그들은 그들이 알 수 없는 쓰라린 슬픔 때문에 참지 못해 화장실에 들어가 수돗물 틀어놓고 우는 태경을 한순간에 잊은 것 같았다.

찬수가 칼날같이 세운 처제의 눈을 너그러운 눈길로 바라보았다. 당돌하고 똑똑한 처제가 늘 귀엽기만 했던 것이다.

"우선요, 그 음담패설들을 다 뜯어고쳐야 한다구요! 전부 여자들은 비하하구…."

태희가 모질게 말했다.

"뭘 꼭 그렇게 도전적으로 해석하구 그래? 다 같이 웃고 즐기자는 건데…."

찬수가 부드러운 목소리로 말했다. 태경과 결혼할 때, 막내 처제인 태희는 중학생이었고 눈이 반들거리는 게 영리하기가 기름 밤톨 같았다. 태희가 늙어, 할머니가 된다 하더라도 찬수에겐 그저 당돌하고 똑똑한 처제일 것이었다.

"형님! 제 고충을 아시겠습니까? 와이프라는 게 사시장철 저렇게 고슴도치같이 가시를 돋구고 있으니…. 아이구 말두 마십시오. 왜 부부라는 게 전생의 원수가 만나는 거라구 그러대요. 원수니 망정이지… 아무튼 인간들 교활한 건 킬킬킬…. 그저 빠져나갈 구멍은 다 만들구… 킬킬킬…."

재혁이 말했다. 태희가 남편을 쩨려보았다.

"남자들은 몰라요. 당하는 입장이 아니거든요."

"당하다니! 당신 같은 여잔 그런 얘기 할 자격이 없네, 이 사람아!"

태희의 말이 끝나기 무섭게 재혁이 쏘아붙였다.

"나 같은 여자?!"

"그렇지! 당신은 이미 우리나라의 잣대로 재자면 여자가 아니야. 당신이 남편의 시중을 드나? 순종을 하나?"

재혁은 술이 취한 중에도 지금은 빳빳하게 긴장한 빛이 보였다. 태희가 코웃음을 치며 재혁을 비웃는 눈길로 바라보았다. 찬수는 처제 내외가 아직 젊다고, 젊어서 저런 사랑 싸움을 한다고 천천히 술을 마시며 생각했다.

"또 저 잣대! 그 잣대라는 게 뭐 태양이야? 잣대는 시대에 맞게 달라지는 거라구. 당신은 왜 가부장적 가치관만 영원불변의 잣대라고 믿는 거지? 생활이 달라지면 가치관도 달라진다는 건 상식이잖아. 왜 그 상식이 여자에게는 안 통해야 되는 거냐구. 당신두 학교 다닐 때, 여성 억압이 야만적이라구 얘기했잖아. 결혼은 이론이 아니라구 하겠지. 여성은 남성의 고향이어야 한다구. 고향 좋아하시네. 그놈의 고향이 핍박받고 모욕받는 건 생각두 못 하나? 고향이니까 인간이 아니구 인간이 아니니까 남자와는 다르다는 얘긴가?"

태희는 눈빛에 독기마저 담은 채 말했다.

"아이 그만하자 그만해. 내가 뭐래? 당신 해방되는 거 좋다는 남자 아니야. 그렇지만 여긴 형님두 계시구… 당신과는 전혀 다른 여자의 삶을 사는 처형, 장모님두 계시니까… 설치지 말어…."

"재혁 씨! 당신의 그 빛나던 진보의 날개두 별 수 없구만!"

태희가 부르짖듯 소리쳤다.

그 서슬에, 이제는 방에 들어가 세수한 얼굴을 만지고 있던 태경이 질겁하고 나왔다.

112

"형님. 우린 이렇게 삽니다. 옛날 남자들이 왜 여자한텐 글을 가르치지 않았는지… 잘 아시겠지요?"

재혁이 빈 잔을 찬수 앞에 놓으며 말했다. 그러나 술병은 그 잔을 다 채우지도 못하고 바닥이 났다.

"여보. 술 더 있지?"

찬수가 해맑간 얼굴로 엉거주춤 서 있는 태경을 따뜻한 눈길로 쳐다보며 말했다. 태경은 대답하지 않고 술을 가지러 갔다.

"저 사람들은 만나면 저러는 게 일이라네."

전씨가 찬수에게 말했다.

"장모님두 피곤하시죠?"

"피곤하긴. 재미있지 뭐. 요새 사람은 저런가 부다 하구…"

"사는 방법두 다르구 사랑하는 방법두 다 다르니까요."

태희는 태경이 다시 꺼내놓은 호두와 오징어채, 육포를 안주 그릇에 담고 있었다.

"괜찮아 언니?"

태희가 속삭였다.

"으음."

태경이 대답했다.

태희는 무슨 말인가를 더 하고 싶었지만 언니의 표정이 너무도 고요해서 입을 다물었다.

"차암. 처제는 공부를 시작했다면서?"

"동시통역사가 되신답니다."

재혁이 자랑 반 빈정거림 반이 섞인 목소리로 태희의 대답을 가로챘다.

"여자두 능력이 있으면 썩히지 말구 발휘하는 게 좋아."

찬수가 말했다.

"여자와 아내는 다르다는 거 아니겠어요!"

113

태희가 소리쳤다.

"또 저런다. 위 아래 없이."

재혁이 혀를 찼다.

"귀엽잖아. 난 처제가 할머니가 되두 귀여울 거 같아. 자 처제, 한잔해요. 쭈욱 들이키라구."

찬수는 기분이 좋았다. 그는 지금 아무것도 거칠 게 없는 이런 자리가 편해서 좋았다. 허물을 보인다 할지라도 그것은 가족구성원의 고리 사이에서 그리고 집안에서 지워지거나 삭아 없어질 것이었다. 그래서 찬수는 그의 아버지가 늘 얘기한 대로, 가정이란 가장에 의해 다스려지고 보호되는 성역이며 작은 왕국이라는 말을 믿었다.

재혁은 화장실에 다녀와 소파에 비스듬히 눕고, 태희는 술상 앞에 아직도 반듯하게 앉아 있었다. 찬수는 아이들의 방에 들락거리다가, 잠든 조카를 들어 소영이 방에 눕히고 전씨에게도 자리를 마련하고, 이제는 음식 접시들을 치우는 아내를 담배 연기 속에서 바라보았다. 그는 고즈너기 아내를 바라보면서, 오늘 밤엔 정말 뜨겁게 뜨겁게 사랑해 줘야겠다고 생각했다. 이런 생각만으로도 벌써 그의 욕구의 뿌리는 흔들리기 시작했다. 그런데도 그는 아주 세련된 중산층 가장의 자세를 흐트러뜨리지 않은 채, 이미 지쳐 보이는 재혁에게 어서 술상 옆으로 오라고 말했다. 재혁은 머리와 손을 흔들며,

"형님. 전 손발 다 들었습니다아! 술인지 물인지 분간도 안 가요."

라고 말했다.

찬수는 너그러운 웃음을 웃었다.

"처제는 어때? 아직 성이 안 찼어?"

생각에 푸욱 빠져 보이는 복잡한 표정의 태희에게 찬수가 물었다. 재혁은 황소 같은 하품소리를 냈다. 태희는 대답 대신 싱크대에 서서 그릇을 씻고 있는 언니를 바라보았다. 굽은 듯 보이는 언니의 등에서 태희는 어이없게도 슬픔을 보았다. 차마 드러내놓지도 못하는 중년 여자의 처연

한 슬픔이 그 등허리에 보이지 않는 안개로 피어오르는 것이었다.

"형부!"

태희가 한참만에 찬수를 불렀다. 찬수가 태희를 바라보았다.

"오늘은, 여잔 여자끼리 남잔 남자끼리 자면 어떨까요?"

"아이구우 저런 철딱서니 봤나아!"

찬수가 아닌 재혁이 쓴 입맛을 다시며 큰소리로 말했다. 태희가 앙칼진 눈초리로 남편을 돌아보았다.

"당신은 그저 머리하구 입으로만 사는 여자라니깐! 아까 우리 처형, 그 외로운 눈물을 보고도 몰라? 츳츳."

재혁이 말했다. 태희는 더 쓰디쓴 낯을 하고 남편에게서 얼굴을 돌려버렸다.

"그것두 괜찮지 뭐."

찬수가 낮은 목소리로 내키지 않는 말을 했다.

"맘에두 없는 말씀 그만두시구 회포를 푸십시오. 예수님도 별 거 있습니까? 다아 남자 여자 사랑으로 태어난 거지요. 여보. 당신은 뭐해. 언니만 일하게 하구."

재혁이 말하더니 벌떡 일어나, 꽁초가 넘치는 재떨이를 상에 올려놓고 번쩍 들어 부엌으로 가져갔다. 그리고는 태경에게 '인정이랍시고' 수작을 붙였다. 설거지가 뭐 대숩니까. 사람이 중요합니다. 피곤하신데 그만 들어가십시오…. 대충 이런 내용이었다.

"뭐 할 일이 그렇게 많소?"

아직 앞치마를 벗지 않고 거실을 기웃거리는 태경에게 찬수가 다가와서 다정하게 물었다. 태경은 입 안에서 신음인지 대답인지 알 수 없는 소리를 웅얼거리고, 정작 다정한 남편의 얼굴은 외면했다. 찬수에겐 그것이 다만 아내의 정숙한 습성이라고, 그런 기질에서 우러나는 태도라고 생각했다.

재혁은 근우의 방으로 가고, 태희는 소영이의 방으로 나뉘었다.

태경은 먼저 자리에 누운 찬수의 곁으로 들어가야 했다. 그들은 부부였고 같이 눕지 않는 것은 어쩌면 재앙일는지도 몰랐다. 하지만 태경의 몸은 관절마다 굳고 살은 뻣뻣해져서 제대로 움직이지 않았다. 그래도 그는 남편의 옆으로 가야 할 것이었다.

"여보. 피곤해. 빨리 불 꺼."

찬수가 단 목소리로 말했다.

태경은 불을 껐다. 그리고 잘 벗겨지지 않는 꺼풀을 벗겨내듯 잠옷으로 갈아입었다. 그리고 가늘고 떨리는 목소리로 말했다.

"여보. 당신 고단하신데… 태희네두 있구… 나… 여기… 밑에서 잘까요…."

"무슨 소리야 당신!"

찬수가 칼바람처럼 내뱉고 거침없이 아내의 팔을 잡아당겼다. 어둠 속에서도 익숙한 솜씨였다.

찬수는 벌써 알몸이었고 뜨거웠다.

태경은 아랫입술을 깨물었다. 남편은 마치 자기 물건을 다루듯 그렇게 아내를 만졌다. 그러나 태경의 밑은 마르고 삭막했다. 어쩌면 삭정이 같았다. 찬수는 개의치 않았다. 아내의 성은 여전히 미숙하다고, 그것이 미덕이라고, 그러나 나는 아내에게 사랑을 주리라고…. 그래서 그는 아내의 무감각하고 메마른 살에 침을 발라 사랑을 시작했다. 아내가 자신의 사랑으로 마침내 성숙해지도록 그리고 자신에게 감사하도록… 자기가 이제껏 경험하고 얻어들은 정보를 다 동원해 보는 것이었다.

태경은 아랫입술을 깨물었다. 그는 자신의 이 처참한 불결의 순간이 싫어서 울고 싶었다. 찬수의 거칠고 화끈거리는 숨소리를 지우고 그의 뜨거운 체온을 지웠다. 벌써 몇 날이 지나도록 목소리 한 번 들어보지 못했으나 태경에게서 한시도 떠나지 않은 사람…. 태경은 눈을 아프도록 감고 그를 생각했다.

잠자리에서, 시장에서, 싱크대 앞에서, 아이들과 이야기를 하면서, 텔

레비전을 보면서, 누구와 전화 통화를 하면서, 술상 앞에서, 남편 옆에서
… 끝없이 바람결처럼 살갗에 닿던 느낌 그리고 떠오르는 생각…. 지금
도 그랬다.

태경은 자신의 불결이 싫었다. 자신이 타락하고 있는 게 싫었다.

"당신… 괜찮아? 좋아?"

찬수가 물었다.

태경은 무엇이라고 말할 것인가.

그는 남편이 어서 제자리로 돌아가주길 바랄 뿐이었다. 남편은 그저
하나의 물체로밖에는 보이지 않는 것이었다. 마치 육신을 떠난 영혼처
럼. 정이 벗어난 부부란 어쩌면 한 덩어리의 재앙인지 몰랐다.

"내가 너무… 당신을 돌보지 않은 것 같아… 이젠….'"

찬수가 습관적인 사정을 끝내고 나서 참회하듯 중얼거렸다.

태경에겐 그 의미가 닿지를 않았다. 그는 한시 바삐 몸을 씻고 싶을
뿐이었다. 그리고 이런 타락의 느낌이 더 짙어지면 자기가, 자신도 모르
는 사이에, 나는 당신과 더 이상 잘 수가 없어요, 내 몸은 열리지 않아
요, 사랑하는 사람이 있어요… 라고 말해 버릴 것 같았다.

태경은 오래도록 샤워를 했다. 그 사이, 찬수는 아내가 피로 회복제를
들고 들어올지 모른다고 기다리다가 슬그머니 잠이 들었다.

태경은 어슴푸레한 부엌의 식탁의자에 한동안 앉아 있었다.

그는 자기 자신을 생각했다.

비장한—비릿한 내가 풍기는 운명이 느껴졌다. 한 번도 객관적으로 보
이지 않던, 마치 자신의 모습을 보듯 하던 집 안의 모든 것들이 낯설게
보이기 시작했다. 그의 오랜 습관이 반역을 시작한 것이었다. 그는 집 안
과 남편과 아이들로부터 자신을 죽이기 시작했다. 죽음처럼 자신을 떼어
내고 그리고 떠나고 있었다.

아이는 아이의 인생이 있을 것이다. 지금은 나의 보살핌이 필요할 뿐
이다. 그러나 보살핌은 누구라도 할 수 있다… 내가 아니더라도…. 그것

이 옳지 않다면, 죄악이라면, 나는 죄악의 운명을 짊어질 수밖에…. 한 사람의 사랑을 숨긴 채, 이 거짓의 일상을 언제까지 계속한다는 건 죽음 보다 나쁘기 때문에….

혼돈 속에서

꿈 같은 일이 일어났다.

12월 30일 오후 4시쯤이었다.

전화는 태경이 맡아놓고 받기로 했고, 또 태경이말고 누가 달리 전화
에 신경 쓰는 사람도 없어서, 그때도 벨이 울리길 두 번이 채 끝나기도
전에 태경이 수화기를 들었다. 수화기를 들 때, 태경은 오른 손목에서 팔
꿈치까지의 근육에 찌릿한 전류가 흐르는 걸 감지했다.

"호준입니다!"

태경은 꿈에도 그리던 그 목소리를 듣는 순간, 자기를 잃어버렸다. 태
경은 도대체 무슨 소리를 내어, 그의 목소리를 들었다는 표시를 했을까.
'아, 그래요…' 이랬던가? '당신이군요…' 이랬었나.

그러나 태경에게 떠오른 첫번째의 생각은 이제 이 사람을 놓쳐서는
안 되겠다는 것이었다. 절대로! 절대로!

호준은 태경이네 집 근처에 와 있었다.

"지금 만나요. 금방 갈게요."

태경이 후에라도 기억할 수 있는 확실한 말은 이것뿐이었다.

그는 화장도 하지 않은 얼굴에 그리고 집에서 입던 옷에 코트만 걸치
고 나섰다.

태희가 재혁의 하와이 촬영에 동반해서 엊그제부터 전씨와 조카가 태경이네에 와서 지내고 있었다.

"어디 가니?"

전씨가 갑작스런 태경의 외출에 의구심이 생겨 물었지만, 전씨의 의구심은 태경에게서 도마뱀 꼬리처럼 잘리었다. 그리고 그는 무엇으로 걷고 무엇으로 달리고 무엇으로 보았는지도 모르게 호준이 와 있는 카페로 갔다. 그는 아무것도 볼 수 없었으며 생각할 수도 없었다. 그는 빠르게 걷다가 뛰기를 되풀이하였음에도 불구하고, 그는 자기의 몸의 무게를 느끼지 못했다. 나비처럼 날았다고 해야 옳으리라.

크지 않은 카페의 조명은 어두운 편이었고 방음의 두터운 문을 밀었을 때 헤리베라폰테는《자마이카여 안녕》을 노래하고 있었다.

태경은 그 어둑한 카페의 모퉁이 자리에 앉아 있는 한 남자를 자기 자신처럼 이내 알아보았다.

그 여자 태경은 순간에, 빛처럼 그 남자 호준의 옆자리에 앉았다. 숨결은 가쁘고 얼굴은 달아올라 있었다. 그의 손은 화인처럼 호준의 무릎에 박혔다. 지난 열흘이 어떻게 지나갔던가. 그 열흘을 어떻게 살아낼 수 있었던가… 의심과 절망 그리고 한없는 자기비하와 격정의 긴 세월이어서 차마 사람의 시간으로서는 셀 수도 없으리라…

한동안 그들은 아무 말도 하지 않았다. 종업원이 주문을 받으러 왔을 때도, 태경은 호준의 무릎에 얹힌 자신의 손을 내려놓지 않았다.

그들은 두 병의 맥주를 시켰다.

"어떻게 지냈어요?"

호준이 말했다.

태경의 고개 숙인 얼굴에서 아랫입술이 경련을 일으켰다. 그날, 한밤중에 헤어지고 하루 이틀 지난 다음부터, 집 안에서 단 한 발자국도 나가지 않고 지낸 것을, 그 기다림으로 까맣게 타들어가던 심정을 태경은 맨정신으론 설명할 수가 없었다. 지금은 다만 이 남자가 너무도 소중해서, 그래서 미웠다.

태경은 아직도 경련이 멈추지 않은 아랫입술을 이빨로 깨물었다. 하지만 떨리고 있는 입술에서 흐흑 하는 흐느낌이, 그가 온 힘으로 억눌렀으나 어림도 없어서, 불쑥불쑥 온몸을 흔들며 터져나왔다. 그리고 느닷없는 소나기처럼 굵은 눈물방울이 떨어지기 시작했다.

호준의 손길이 태경의 뺨과 입술, 콧날과 이마 그리고 눈으로 다가올 때, 태경은 가슴이 저려서 견디기 힘이 들었다.

"거기 두시죠."

호준이 술을 가져온 종업원에게 말했다. 종업원은 필경 사연 덩어리일 나이든 '불륜'을 눈치챘지만 꿀꺽 속으로 감추고, 술병을 탁자 끝에 내려놓고 돌아갔다. 저런 꼴사나운 것들이 요새 어디 한둘이어야지… 이런 경멸을 뿌리며 종업원이 돌아가고도 한동안 술병은 그대로 거기 놓여 있어야 했다.

태경은 호준이 꺼내준 손수건으로 얼굴을 닦았다. 그는 갑자기 나오느라 아무것도 가진 것이 없었다. 그의, 울음으로밖에는 식힐 수 없던 격정은 긴 한숨으로 한풀 꺾인 것일까. 태경은 한숨을 쉬고 나서야 비로소 호준을 쳐다보았던 것이다. 태경이 아이처럼 씨익 웃을 때, 그의 얼굴에 슬픔과 기쁨 그리고 만족이 지나갔다.

"너무 나빠!"

태경이 여태 호준의 무릎에 놓인 손으로 꼬집는 시늉을 했다. 호준은 무조건 고개를 끄덕거렸다.

"사무실에두 잘 안 나왔나 봐."

태경의 목소리에서 투정과 떼가 묻어났다. 호준은 이윽고 맥주병을 들어다 잔을 채웠다. 두 사람은 오랜 갈증을 참아온 것처럼 단숨에 잔을 비웠다. 태경이 고개를 갸우뚱했다. 이제사 그는 호준이 다른 때와 달라 보이는 걸 발견했다. 움푹 패여 보이는 눈은 빛났으나 그늘과 슬픔이 보였고 턱에는 웃자란 수염이 파리하게 돋아 있었다.

"그 사이… 무슨 일이… 있었어요?"

호준을 뚫어지게 쳐다보던 태경이 낮고 망설이는 목소리로 물었다. 그러나 호준은 태경의 물음에 대답하지 않았다. 그는 자기를 쳐다보는 의문과 불안의 눈길을 향해 웃음을 지어 보였으나 그것은 허전하고 쓸쓸한 웃음이었다.

호준은 말할 수 없었다. 그가 지난 며칠 동안 겪었던 일들을 어떻게 말해야 하나. 그가 그 사건에 대해 입을 다무는 것은 태경에 대해서만은 아니었다. 그 일이 생겼을 때, 그는 마치 함정에 빠진 사람처럼, 함정 속에서 일을 처리했다. 아내가 처가에 있을 때 일어난 일이라고 장인 장모는 죄인처럼 어쩔 줄을 몰라했지만 호준은 그들을 원망하지 않았다. 다만, 태어난 지 2년도 되지 않은 아이가 세상을 떴다고 했을 때, 그 사실을 눈으로 확인했을 때, 왜 울고 있는 아내가 아주 멀게 느껴졌을까. 그 느낌은 마치 시체 안치소의 썰렁하고 음산한 기운과 흡사했다.

아이가 놀다 다쳤다는 연락을, 호준은 양평 현장에서 받았다. 처음엔, 다쳤으면 병원에 갈 일이지 왜 멀리까지 일 나온 사람에게 연락하느냐고 짜증을 부렸다. 아내가 그걸 핑계로 또 다른 앙탈을 만든다고 생각했기 때문이다. 그런데 장모는 자네가 급히 와야겠다고, 아주 낮고 무거운 목소리로 말을 했던 것이다.

호준이 병원에 도착했을 때, 아이는 이미 죽어 핏기도 없고 작은 몸은 벌써 체온마저 잃고 있었다. 외할머니를 따라 2층 베란다에 나갔다가 '눈 깜짝할 사이에' 창살 사이로 빠져서 떨어졌다고 했다.

아이를 화장해 뼛가루를 강에 뿌리고 그는 벌써 여러 번 기절한 끝에 지금은 울지도 못 하는 아내와 헤어졌다. 아내는 처가로 돌아가고 호준은 사무실에 와서 전화도 받지 않고 혼자 있었다. 사흘을 그랬다….

그렇게 혼자 지내는 동안, 호준은 삶과 죽음이 훨씬 선명한 빛깔로 자기의 육신과 함께 있는 걸 감지했다. 그것은 밤과 낮처럼 뒤바뀌는 것인지도 모른다고…. 다만 한 번도 죽음을 경험하지 못해서 그것이 삶과 어

122

떻게 다른지 알 수 없을 뿐이라고. 어쩌면 삶이란 죽음의 껍질이거나 그림자일는지도 모른다고….

오늘 오전, 전화 연결이 되지 않는 남편을 찾아 호준의 아내가 사무실로 왔다.

호준은 저녁에 지급해야 할 연말 상여금을 결제하고 돌아앉아 담배를 피우고 있었다.

등뒤의 느낌이 이상해서 의자를 돌리는데 검은 코트를 입은 아내가 회의용 책상 맨 끝에 정물처럼 앉아 있었다. 아, 그 순간 4년이나 함께 살고 아이로 말미암아 부모가 되었던 여자가 왜 재앙의 표상 같은, 그런 싸늘하고 정떨어지는 느낌으로 다가왔을까. 사랑하던 아들을 잃어 절망과 슬픔으로 얼굴 표정이 해골처럼 패인 젊은 여자에게서.

호준은 아무 말도 하지 않았다.

정호준! 넌 건축밖에 모르는 이기주의자야! 난 너의 성취욕이나 뜯어먹고 사는 바보가 아니라구!

친정으로 가던 날, 그의 아내는 남편에게 이렇게 부르짖었다. 지금은 그 당당하고 앙칼지던 기색도 삭아서 흔적조차 남아 있지 않았다. 그들 부부는 오래도록 말없이 앉아 있었다. 소장님의 아내에게 차 대접을 하러 들어왔던 경리가, 설명할 수 없는 분위기에 질려 소리없이 나가버렸다. 그리고 또 한동안 독한 침묵의 시간이 흘렀다.

그의 아내가 먼저 입을 열었다.

"당신이란 남잔… 너무도… 잔… 인… 하다구. 여자가… 있기… 때… 문… 에, 다… 안… 다… 구…."

그 여자의 독기는 끝내 슬픔과 절망을 이기지 못해서 울먹이며 겨우 겨우 이렇게 말했다.

"우리는 감성이 달라."

호준이 한숨 쉬듯 말했다. 그의 아내가 훌쩍이면서 코방귀를 뀌었다. 감성?! 너무도 가증스런 말이었다. 감성이 같지 않다고, 그래서 당신이란 여자와 함께 있으면 영감이 시들기만 한다고… 이런 말을 예술한다는 남편으로부터 들었을 때, 그 굴욕감을 어떻게 얘기할 수 있을까. 아마 죽어도 잊지 못할 것이었다. 그런데 지금, 최악의 상태에 이르른 아내에게 남편으로 한다는 말이 또 그 '감성'이었다. 그의 아내는 순간 살의를 느꼈다. 차라리 죽여야 옳을 것 같았다. 그러나 속으론 혀를 깨물고 눈물을 삼켰다.

여기서 그냥 돌아선다면… 이 패배감을….

그의 아내는 패배감에 짓눌려서 눈이 충혈되었다.

한때, 사랑한다고 해서 결혼한 남자였다. 이제 그는 더 이상 확인할 필요도 없이 '남'이 되어 있었다. 그래도 남편이라고 찾아왔는데, 겨우 이 처참한 상황을 확인해야 한다니….

"시간을 갖는 게 서로를 위해 좋겠어. 당신두 좀 쉬면서 건강을 회복하구…."

울기를 그친 아내에게 조용한 목소리로 호준이 말했다. 그의 아내는 반응이 없었다.

"당신두… 일을 찾아보는 게 좋을 거야."

다시 호준이 말했다. 그의 아내는 여전히 미동도 없이 앉아 있었다.

"이제 가봐. 연말이라 처리해야 할 게 너무 많아."

다시 호준이 말했다. 그의 아내가 고개를 들었다. 그러나 그의 눈길은 남편의 얼굴을 스쳐 지나, 그의 등뒤에 있는 벽 모서리에 닿았다.

"부탁이 있어… 이 방문을 혼자 나가고 싶지 않아요. 사무실 밖까지만 부축해 줘요…."

마디 마디 씹는 목소리로 그의 아내가 말했다. 호준은 아내의 자존심이 앙상하게 자신의 살을 짓누르는 것 같아, 차라리 안쓰러웠다. 그래서 그는 조용히 일어나 아내 곁으로 갔다. 아내가 그의 손길이 다가오기 전에 스스로 일어섰다.

"차 가져왔어?"

그가 물었다. 그리고 문을 열었다. 그때 아내가 재빨리 호준의 팔짱을 꼈다. 불안한 표정으로 어수선하게 앉아 있던 경리가 습관처럼 일어섰다.

"차두 안 드시구…."

경리가 자기에게 웃어 보이는 소장님의 아내에게 미안한 인사를 했다.

"차 가져왔어?"

사무실 문 앞에서 다시 호준이 물었다.

"정신이 없어서 운전을 못 해요."

"택시를 잡아줄게."

"고마워요."

그의 아내는 사무실 바깥으로 나와서, 이내 팔짱을 풀어놓았다. 그리고 그들은 택시 한 대로, 서로 갈라질 때까지 아무 말도 하지 않았다. 하지만 호준은 택시가 멀어지면서 다른 차들과 섞여서 더 이상 보이지 않을 때까지 붙박인 것처럼 서 있었다. 그의 아내는 전혀 뒤돌아보지 않았건만 그는 가볍게 돌아서지지가 않았다.

그뿐만이 아니었다. 갑자기 너무도 몸이 추워져서 그는 견딜 수가 없었다. 어린 시절 밖에서 힘든 일이 있을 때 어머니를 부르며 집 안으로 달려들어가 어머니 품에 안겨 마냥 울 듯이, 그러면 어머니가 모든 것을 해결해 주었듯이, 호준은 불현듯 그런 품으로 도망치고 싶다는 충동에 사로잡혔던 것이다.

호준은 생각에 잠긴 동안, 잡고 있던 태경의 손 마디를 하나하나 매만지고 있었다. 마치 그 속에 삶의 비밀과 진실이 모두 숨어 있어서, 잘 진맥만 하면 모든 것이 확연해지기라도 하듯이.

그러던 중, 태경이 자는 아이의 입에서 젖꼭지를 빼듯 살며시 그의 손을 내려놓았다. 그리고 계산대에 가서 종이와 볼펜을 얻어왔다. 거울 속처럼 떠오른 시구를 적기 위해서였다.

어느 날 당신과 내가
날과 씨로 만나서
하나의 꿈을 엮을 수만 있다면·
우리들의 꿈이 만나
한 폭의 비단이 된다면
나는 기다리리, 추운 길목에서
오랜 침묵과 외로움 끝에
한 슬픔이 다른 슬픔에게 손을 주고
한 그리움이 다른 그리움의
그윽한 눈을 들여다볼 때
어느 겨울인들
우리들의 사랑을 춥게 하리
외롭고 긴 기다림 끝에
어느 날 당신과 내가 만나
하나의 꿈을 엮을 수만 있다면

  태경은 호흡보다 더 빠르게 쓴 이 시를 호준에게 주었다. 그리고 그가
그 시를 가슴에 담는 걸 지켜보았다. 호준의 눈은 몇 번이나 처음에서
끝까지 옮겨다녔다. 그리고 그의 가슴속에서 한동안 주눅들어 있던 격정
의 그리움이 출렁대는 게 얼굴에 나타났다. 그리고 그것은 태경에게도
전염되었다.
  이윽고, 호준이 종이를 탁자 위에 내려놓았다.
  "정희성이란 시인이 쓴 시야."
  태경이 호준의 눈길이 자기에게로 다가오는 순간, 결벽증 환자처럼 다
급하게 말했다.
  "그렇지만 그 시를 읽는 순간 나는 그 의미를 삼켜버렸어… 영원히…"
  다시 태경이 말했다. 목소리가 가눌 길 없이 떨리었다. 호준은 아무

말도 하지 않았다.

　지금은, 무슨 까닭인지, 이 여자를 만나러 올 때, 기다릴 때 그리고 만나는 순간보다 훨씬 더 마음이 편안했다. 할 수만 있다면, 아무도 없는 곳에 가서 그냥 조용히 살 대고 누워 있고 싶었다. 소리도 없고 느낌도 없는 고요 속에서. 다만, 태경이만 곁에 있다면, 시간도 느낄 수 없게 될 것 같았다.

　"정말 아무 일도 없었어?"

　태경은 잊지도 않고 다시 호준에게 물었다. 호준은 태경의 맑은 눈을 포개듯이 바라보았다. 그리고 천천히 고개를 저었다. 호준의 고갯짓은 점점 더 확신을 그렸다. 그러나 이상했다. 그의 고갯짓이 모질수록, 태경에겐 의구심이 새록새록 돋아나는 것이었다. 호준은 흡사 피하듯이 일어섰다. 간절한 눈길이 그의 얼굴에 매달렸다.

　"연말이라서…."

　호준이 중얼거렸다. 그리고 그는 문턱에 매달린 전화 부스로 갔다. 태경은 문득, 나는 이제 정호준 없는 인생은 살 수 없다고, 생각했다. 이런 생각 틈으로 호준의 알아들을 수 없는 말소리가 들려왔다. 숨을 쉴 때 대기 중의 공기가 기도를 통해 들어가 생명을 생명이게 하는 작용을 하듯, 호준은 태경의 호흡이 되어 있음을, 태경은 거의 장엄하고 경건하게 깨닫는 것이었다.

　사람과 사람이, 여자와 남자가 각각 딴 몸 딴 생각으로 나뉘어 있으되 '하나가 된다는 것'은 바로 이런 상태가 아닐까…. 태경은 기도처럼 떠오르는 이런 생각에 겨워 호준을 돌아보았다. 웬일일까. 전화 부스 앞은 비어 있고 그는 거기 없었다.

　순간, 태경은 질식할 것 같았다. 그는 정지된 호흡 속에서 카페 안을 핥듯 살펴보았다. 그는 보이지 않았다. 태경의 몸이 불 속에서 튀어오르는 시체처럼 벌떡 일어섰다. 그의 눈은 공포로 번들거렸다. 하지만 이때 화장실에서 호준이 나타났다. 소나기를 한차례 퍼부어낸 하늘같이, 태경은 이내 환한 표정이 되었다.

"당신은 잘 지냈어?"

호준이 자신의 자리에 앉을 때, 태경의 어깨에 손을 얹으며 따뜻하고 부드러운 목소리로 물었다. 태경은 그 말을 알아들을 수 없었다. 호준이 해야 할 말이 아닌 것도 같고, 그가 그 말을 하는 순간 일반적인 의미가 죽어버린 것도 같았다.

"당신을 이렇게라도 만나고 나니까… 이제 마음이 놓여. 몸이 다 개운해지는 것 같아."

호준이 빈 맥주병을 기울여보며 말했다.

"자기는 얼굴이 수척해졌어. 무슨 일이 있었던 것 같애."

"좀… 바빴어. 해 가기 전에 끝내야 될 일들이 있지 않겠어? 사무실에도 못 나오고 쫓아다닌 셈이야…."

호준이 느린 말소리로 이렇게 말했다. 이렇게 말할 때, 그의 말은 엉터리 자막 같았다. 그의 눈앞에는 그가 겪어낸 일들의 장면이 스쳐 지나갔고, 그는 번역이 틀린 거짓 자막을 쓰고 있었던 것이다.

"가봐야겠는데…."

호준이 라이터와 담배를 주머니에 집어넣으며 말했다.

"어떡하면 좋지?!"

태경이 절박하게 말했다. 호준이 일어서려다 다시 주저앉았다. 태경의 눈길이 너무도 간절해서, 자석처럼 그를 되앉힌 것이었다.

"우린 왜 이래야 해? 왜 이래야 되지? 난 이해할 수 없어. 이건 옳지 않은 것 같아. 그냥… 이건… 내가 미친 걸까? 정말… 미친 걸까?"

태경이 절박하게 말했다. 호준이 격정과 고통을 자신의 생살에다 누빔질하고 있는 여자의 손을 잡았다. 태경은 세례를 기다리는 교인처럼 침묵 속에 잠겨들었다.

"태경 씨."

호준이 조용한 목소리로 그 여자의 이름을 불렀다. 그 여자는 입술이 떨려서 대답할 수 없었다.

"우리는 아마 물처럼… 물처럼 흐르게 될 거야. 그런 믿음이 생겨요. 그 믿음대로 이루어질 걸… 나는 믿어… 당신두?"

호준이 물었다. 태경이 입술을 깨물고 젖은 눈으로 호준의 눈을 핥으며 고개를 끄덕였다.

"곧 연락할게. 당신도 어려움에 빠지지 않도록…. 내 말 이해할 수 있어요? 알아들을 수 있지요?"

호준이 말했다. 태경은 고개를 끄덕였다. 하지만 그는 호준이 무슨 말을 했는지 기억은커녕 알아듣지도 못했다. 지금 그와 헤어져야 한다는 사실 때문에, 헤어지는 것이 너무도 당연한 현실 때문에 태경의 눈은 멀고 귀도 멀었던 것이다.

그들은 카페에서 나왔다. 동지가 지난 때, 저녁은 한 뼘도 되지 않아 오는 듯 가버리고 어둠이 서둘러 내리기 시작했다.

태경은 호준의 차에 타지 않았다. 집에 데려다준다고 했지만 태경은 웬지 혼자 걷고 싶었다. 호준과 헤어져 곧장 집으로 들어가는 건 너무도 숨이 가빴다. 태경은 호준의 떠나는 차를 외면했다. 그는 자신의 발끝만 내려다보며 입술을 깨물고 있었다. 어둠 속에서 차가운 밤 바람이 휘돌았다. 그는 보지 않고 듣지 않았지만 호준의 떠나는 모습이 가슴에서 만져졌다. 한동안 서 있던 태경이 어두운 하늘을 쳐다보았다. 어두운 하늘 속에 작고 노란 별들이 까물까물 살아 움직이고 있었다. 태경은 그 별에다 자신의 그리움을 숨겼다.

어두운 거리는 낯설었다. 눈을 감고도 다닐 수 있는 길이건만 왜 이렇게 서먹서먹한지… 어둠 때문인지… 가슴에 차고도 남는 그리움을 별에게 숨겨놓고, 지금 땅을 딛는 건 껍질뿐이라서 그런지…. 우리는 아마… 물처럼… 물처럼 흐르게 될 거야. 태경은 호준의 말을 생각했다. 가슴이 쓰라렸다. 아린 슬픔이 그의 허전한 마음을 한사코 후벼대었다. 태경의 발길은 훈련된 말처럼 집 쪽으로 가는데, 그의 마음은 하염없이 뒤로만 달아났다. 그는 집에 가고 싶지 않았다. 이 낯선 거리도 싫었다. 어디 가서 혼자 있고 싶었다. 어둠 속에 녹아버려도 좋을 것 같았다. 아무도 없는 곳, 혼자서 그리움하고만 있을 수 있다면. 호준을 생각하고 그와의 대화, 그와의 모든 시간들을 떠올릴 수 있다면…. 그렇게라도 할 수 있기를 바랐다. 그러나 태경의 속 깊은 갈망을 짓뭉개듯, 어느덧 집 앞에 닿았다.

"어디 갔었냐아?"

문을 열어준 전씨가 다짜고짜 이렇게 물었다. 그의 예순대여섯 해, 그 연륜의 깊이를 가진 눈이 딸의 예사롭지 않은 허전함과 슬픔을 찾아내려는 듯, 전씨는 태경을 뚫어지게 훑어보았다.

순간 태경은, 아무 생각 없이 저 어머니 품에 매달려, 어머니, 제발 살려주세요, 라고 애원하며 울고 싶었다. 그러나 그는 이 저주스런 마흔네 살 나이 때문에 그렇게 할 수가 없었다. 그저 그는 자신의 진정만을 숨기려고 엉성하게 웃음지었을 뿐이다. 하지만 전씨는 그런 딸의 나이 값에도 안심을 하지 못했다. 전화를 받더니 얼굴이 상기되어 바람처럼 나가서 두어 시간 만에 저런 넋빠진 모습으로 돌아올 때야, 어찌 사연이 없으랴 싶은 것이었다. 전씨는 자기도 모르게 딸의 뒤를 따라다녔다. 태경은 제 방으로 들어가 코트를 벗는가 했더니 그것을 벗다 말고 갑자기 전원이 끊긴 기계처럼 우뚝 섰다. 그리고 멍청히 서 있는 것이었다.

전씨는 불안을 느꼈다. 저 애가… 아무래도…. 전씨는 까마득히 잊고 있던 옛날 얘기를 느닷없이 기억했다. 그가 열 살도 되기 전에 이웃집 며느리가 머슴의 아이를 배고 목매어 죽은 얘기…. 왜 이런 가슴 떨리는 얘기가 떠오르는지…. 전씨는 차라리 자기의 터무니없는 기억력이 야속했다.

1분이 지났을까? 아니면 수십 년이 지났나.

태경은 벗다 만 코트를 걸친 채 뒤를 돌아보다가, 한 번도 본 적이 없는 기이한 어머니의 표정과 맞닥뜨렸다. 예순줄과 마흔줄의 어머니와 딸이 방 문턱과 방 가운데에 각각 서서 서로의 존재에 전율하는 순간은 짧았다. 그러나 그들의 감각은 이미 시간의 길고 짧은 것조차 느낄 수 없었다. 태경은 어머니의 눈길에서 벗어나고 싶었다. 덫과 맞닥뜨린 산짐승처럼, 그런 심정이 너무도 절박했다.

"너, 나한테 숨기는 거 있니?"

어머니가 생살을 저며내듯 말했다. 태경의 얼굴 근육이 어디랄 것 없이 떨렸다. 그의 눈은 공포로 열리고 또한 흔들렸다. 침묵의 골이 거칠고 가파르게 패였다. 전씨의 눈은 깜박거리지도 않았다. 그는, 딸의 핏줄에서 피가 샌다면 자기가 막아야 한다고, 딸의 뼈 어디에 금이 갔다면 자기가 갈아야 한다고, 딸의 내장에 무엇이 상하고 있다면 의사도 모르게 자기 것으로 바꿔쳐야 한다고… 이런 심정으로 딸을 뚫어지게 바라보는 것이었다.

"나한테 숨기는 거 있어?"

전씨가 다급하고 절박하게 다시 물었다. 태경은 고개를 저었다.

"아니! 아니! 없어요!"

태경이 신음처럼 뱉었다. 그의 신경이 빳빳하게 곤두서고 피가 위로 솟구쳤다.

또다시 침묵이 왔다. 그러나 그것은 아까보다 부드러웠다. 전씨가 고개를 천천히 그리고 점점 빠르게 끄덕이었다. 그리고 한숨을 내쉬었다. 한숨은 땅으로 쏟아져내리는 듯한 소리였다. 순간 태경은 죽었으면 좋겠다는 생각을 했다. 전씨가 무슨 말인가를 더 하려는 듯하다가 그냥 돌아섰다. 태경은 어머니가 섰던 그 자리에서 기이하게도 푸른 넋을 언뜻 본 듯한 착각에 빠졌다. 하지만 이런 환각을 곧 잊었다.

한 해를 이틀 남긴 날 밤의 텔레비전은 어린아이들을 위하기로 작정한 것 같았다. 태경에겐 오히려 다행이었다. 소영이는 어른인 가수를 '쟤는 싫다'고 소리쳤다.

태경은 저녁을 준비하면서 문득문득, '나는 어떡하지?' 하고 속으로 말했다. 찬수는 내일 오후에 올라올 것이고, 정월 초하룻날은 회사 사장의 집에 다녀와서 대관령으로 간다지 않던가….

다음날, 태경은 늦잠을 잤다. 새벽에 눈을 떴다가 다시 잠이 들었는데 8시쯤 깼다. 그러나 그는 일어나지 않았다. 달팽이처럼 이불 속에 들어가 오래도록 잠자는 것처럼 있었다. 전씨가 문을 열고 들어와 아직두 자네, 하면서 그냥 나갔고 소영이도 한차례 들어와서 희미한 목소리로 엄마, 하고 불러보고는 나갔다. 태경은 정말 일어나기가 싫었다. 오늘을 살아야 한다는 게 너무도 힘이 들 것 같았다. 아침마다 눈을 뜨면 맨 먼저 느껴지던 감정─부드러운 그리움 대신 오늘은 싫증이 먼저 느껴졌던 것이다. 그렇지만 마냥 누워 지낼 수는 없었다.

"김서방이 몇 시에 온다던?"

태경이 열 손가락으로 머리를 갈퀴질하며 부엌으로 나가자, 이제나 저제나 딸을 기다리던 전씨가 다가와 흥분한 목소리로 물었다.

"몰라요, 엄마."

태경은 전씨를 외면한 채 짜증 섞인 목소리로 대꾸했다.

"아이구 애 좀 봐라…. 아니 모를 게 따루 있지…."

전씨가 의구심에 절은 목소리로 느릿느릿, 딸을 의심스럽게 살펴보며 말했다. 태경은 어머니의 의구심이며 불안이 느껴졌지만 모르는 체했다. 그러나 전씨는 딸에게서 관심과 의심을 거두지 않았다.

"오늘 중으루 와요 엄마. 엄마가 왜 그렇게 사위 오는 걸 보채세요? 비행기 타면 한 시간두 안 되어 서울 오는 건데…."

태경이 말했다. 전씨가 딸을 복잡한 표정으로 바라보았다.

"니가 이상해서 그런다!"

전씨가 잠시 침묵했다가, 끝까지 참으려던 이 말을 그만 모질게 내뱉고 말았다. 하지만 전씨가 자신이 참지 못하고 뱉은 말이 차라리 먼지라도 된다면 어떡하든 주워 모아, 태워버리고 싶은 심정이었다. 더욱이 자기가 그렇게 말하자마자 태경의 표정이 어두워지는 걸 보자 더욱 속이

상했다. 전씨는 돌아섰다. 자기가 무언가, 아주 나쁜 씨앗을 뿌린 것 같
은 불길한 느낌이 온몸으로 쩐득히 달라붙어서 너무도 어수선했다.

"엄마!"

두어 발짝 떼어놓았을까? 태경이 어머니를 불렀다. 전씨가 무겁게 고
개를 돌렸다.

"내가 이상해 보이우?"

태경이 고개를 갸우뚱하고 진지한 낯빛으로 물었다. 전씨가 딸을 물끄
러미 바라보았다. 어쩌면 '물끄러미 바라보기 위해' 애를 쓰는지도 몰랐
다.

"이상하긴, 무어 이상할 게 있냐."

이윽고 전씨가 짐짓 맥빠진 목소리로 중얼거렸다. 그리고 아이들의 목
소리가 들리는 소영이의 방으로 갔다. 전씨는 딸이 '이상'했다. 예전 같으
면 김서방이 오는 날, 태경은 아침부터 설쳤다. 아니 어제부터 그를 맞이
할 채빌 차렸다. 특별히 장을 보고 집안 청소를 하고… 그리고 얼굴은
화사해지고…. 그런데 지금은 어떤가. 마치 오늘이라는 날이 싫은 것 같
지 않은가. 어제의, 바람 빠지는 듯 집을 나가, 들어올 때의 그 스산한 표
정은 무엇일까…. 전씨는 생각할수록 불길하고 불안했다. 어제, 터무니없
이 떠오른 옛날 이야기도 여태 잊히지 않고 언짢게 남아 있었다. 동네
사람들이 술렁거리고 마침내 그 집은 동네를 떠나고, 오래도록 그 집은
택호 대신 '며느리가 머슴과 배맞아 목매어 죽은 집'으로 불리웠다. 설마
…. 전씨는 자신의 방정맞은 상상을 스스로 꾸짖었다. 하지만 태경은 어
머니의 갈등과 괴로움의 깊이가 여기에 이르렀으리라곤 상상도 하지 못
했다. 아직 모든 것은 '감쪽같은 비밀'이고, 이 세상에서 자기의 이야기
를 아는 사람은 수정이와 태희지만 둘 다 비밀을 새게 할 리 없다고 믿
었다. 또한 그들이 아는 것은 '남자가 있다' 그와 '정사를 가졌다'는 것뿐
이어서, 태경은 자기가 간직한 피 같은 사랑의 깊이를 아무도 모른다고
생각했다. 정말 비밀은 바로 이 '사랑'이라고 여기는 것이었다.

소영이는 아침부터 라면이 좋다고 우겼고 근우는 밥을 찾았다. 태경은 식구들의 식성대로 아침 시중을 끝냈다. 태경의 시간은 작동에 이상이 생겼는지 느리디느리게 지나갔다. 태경은 이토록 더딘 시간이 싫었다. 싫은 건 시간뿐이 아니었다. 그는 집에 있기도 싫었다. 자기는 지금 다른 곳에 있어야 할 것 같았다. 그저 무더위처럼 찐득하게 그런 느낌이 태경에게서 떠나지를 않았다. 전씨가, 아무리 음력 설에 차례를 지낸다 해도, 집안의 기둥이 해맞이를 오는데 맨입으로 지낼 수 없다고 우겼다. 태경은 어머니에게 장을 보도록 부탁했다. 집 안에 있기 싫으면서도 막상 밖으로도 나가기 싫었기 때문이다.

전씨는 바지런히 떡국 장을 보았다. 어머니와 딸은 말없이 만두를 빚었다.

전씨는 오후들면서 자주 시계를 보았다. 소영이가 자꾸만 거실 바닥에서 달력을 오려대며 부산을 떨자, 전씨는 손녀를 나무랐다. 아빠 오실 때 되었으니 집 안을 어지르지 말라는 것이었다. 이런 전씨의 조바심이 태경에게 전염된 것일까. 태경은 시간이 갈수록 점점 더 가슴이 쿵쿵 뛰었다.

"넌 웬 한숨을 그렇게 쉬냐?"

전씨가 이렇게 말할 때야 비로소 태경은 자기가 한숨을 쉬어야 속이 편하다는 것을 깨달았다.

전씨는 딸을 제쳐놓고 자기가 날아갈 듯 지단을 부쳐 채쳐놓고 사골 국물에 뜬 기름을 거둬냈다.

태경은 거푸 두 잔이나 커피를 마셨다.

"넌 왜 얼굴이… 아침에 세수했니?"

전씨가 부엌일을 손털고 나서다가 커피잔을 들고 넋나간 얼굴로 뜰을 보고 있는 딸에게 물었다.

"세수요? 글쎄… 내가… 안 했나?"

태경이 중얼거렸다.

"귀신두 그 얼굴보곤 덧정 떨어지겠구나."

전씨가 씹어 뱉었다.

"엄마두… 내가 그렇게 미워요?"

"생각이 있으면 속에 짚이는 게 있을 거 아니냐."

"엄만 뭐 내가 뭔 죄라두… 이상하네."

태경이 볼이 부은 소리로 중얼거렸다.

"그렇다면… 다행이다…. 벌써 4시가 넘었네…. 저녁을 먹구 올라나?"

전씨가 중얼거렸다. 태경은 어머니의 약간 굽어 보이는 뒷모습을 바라보다가, 문득 가슴이 떨리는 걸 느꼈다. 어머니가… 무엇을 눈치채고 계신 걸까… 이런 생각이 들었던 것이다.

하지만 태경은 생각을 고쳐먹었다. 어머니가 무엇을 눈치챌 리 없다고, 그럴 리가 없다고…. 그러면서 태경은 갑자기 활기를 찾은 환자처럼 부지런을 피우기 시작했다. 그는 목욕을 하고 머리를 드라이하고 얼굴에 부분 화장을 했다.

"한결 낫다. 집 안이 다 활짝 사는 것 같구나."

전씨가 기뻐했다. 태경은 어머니의 기쁨을 보는 순간 가슴이 미어졌다. 태경은 도망치듯 안방으로 들어가 문을 닫았다. 그 사이 눈가를 적신 눈물은 제 무게를 이기지 못해 볼을 타고 한 줄기 흘렀다. 태경은 침대에 기댄 채 발을 뻗고 방바닥에 앉았다. 어머니의 기쁨을 피해 왔는데 엉뚱하게도 호준이 보고 싶었다. 그가 지금 어디 있는지, 무엇을 하고 있는지, 해결해야 한다던 일들은 마무리가 잘되었는지 알고 싶었다. 끼니도 제때 챙겨먹고 잠도 푹 잘 잤으면 좋겠다고 생각했다. 그가 편하면 자기도 그럴 것이라고. 그리고 어디선가 호준이 지금 자신처럼 자기를 그리워할 거라고 생각했다. 그가 자기를 그리워하기 때문에, 호준이 그리워지는 것이라고… 그는 그렇게 믿었다.

태경은 호준을 생각하면서 그가 좋아하는 바하의 무반주 첼로 소나타를 틀었다. 이렇게라도 그를 생각하고 그와 함께 듣던 음악을 듣는 것이 너무도 좋았다. 비록 곁에 호준이 없지만 방 안에 그가 가득 차고 자기의 살에 그의 살이 닿는 것 같은 착각이 들었다. 그래서 태경은 손으로 자기의 맨살을 쓰다듬으며 호준의 살을 느껴보려 했다.

그러나 오래도록 이렇게 있을 수가 없었다. 태경의 기쁨은 불안의 살얼음 위에 던져지는 돌멩이와도 같았다.

그는 이런 와중에도 전화벨 소리를 들었다. 습관처럼 태경의 가슴이 철렁 내려앉았다. 안방의 무선전화기를 들었다. 찬수였다.

"응 나야!"

찬수는, 태경이 여보세요, 라고 떨리는 목소리로 말했을 때, 아주 당당하게 나야! 라고 말했다. 순간 태경은 맥이 빠졌다. 온몸에서 기운이 빠져나가 수화기를 들고 있기가 힘겨울 지경이었다.

"저녁들 먹었어?"

"아니요."

"내가 늦겠는데. 기다리지 말구 먼저 먹으라구. 알았지?"

"네."

태경은 자신의 말소리 뒤에 들리는 전화 끊기는 금속성을 들었다.

"김서방이지?"

전씨가 태경이 수화기를 든 채 멍하니 있는데 문을 밀고 이렇게 물었다. 태경이 고개를 끄덕였다.

"이제 온다냐?"

"아니. 우리끼리 먼저 먹으래요."

"그래. 바쁜 사람이 그렇지 뭐. 그래야 당연하구."

전씨가 말하며 먼저 부엌으로 갔다.

찬수는 10시가 넘어서야 돌아왔다. 그때 태경은 혼자 방에 있었다.

"김서방인가? 고단하지?"

태경은 밖에서 들리는 이런 어머니의 말소리 때문에 쓰고 있던 공책을 부리나케 덮었다.

… 우리가 만난, 한 해가 가고 있습니다….

태경은 일기장에 이런 글을 적어놓고 있었던 것이다.

그는 일기장만 덮은 게 아니었다. 그는 그것을 화장대 서랍 밑에 숨기고 바하를 죽이고 거울 속에서 자신의 표정을 살폈다. 어디 '그리움'이 묻어 있을세라….

"이제 오세요?"

태경은 문을 열고 나가 거실에서 텔레비전을 보고 있던 아이들과 얘기하다 소영이를 끌어안은 찬수에게 인사했다.

"당신… 잤어?"

찬수가 온통 자기만을 기다리기라도 했던 것 같은 가족 속에서 이렇게 물었다. 그의 얼굴은 술기운으로 붉어 있었고 기분이 좋아 보였다. 태경은 대답 대신 괜시리 눈을 비볐다. 양쪽 눈을 다 그렇게 했다. 소영이는 마침내 달라붙을 덩치 큰 나무를 찾아낸 매미처럼 찬수에게 매달려 응석을 부렸다. 근우는 의자에 실었던 몸에 긴장을 하고 바로 앉아서, 계속 텔레비전을 볼 것인지 방으로 들어갈 것인지를 궁리했고 전씨는 사뭇 상기된 표정으로 두어 발짝 떨어진 데에서 사위를 바라보았다. 찬수는 안방으로 들어갔다. 소영이는 매달린 채 따라가다가 문턱에서 떨어져 텔레비전 앞으로 갔다. 태경은 남편을 보는 순간 느껴졌던 거북스러움, 이질감이라고 해야 할지 낯선 기분이라고 해야 할지, 알 수 없는 서먹한 느낌 때문에 몸마저 제대로 움직여지지 않아 곤혹스러웠다. 그래도 그의 몸은 오랜 습관에 길이 들어 있어서 찬수가 벗는 옷을 받아 걸었다.

"저녁은요."

"대충 먹었는데… 샤워부터 하자!"

"떡국을 끓였어요."

"글쎄."

찬수는 떡국엔 관심을 보이지 않았다. 그는 자기가 '샤워'를 하겠다고 했으므로 자동적으로 준비되는 절차—아내가 꺼내주는 속옷을 들고 목욕탕으로 들어갔다. 아내는 그가 들어가기 전에 재빨리 샤워 용구가 제대로 놓여 있는지 한번 살펴보았다. 이것은 태경과 찬수의 습관이었다.

"떡국 국물 올릴까?"

딸과 사위의 움직임을 한 오라기도 놓치지 않고 살피던 전씨가 태경을 보자마자 반가운 목소리로 물었다. 태경은 왼손을 귓불에 대고 무슨 생각에 잠긴 표정으로 어머니를 쳐다보았다.

"야, 어미야. 김서방 떡국…"

"엄마! 상전이 왔어요?!"

전씨는 즐거워서 부드럽게 말하는데 딸은 난데없이 쇠꼬챙이 같은 앙칼스러움으로 그 부드러움의 허리를 사정없이 쑤시고 들었다. 그렇게 하는 태경의 눈에 짜증의 칼날이 서려 보였다. 전씨는 너무도 그 서슬이 생뚱스러워서 입을 벌리며 멍청히 딸을 쳐다보았다. 기가 막혀도 분수가 있지…. 어이없기로 치면 이보다 더한 일이 있을까 싶었다. 그리고… 가장이 집안의 상전이지 그럼 누가 상전이란 말이냐…. 저 애가 대관절 무엇에 팔려 마음이 달라지고 있는 걸까…. 전씨는 자신의 언짢음보다 딸의 상태가 걱정되었다. 하지만 자식이 어찌 어미의 마음을 알랴.

"들어가 주무세요!"

태경은 어머니의 기분은 아랑곳없이 구정물 퍼내듯 어머니를 밀어내려 했다. 화풀이거리를 찾아낸 비겁한 상전같이 그랬다.

전씨의 얼굴에 복잡하기 그지없는 표정이 일렁거렸다. 슬픔과 노여움, 걱정과 불안이 뒤섞인 표정이었다. 그러나 태경은 어머니의 표정을 읽지 못했다. 그는 무턱대고 화가 났다. 식탁 위에 놓인 양념 그릇, 요리 방법을 적은 종이가 붙어 있는 냉장고, 크기가 다른 주전자들, 전자 레인지와 사골을 고는 찜통… 태경은 그런 것들을 바라보면서 울컥 치미는 울화증을 느꼈다. 왜 찬수가 들어오면, 집 안에 있는 사람과 사물들이 모두 긴장하는 것인지. 그가, 이 집 안에 있는 모든 것들에게 역할과 의미를 주는 것처럼…. 사골은 이제 가스불 위에서 끓어야 하고 아내인 자기는 남편의 눈과 귀와 손과 발이 되어야 하며, 장모인 어머니는 사위의 비위를 맞추는 게 자기의 기쁨이라고 여기는 것일까. 태경은 그가 여태 해본 습관들에 대해 반란을 하고 싶은 강렬한 충동을 느꼈다. 저기 저렇게 놓인 그릇이며 가구들 그리고 냉장고에 걸린 앞치마의 색깔까지도 태경은 다 부수고 찢고 태우고 싶었다. 저건 웬지 너무 낡고, 자기의 개성이 들어가 있지 않은 구도 같았다.

구도… 놀랍게도 태경은 조형을 생각하는 것이었다. 자기가 살아 있고 자기가 느껴지는 공간…. 태경은 지금 그가 괴로워하는 것이 이 타율적이고 생기 없는 공간의 조형성 때문이리라곤 꿈에도 생각지 못했다. 다만 속이 상하고 울화가 치밀고 모든 걸 때려부수고 싶다고 느낄 뿐이었다. 이런 욕구의 뿌리가 어디에 있는지 뿌리의 성질이 무엇인지에 대해서는 생각이 미치지 못했다.

전씨는 나이답지 않은 딸의 성깔에 일단 자기를 눌렀다. 그는 딸이 시키는 대로 잠자기 위해 방으로 들어갔다.

"소영아… 할머닌 잘란다아…"

그는 아쉬움이 남은 고갯짓으로 아직 텔레비전을 보고 있는 손녀에게 말했다.

태경은 싱크대에 허리를 대고 등뒤로 돌린 손으로 싱크대 모서리를 움켜잡은 채 서 있다가, 어머니의 그런 모습을 바라보았다. 고개를 꼬고…. 그렇게 꼬인 고개는 당당하지 않아 주눅이 밴 모양새이며, 또 축축하고 밑둥이 잘린 목소리이며… 태경에겐 왜 어머니의 말과 행동이 전부 이렇게만 느껴지고 보이는 것일까. 주인으로부터 측은한 정을 불러일으켜야만 살아갈 수 있는 하녀같이, 왜 이런 식으로만 어머니의 존재가 느껴지는 것일까.

"소영아! 할머니랑 같이 자라!"

태경은 딸에게 명령했다. 소영이는 느닷없는 폭력적인 어머니의 목소리에 얼떨떨한 표정이 되어 태경과 전씨를 번갈아 바라보았다. 화를 내고 싶은데 선뜻 그렇게 되지 않는 표정이었다.

"소영아. 그까짓 거 봐서 뭐하냐. 일찍 자야 내일 강원도 가잖니?"

전씨가 손녀를 위로했다. 소영이는 마지못해 일어나 할머니를 따라 들어갔다.

"이빨 닦어!"

태경이 아이의 등에 대고 소리쳤다. 태경은 지금 자기의 태도며 말투가 가족들을 마음대로 휘두를 때의 찬수와 다를 바가 없다는 것을, 그의 복사본같이 행동하고 있다는 것을 깨닫지 못했다. 찬수가, 단지 자기의 기분이 언짢아서 아내와 아이들에게 고함지르고 집안을 삭막하고 황폐하게 만들 때, 그래서 아내와 아이들은 자아를 거세당하고 어찌할 바를 모르게 되던… 그 적개심이 소화되지 않은 음식물처럼 태경에게서 토해지는 것이었다.

텔레비전은 보는 사람도 없는데 끝없이 밝기를 달리하며 움직이고 있었다. 태경은 우울한 낯빛으로 이제 텔레비전을 꺼야 한다고, 거실 불도 꺼야 한다고 생각하면서 정작 그의 몸은 붙박여 있었다.

"여보!"

언제 목욕을 끝냈는지, 잠옷 차림의 찬수가 태경을 삐끔이 바라보며 불렀다.

태경은 그의 커다랗고 거침없는 목소리도 듣지 못했다. 태경을 싸안고 있는 우울은 질기고 두터웠다.

"당신… 뭐하고 있어?!"

찬수가 아내 쪽으로 다가오며 말했다. 그가 코앞에 이르렀을 때, 태경은 흠칫 몸을 떨었다. 아마 뒤가 비어 있었다면 틀림없이 뒷걸음질을 쳤을 것이다.

… 누구지? 남편이잖아…. 태경의 우울 속에서 그의 자아가 잠꼬대처럼 중얼거리는 소리를, 태경은 듣고 있었다.

"왜… 좀… 이상한데….."

별뜻 없이 찬수가 중얼거렸다.

… 이상하다…?

태경은 낚시밥을 문 고기처럼 고개를 추켜들었다. 찬수는 다소 놀란 듯한 표정의 태경이 '귀여웠다' 이런 귀여움은 찬수만이 발견할 수 있는 것이었다. 아내라는 여자에겐, 그 여자의 개성이나 매력을 발견할 사람은 남편밖에 없다고 찬수는 그렇게 믿고 있었다.

"당신한테 줄 게 있어."

찬수가 말했다. 그리고 아내의 팔을 잡았다. 아직도 싱크대 모서리를 완강하게 잡고 있던 팔에서 저항이 느껴졌다. 그러나 찬수는 그런 느낌을 개의치 않았다. 그에겐 '저항'이라고 느껴지지 않았던 것이다.

"여보…."

태경이 말했다. 그러나 뒤에 할말을 잊었다. 다행히 찬수가 먼저 방으로 들어갔다.

태경은 텔레비전을 끄고 거실과 부엌 불도 망설이면서 끈 다음 찬수에게로 갔다. 갑자기 머릿속이 가려워서 태경은 손가락을 있는 대로 쑤셔넣고 벅벅 긁어대었다. 찬수가 가방을 열고 작은 종이 봉투를 꺼내더니 그 속에서 금은방의 보석상자를 집어들었다. 자줏빛 우단의 작은 상자였다. 태경의 표정이 바람을 만난 물결처럼 함부로 흔들렸다. 찬수는 자기 자신에게 만족해서 즐거운 중이었다. 그는 그의 손아귀엔 너무 작은 우단 상자를 열었다. 뚜껑은 묵직한 힘으로 벌어졌다. 태경의 얼굴은 어둡게 굳어지고, 찬수는 혼자서 좋아 싱글벙글인 채, 반짝이는 알맹이가 매달린 금줄을 들어 보였다.

"자아, 당신 거야."

아늑하고 더운 목소리로 찬수가 말하자 태경이 얼굴을 일그러뜨리며 소리질렀다.

"누가 그런 거 사달랬어요?!"

이렇게 내지르는 목소리가 어쩌나 앙칼진지 살기마저 감도는 듯했다.

찬수에겐 아닌 밤중의 홍두깨였다. 그는 아내의 반응이 너무도 의외여서 차라리 바보가 된 것 같았다. 싱글거리던 얼굴은 흩어진 채 굳어졌고 눈은 마치 동공이 열린 것처럼 보였다.

잠시 부부는 극단적인 이질감 속에 갇혀 있다가 천천히 깨어나기 시작했다.

"당신…"

찬수가 먼저 희미한 목소리로 입을 열었다. 태경의 얼굴은 여전히 짙은 땅거미가 낀 표정이었다.

"당신… 왜 그래?"

찬수는 아직도 자신의 손가락에 걸려 흔들리고 있는 목걸이를 그대로 들고 서서 중얼거리듯 말했다.

"왜!"

태경이 신음처럼 뱉었다. 그러나 그 왜! 뒤에 붙어 나올 말들은 솟구치는 울음 때문에 막히고 말았다. 왜! 누가! 허락도 없이 그런 걸 사오느냐고, 태경은 마구 대들고, 남편을 때려주고 싶은 심정이었다. 태경의 입술이 떨리고 얼굴이 떨리더니 후두둑 소나기 같은 눈물이 흘러내렸다. 이건 너무 싫다….

태경은 속으로 이를 악물고 생각했다. 싫은 것이 뚜렷하게 무엇인지도 모른 채 그냥 싫어서 땅 속으로 사라져버리고 싶었다. 이때 찬수는 울고 있는 아내에게 다가와, 일찍이 이래본 적이 없는 태도의 아내를 끌어안았던 것이다.

태경은 아내를 아주 소중하게 끌어안는 찬수의 팔에서 빠져나오기 위해, 남편의 포옹을 미워하기 위해 죽을 힘을 다해 버둥거렸다.

왜 찬수는 태경의 이런 터무니없는 반응에서 자책감을 느꼈을까. 그동안 자기가 아내에게 너무 소홀히 대해서 아내는 남편의 사랑의 표시에도 경직된다고, 그래서 그는 더욱 더 아내를 끌어안은 팔에 연민의 힘을 불어넣었다. 하지만 태경의 저항도 만만치가 않았다.

결국 연민 때문에 찬수가 힘겨루기에서 지고 말았다. 남편의 힘에서 놓여났을 때, 그러나 태경은 저 홀로 버티지 못했다. 그는 헐겁게 벗겨지는 껍질처럼, 혹은 허물어지듯이 그 자리에 주저앉았다.

찬수는 침대에 걸터앉았다. 그는 모처럼 아내를, 혼을 모아 바라보았다. 아내이기 때문에 더 이상 그 존재를 음미해 볼 필요를 느끼지 않았던 여자. 그 여자를, 그 여자가 울고 있는 모습을 바라보는 것이었다. 자신의 아내이며 가정주부이며 자기 자식의 어머니라고밖에는 생각해 본 적이 없는 여자에 대해… 이럴 때, 자기가 정을 표시할 때에 저항하고 우는 여자에 대해… 그는 준비된 감정이 없었다. 그저 당혹스러울 뿐이었다. 그리고 조금 전 그를 연민의 정으로 달구었던 자책감도 지금은 사그러들었다.

태경은 오래도록 울지 않았다. 그는 일어나 화장실로 가서 거울 앞에 섰다. 거울 속에서 슬픈 여자의 얼굴과 마주섰다. 태경은 거울 속의 자기 —자기가 품고 있는 슬픔 때문에 다시 소리없이 뜨거운 눈물을 흘렸다. 저 여자는 어쩌면 저리도 가여운가. 저토록 가엾은 여자가 세상에 또 있을지.

울면서, 태경은 자신의 슬픔을 뜨겁게 끌어안았다. 지금 남아 있는 자신의 몫은 슬픔밖에 없는 것 같아서.

5분도 지나지 않았건만 찬수는 아내가 너무 오래 나가 있는 것 같아 화장실 문을 열었다. 눈물로 범벅이 된 충혈된 눈의 아내가 원망이 가득한 표정으로 자신을 흘깃 쳐다보았다.

순간 찬수가 생각해 낸 것은 중년 아내들의 '갱년기 우울증'이었다.

"여보. 당신은 변함이 없어. 내가 당신을 처음 만났을 때, 왜 반했는지 알아? 당신의 순박함 때문이었어. 그런데 이 나이 되도록 당신에겐 그 보석이 여전히 티끌 하나 묻지 않고 남아 있어! 아름다운 여자야."

찬수가 두 팔로 양쪽 문기둥을 잡고 서서 정감 넘치는 목소리로 말했다. 태경은 듣기 싫었다. 징그러웠다.

"제발 나 좀 혼자 있게 내버려둬요! 나두 울 수 있는 자유가 필요하다 구!"

태경이 이를 악물고 으르렁거렸다. 우울증일 거야… 대단찮겠지… 일시적인 현상일테니까… 찬수는 아내를 물끄러미 바라보며 이런 생각을 했다. 태경은 남편을 밀어내었다. 찬수는 허깨비처럼 밀려났다. 찬수는 먼저 자리에 누웠다. 그는 베개 위에 다시 팔베개를 덧올렸다. 그는 멍한 눈길을 맞은켠 벽에 던졌다. 눈길은 우유빛의 실크 벽지에서 미끄러져 빼꼼이 틈 벌린 문짝을 지나 방바닥으로 내려왔다. 방바닥엔 입을 벌린 우단 상자가 굴드러져 있고, 그 옆에 목걸이가 아무렇게나 흩어져 있었다.

'사모님께서 아주 기뻐하실 겁니다.'

찬수는 보석상 주인 남자의 성우 같던 목소리를 떠올렸다. 그는 별의미 없이 씨익 웃었다. 그리고 일어나서 목걸이를 주워 상자에 잘 담아 뚜껑을 닫았다. 어디에 둬야 할지 두리번거렸다. 화장대 위가 좋아 보였다. 그렇지만, 귀금속인데…. 찬수는 그래서 화장대 서랍을 열었다. 입술 연지며 연필 따위가 들어 있고 그 밑에 대학 노트가 있으련만, 찬수는 그런 것까지 살펴보지 않았다. 찬수는 거울을 보면 습관처럼 그랬듯이 손으로 머리를 쓸어올리고 다시 자리에 누웠다. 그는 용평을 생각하기 시작했다. 구정 연휴가 길어져서 사람들은 너나 없이 신정 연휴를 레저로 즐길 터이니 고속도로가 여간 붐비지 않을 것이라고, 그러니 일찍 출발하는 게 좋겠다고, 그러자면 잠을 충분히 자두고…. 하지만 흥분된 신경은 도무지 잠을 불러들이지 못했다.

찬수는 논현동의 '박 여사'를 생각했다. 어쩌면 그 여자와 용평에서 만나게 될지도 모르겠다고…. 그 여자의 남편은 스트레스를 스키로 푼다고…. 잘 익은 과육이 그 여자의 육신 같을까. 발정으로 가득 찬 눈이 번들거려서, 바라보기에도 숨이 차는 여자였다. 자기는 완벽한 아내이며 엄마이며 주부라고 소개하고, 남편에 대해서는 묻지 말라고, 그게 예의라

144

고…. 찬수는 그 여자를 생각하며 속으로 웃었다. 겨울이 가기 전에 다시 한 번 여수에 내려오기로 했으니….

이윽고 태경이 방으로 들어왔다. 머리까지 감은 모습이었다. 찬수는 그윽한 눈길로 아내를 바라보았다. 태경은 불을 끄고 침대로 올라왔다. 그가 자리에 반듯이 눕자, 찬수가 아내의 살을 더듬기 시작했다. 태경은 죽은 듯이, 가만히 있었다.

이 남자는… 내 남편이다…. 아이를 둘이나 낳고…. 두어 번의 여자 문제로 속을 썩인 적은 있지만, 아내를 믿는 남자가 아닌가.

죽은 듯한 육신 속에서 태경의 마음이 이런 생각을 하기 시작했다.

이 사람은 내 남편… 아이들의 아버지… 호준은… 그 사람은 지금 어디 있지?

아내의 젖무덤을 움켜잡은 찬수가 마침내 젖꼭지를 빨기 시작했다. 얼마나 편안하고 그리운 젖꼭지인가. 학교 갔다 돌아오면 늘 어머니가 문턱에서 가방을 받아주었고, 그 어머니는 마음이 산란해질 때, 등뒤에 가서 언제든지 만져볼 수 있는 젖을 가지고 있지 않았던가.

한동안 죽은 듯이 있던 태경이 문득 몸을 뒤챘었다. 그 바람에 찬수의 몽롱한 머리가 태경의 가슴에서 떨어져내렸다. 찬수는 그래도 좋았다. 이제 잠이 올 것 같았다.

"당신… 내가 묻는 말에… 진심으로 대답할 수 있어요?"

태경이 아주 진지한 목소리로 말을 걸었다. 찬수는 자고 싶었다. 사물사물 다가오는 잠을 놓치고 싶지 않았다.

"여보. 말해 줘요. 당신… 사랑한 적이 있어요?"

그러나 태경은 초롱거리는 목소리였다. 그리고 잠들려는 남편을 흔들었다.

"아니, 그게 무슨 말이야?"

찬수가 잠긴 목소리로 웅얼거렸다.

"사랑해 봤느냐구!"

태경이 도발적으로 일어나 앉으며 말했다. 그 기세에 찬수는 더 이상 잠을 붙들지 못하고 어둠 속에서 눈을 떴다. 어두워도, 아내가 고양이처럼 웅크리고 앉은 게 잘 보였다.

　"도대체 무슨 말이야? 당신두 차암… 달밤에 체조라더니…."

　"정말 내 말을 못 알아들었어요?"

　"그래."

　"누굴… 아니… 사랑을 해본 적이 있느냐구…."

　태경의 목소리는 이제 애원조였다.

　"그거야아아?"

　찬수가 일부러 야아아를 길게 끌었다.

　"사랑해 봤지!"

　그리고 가볍게 말했다.

　"언제!"

　그러나 태경은 진지해서 부러질 것 같은 목소리였다.

　"당신을 만나는 순간부터 쭈욱…."

　찬수가 말했다. 장난기가 배인 목소리였다. 순간 태경은 남편을 걷어차고 싶다는 충동을 느꼈다. 그러나 그렇게 하지 못했다. 그는 무릎을 꺾어 세워 가슴패기에 대고 그 속에 얼굴을 묻었다.

　잠시 침묵이 고였다.

　"여보. 왜 이래. 새삼스럽게 그런 질문을 다 하구… 다시 사춘기가 된 거야? 사랑 따져서 뭐할래? 그리구 내가 당신 사랑하지 않나아?"

　찬수가 일단 장난기는 가신 목소리로 말할 때, 이미 태경의 마음은 방 밖으로 떠나 있었다.

　태경은 남편의 태도가 싫었다. 그는 남편으로부터, '사랑'을 발견하거나 듣기라도 하고 싶었던 것이다. 그가 자기 아닌 다른 여자라도 괜찮으니 혼을 다해 사랑했다면, 그런 사실이 있다면 숨기지 말고 얘기해 주길 바랐던 것이다. 찬수는 내일 용평으로 가야 하기 때문에, 가족을 싣고 안전운전을 하자면 피로를 풀어야 하기 때문에 어서 자야 한다는 생각뿐이었다. 그래서 그는 아내의 갱년기 증세 같은 투정을 눈감아버리기로 했다.

"여보, 자자. 내일 스키장 가서 얘기하자구. 분위기두 좋을 거 아냐? 눈 덮인 산속에서 말이야."

찬수는 돌아누우며 잠꼬대같이 잦아드는 목소리로 말했다. 태경은 반응이 없었다. 여전히 고양이 눈을 하고 앉아 있었다. 그런데, 아내를 무시하고 잠을 자려고 그러자, 잠이 감쪽같이 달아나서 찬수는 눈을 말똥거려야 했다. 슬그머니 짜증이 뻗쳤다. 참는 것도 한계가 있다는 게 그의 관리자로서의 평소 소신이었다. 찬수는 바로 누웠다.

"당신 왜 그래?"

찬수가 아주 사무적인 목소리로 물었다. 아내는 대답하지 않았다. 찬수는 아내가 대답할 수 있는 충분한 시간을 주었다. 그래도 아내는 입을 다물고 있었다.

"내가 당신 기분을 전혀 이해 못 하는 건 아니야. 남편이라구 먼 데 가서 손님처럼 삐쭉 다녀가구…. 당신두 불만이 쌓이겠지. 나두 생각이 있어. 말을 안 한다고 목석인 건 아니야. 하지만 당신은 어린아이가 아니잖아. 무슨 사랑 싸움 하자는 거야? 그렇게 유치해? 이번 봄, 인사 이동 때 올라오기로 했어. 당신과 애들 생각해서야. … 할말 있으면 해봐!"

찬수는 아내를 바라보았다. 그리고 기다렸다.

"할말 없어?"

찬수가 말했다. 그리고 또 기다렸다.

"생각해 봐. 사랑이라는 게 무슨 뜬구름이겠어? 이렇게 사는 게 다아 사랑이 아닌가? 물론 시인들이 말하는 사랑이나 유행가에 나오는 사랑이야 다르겠지만… 그건 시구 유행가일 뿐이야…. 이리 와. 그만 자자구. 당신 기분 이해할테니깐…. 내 탓이겠지. 너무 소홀해서…. 당신을 믿은 탓이기도 하지만…."

찬수는 이야기 끝에 윗목을 누에처럼 들어올렸다. 담배가 피우고 싶어서였다. 아내에게 담배 심부름을 시키려고 하다가 그만두었다. 몸에 해로운데 참는 것이 백 번 나을테니까. 찬수는 아직도 웅크린 몸을 풀지 않는 아내의 다리에 손을 대었다.

"잡시다 그만."

찬수가 나직한 목소리로 말했다. 이윽고 태경이 다리를 폈다. 그리고 찬수의 옆에 엉거주춤 누웠다. 그런 아내의 온전치 못하게 보이는 태도가 찬수에겐 도리어 측은한 정을 느끼게 했다. 찬수는 아내의 머리를 들고 한 손을 그 밑에 넣었다. 그리고 아내를 어미닭이 품듯이 품에 안았다. 아내의 몸에선 긴장기가 거칠게 돌았다. 그는 그런 아내의 몸을 쓰다듬었다. 머리와 목덜미, 등허리와 엉덩이와 허벅지…. 그래도 아내의 몸에선 긴장이 풀리지 않았다.

태경의 머리 밑에 놓인 찬수의 손이 힘겹게 꿈틀거렸다. 태경은 고개를 들었다. 찬수가 팔을 뺐다.

"자자 여보."

찬수가 졸린 목소리로 말했다. 그러다가 그는 돌아누우며 다시 말했다.

"당신 목걸이, 화장대 서랍에 넣었어."

화장대 서랍이라고? 태경의 몸이 오그라들었다. 일기장두 보았어요? 태경은 이렇게 물을 수가 없었다. 그가 그것을 보았다면 결코 이렇게 있을 리 없다고, 그러니까 그것을 보지 못했다고…. 태경은 자신의 칼날 같은 불안을 달래었다.

태경은 잠을 잘 자지 못했다. 찬수가 코를 골기라도 하고 잠꼬대 같은, 알아들을 수 없는 웅얼거림을 몇 번이나 뱉는 걸 지켜보면서, 태경의 마음은 다른 것으로 헤매이고 있었다.

자신의 이 현실—남편과 누워 있고, 그에게 자식을 잘 기르도록 충고인지 격려인지 모를 명령을 받고 또 해가 뜨면 가족 모두 강원도로 떠나야 하는 것…. 이 현실과 자신의 그리움은 얼마나 이질적인 것인지. 결코 화합할 수 없는 것이라는 사실…. 그리고 왜 호준이 손에 잡히지 않는 존재로 느껴지는 것인지….

이런 잔인한 갈등은 스키장에서도 마찬가지였다. 집을 떠날 때, 빈집을 두고 문 밖에서 고리쇠를 잠글 때, 태경은 저 빈집을 울릴지도 모를 호준의 전화벨 소리를 상상했다. 호준을 빈집에 가두는 것 같은 느낌이 들었다.

아이들과 찬수가 서툰 스키를 탈 때, 태경은 그들이 바라보이는 카페의 통유리창 옆에 앉아, 정작 호준을 생각하고 있었다.

어쩌면 다시는 못 만날지도 모른다는 생각이 들면, 태경은 불안해서 앉아 있을 수가 없었다. 그래도 그는 자신의 감정과는 달리 의자에 붙박여 있어야 했다. 손을 흔들고, 넘어져서 허리를 쥐고 웃어대던 가족의 모습이 다른 비슷한 사람들 속에 뒤섞이고, 만날 수 없는 호준은 태경의 몸 속과 밖에서 끝없이 느낌으로 감돌았다.

또 하나의 길

　양쪽에 번호를 붙인 객실을 거느린 복도는 길고 밝지 않았다. 붉은 양
탄자를 딛고 번호를 찾으며 걷는 태경의 가슴은 불안인지 감격인지…
한사코 뛰기만 했다.

　호준과 연락이 닿지 않았던 지난 20여 일은, 지금 돌이켜보아도 까마
득한 굴 속 같았다. 어쩌면 연락이 닿지 않았다는 건 속임수일 것이다.
태경은 음모를 획책하는 모사꾼처럼 한사코 그 '연락'이라는 걸 피하고
있었는지 모른다. 성탄절이 지나고, 그 초췌하고 지쳐 보이던 호준과 집
근처의 카페에서 잠깐 만난 후, 그리고 새해 연휴에 가족끼리 스키장을
다녀오고 찬수의 보석 목걸이를 선물 받고, 그의 본사 근무가 거의 확실
해지고, 아들 근우가 고등학생, 딸 소영이가 중학생이 된다는 새로운 삶
에 대한 어머니로서의 준비로 바쁘게 지내면서, 태경은 그런 중에 호준
이 그리워지면 자신을 죽이듯이 전화기의 코드를 뽑아놓곤 했던 것이
다.

　현실은 눈에 보이는 크고 작은 사물이었지만, 그리움은 자취도 없는
고통이었다.

　그리고 얼마나 아팠던지.

　어떤 날은 손가락 하나 까딱할 수도 없어서 하루 세 끼를 라면이나

음식점에서 배달을 해 때우기도 했다.

　석유가 다된 등잔불이 제풀에 꺼지듯, 장작불이 재가 되듯, 이렇게 만나지 않으면 호준과 아주 모르는 사이가 될 것 같아, 그런 상태가 오기를 갈망하는지 겁을 내는지도 분간하지 못한 채, 혼수상태 같은 잠에 빠지기도 했다.

　시간이 모든 걸 해결할 거야.

　태경은 정체도 모르는 시간이라는 존재에 의지하려 했다.

　그 사람도 시간이 신일지 모른다고 했으니까.

　그 동안 태경은 어떤 식으로든지 '그 사람 호준'을 잊은 적이 없었다.

　그에 대한 추억과 그리움을 물거품으로 만들기 위해, 자신의 '때늦은 사랑'이 부끄러움이라고 믿기 위해 그를 쉴 새 없이 떠올려야 했던 것이다. 그러나 그의 가혹한 노력들은 얼마나 가련하고 쓸모없는 것이었던가.

　이제 한 달만 더 지나면, 두 달만 지나면 아무렇지도 않을 거라고 자신에게 따뜻한 위로의 말도 걸 수 있게 되었을 때, 이런 때에 호준과 연결이 되자, 태경의 하늘을 날 것 같던 기쁨, 자신의 육신이 거침없이 기체가 되는 환각에 사로잡히지 않았던가.

　호준이 말한 숫자의 방은 복도의 오른쪽 끝이었다. 문은 열려서 틈을 보이고 있었다. 태경은 발을 멈췄고, 갑작스런 심장의 경직감 때문에, 그 여자는 숨쉴 수가 없었다. 이때, 문이 안으로 당겨지면서 한 남자의 모습이 홀연히 드러났다. 순간 태경은 정신을 잃었다고나 해야 할까. 오랜 지하 생활자가 갑자기 햇볕을 보았을 때의 그 절망 같은 것은 아닐는지.

　그러나 태경은 자신의 몸이 호준의 몸에 쓰러지고 호준이 한 손으로 문을 닫아 거는 걸 감각했다. 그것은 태경의 오랜 생활 감각이 제풀에 기능하는 것에 지나지 않았다.

　두 사람은 다른 방법이 없는 사람들처럼 포옹했다. 빛이나 소리조차 스며들 틈도 남기지 않고…. 침묵과 격정, 슬픔과 기쁨이 두 사람의 포옹을 덮고 묶었으며 또한 풀어놓았다.

얼마나 시간이 흘렀을까. 태경은 지금 자신이 서 있을 수 있는 이 방한 칸에 대해 감사했다. 바로 옆에는 침대가 놓여 있어서 더욱 다행스러웠으며 자기가 죽지 않아서 이 남자를 이렇게 다시 만났다는 게 기뻤다.

문이 열렸을 때 잠시 마주친 호준의 눈과 얼굴 그리고 그의 모습에서 태경은 마치 자신의 미래를 발견한 것 같은 경악을 경험했다. 저 남자를 비껴 간다는 것, 저 남자를 부정하고 산다는 건 어쩌면 운명을 거역하는 것일지도 모른다고….

호준이 태경의 입술에 자신의 입술을 대었다. 태경의 입술은 녹는 것 밖에는 더 할 것이 없는 지경에 이른 것 같았다.

호준은 그 여자의 옷의 단추를 벗기고 태경은 자신도 모르게 그를 도와주고 있었다.

그들은 오래도록 무아지경의 격정 속에 잠겨서 꿈 같은 시간을 보냈다. 무르녹은 그리움은 그들의 살 속에서 미끄럼 타기를 되풀이하고, 크고 작은 긴장과 혐오로 구겨진 그들의 마음이 휴식을 가졌다.

호준의 땀으로 젖은 얼굴이 태경의 뺨에서 흘러내렸다. 태경은 그의 이마에 젖은 채 붙어 있는 짧은 머리를 떼어주었다. 허리 아래에서, 호준이 태경의 한 손을 꽉 움켜잡았다. 호준의 손아귀 힘 속으로 태경은 자신의 생명이 빨려들어가는 걸 느꼈다. 방 안은 여태 고요하고 침묵은 벌써 오래되었지만, 침묵과 고요가 그들에겐 편안했다. 실상 침묵이나 고요는 아무런 무게도 없었으며 공기처럼 느낌도 없이 그들을 지켜주었다.

"잠이 올 것 같애."

태경이 물결 같은 목소리로 말했다.

"그럼 우리 잘까?"

호준이 말했다.

그들은 둘 다 오랜 불면의 날들을 지나온 사람들 같았다.

그들은 함께 잠자기로 했다. 감기 들지 않도록 이불을 끌어 덮고 서로 의 몸이 불편하지 않도록 몸을 추슬러 편안하게 하고…. 그러나 그들은 1분이 지나고 3분이 지났지만 아무도 잠들지 않았다. 5분이 지나도 마찬 가지였다.

"호준 씨."

태경이 이른 아침의 정기가 감지되는 목소리로 호준을 불렀다.

"안 자?"

호준은 일부러 잠에 취한 목소리로 물었다.

"난… 단 한 가지 소원이 있어…."

태경이 나직이 말했다.

"뭔데? 내가 들어줄 수 있는 건가?"

호준은 말하고 나서 태경의 목에 입을 맞추었다. 잠시, 태경은 천장을 바라보면서 말을 찾았다. 자신의 소원을 표현할 수 있는 말들을 끌어모 았다.

"… 나는 정호준에 대해 실컷 말해 보는 게 소원이야. 내가 그 남자를 어떻게 만났고 어떻게 그리워하고… 이 말을 누구에겐가 꼭 했으면 좋 겠어. 이럴 줄 알았으면 성당에 다녔을텐데. 신부님한테 전부 고해할 수 있잖아."

호준은 태경이 할말을 다 마쳤음에도 입을 열지 않았다. 그는 흡사 잠 이 든 것 같았다. 하지만 그는 깨어 있었다. 그는 생각에 잠긴 태경의 반 듯이 누운 얼굴 옆으로 몸을 끌어가, 그 여자의 귓불에 입을 맞추고 혀 로 그의 귀 속을 후비기 시작했던 것이다.

태경은 눈을 감았다. 그래… 이대로….

태경은 이 상태를 자신의 삶에 깊이깊이 묻고 싶어 이렇게 달구질을 했다.

그래. 이대로. 이대로가 좋다…. 태경은 자신의 영혼이 중얼거리는 소 리를 들으며 미끄러지듯 몸을 웅크리고 이불 속으로 들어갔다. 호준의 까맣고 작은 팥알 같은 젖꼭지를 입에 넣고 손가락 사이에서 감촉을 확인해 보고 천천히 그의 가슴과 배와 배꼽에 입맞추고 더 밑으로 내려가면서, 태경은 깊이 숨을 들이마셨다. 아직도 다 사라지지 않은 그윽하기 그지없는 정액 냄새에 취하기 시작한 것이다.

그리고 잠들었던 호준의 성기에 태경의 입술이 닿자, 그것은 홀연히 깨어나서 잠시도 참지를 않았다.

그들은 기뻤다.

그들의 열정이 한차례 해일처럼 지나고 났을 때, 그들은 어쩌면 허물 하나를 벗은 벌레라고나 할까.

이제 그들은 다만 기뻐서 웃음짓는 것밖에 달리 자기를 표현할 길이 없었다.

"우리 결혼해!"

이때, 호준이 이런 말을 했다. 태경은 자기 귀를 의심했다. 그것이 그에게는 더 낯익은 반응일 것이었다.

"결혼?"

태경은 어리둥절한 낯으로 이렇게 되물었다. 왜 갑자기 호준의 입에서 튀어나온 결혼이라는 말이 외래어처럼 생경한지 몰랐다.

결혼이라구? 그게 무슨 뜻이지? 하마터면 태경은 이렇게 중얼거릴 뻔했다.

결혼… 하지만 태경은 그물에 걸린 고기처럼 결혼의 알 수 없는 의미에 갇힌 것 같아 답답했다.

"당신… 생각해 봤어요? 우리에게 필요한 삶이 어떤 것인지… 어떤게 더 자연스러운지…."

호준이 아직도 어리둥절한 낯을 애꿎은 천장에만 대고 있는 태경의 귀에다 작은 소리로 말했다. 태경은 가슴이 떨려서 손을 심장 쪽에 올려놓았다. 웬일인지 콧날이 시큰거렸다.

"당신이 어려운 입장인 걸 잘 알아. 이미 내 나이도 책임을 져야 하는 때고…."

태경은 이렇게 말하는 호준의 부드러운 목소리를 들었다. 호준은 말을 하다 말고 태경의 귓불에 흩어진 그 여자의 결 좋은 잔 머리카락을 한올 한올 들어 귀 뒤로 넘기었다. 태경은 자기도 모르는 사이에 눈물이 흐를 세라 정신을 똑바로 차리려고 애썼다.

"… 어렵고 힘든 일 사이사이로 당신이 생각났어. 장마철, 지독하고 겁나는 무더위와 소낙비 사이에 검은 구름 틈을 열고 강렬하게 내리쬐는 태양처럼…. 그때 나는 당신이 내 운명이라는 걸 깨달았어…."

제발…. 태경은 여태 도사린 몸 속에서 흔들리지 않는 소리로 말했다. 태경은 호준에게 일어난 일들을 어느 하나 아는 게 없었다. 그래서 그가 이야기하는 그의 '인생의 장마'라는 게 어떤 의미인지 이해하지 못했다. 호준은 태경의 귓불에 입술을 댄 채 한동안 아무 말도 하지 않았다. 그가 원하는 것은, 함께 있으면 휴식이 되고 생기가 느껴지는 태경과 오래도록 함께 있고 싶다는 것이었다. 그것을, 그런 욕망을 한 마디로 표현하자면 '결혼'이라는 낱말밖에 없었다. 하지만 막상 자기 생각을 드러내놓자, 웬지 그것이 태경에게 생채기를 만들고 고통을 주게 될지 모른다는 생각이 들었다. 자기가 그 동안 뜻하지 않았던 사고로 어린 자식을 잃었으며, 남편에 대해 끝없는 불만에 싸여 부자유스런 생활을 하는 아내를 가졌으며, 그 아내를 자기가 사랑하지 않는다는 사실, 사랑하지 않기 때문에 자기들 부부관계는 다만 형식과 체념과 체면 그리고 타성으로 사는 것이라고, 이런 내용의 가정을 가진 예술가가 자기 작업에서 삶과 자연에 진정한 애정을 가질 수 있을지… 호준은 이런 것을 태경과 의논하고 싶었다. 그런데 태경은 지금 마치 죽음이 느껴지게끔 고요하게 누워 있는 것이었다. 물론 태경이 질린 상태인 것은 아니었다. 마비된 것도 아니고 죽은 것도 아니었다. 태경은 자기가 드넓은 벌판에 서 있는 것 같은 느낌에 빠져 있었다. 더러 마르고 더러 아직 푸른색을 띤 풀이 자라고 있는 넓디넓은 벌판…. 벌판 끝으로 지평선과 먼 산의 봉우리들을 바라보면서…. 어쩌면 이런 환상은 태경이 기억하지 못하는 영화의 장면이었거나 소설의 한 대목일는지도 몰랐다. 그러나 그는 벌판에 선 자기를 바라보는 기분이었다. 외롭지도 않고 슬프지도 않으며, 격정이나 회한도 없이 그냥 서 있는…. 그러나 그 여자는 마침내 어느 한 방향으로 가야 하지 않을까?

태경은 몸을 모로 돌렸다. 그의 얼굴은 이렇게 되기로 이미 정해진 것처럼 자기를 받아들이는 호준의 가슴에 묻혔다. 태경의 숨결이 호준의 살갗으로 스며들었다. 알맞은 온도와 필요한 습기를 가진 숨결이었다.

태경은 더 이상 생각하지 않았다.

이 남자.

지금 이렇게 살을 대고 누워 있는 사람… 이제 그가 무엇을 말하고 어떻게 행동하든, 그것은 다 옳은 것일 터였다…. 태경의 선택은 결국 이런 식으로 정해졌다.

"… 우리가 언제까지 이렇게 숨어서 만나야 한다는 건… 나쁜 거라고 생각돼…."

호준이 나직이, 어쩌면 비장한 목소리로 말했다. 태경은 호준의 가슴에 묻힌 얼굴을 흔들었다. 하지만 이런 몸짓이 성에 차지 않아, 그래, 그래, 라고 숨가쁘게 말했다.

"그래! 정말 그래! 나도 그렇게 생각해!"

태경이 또다시 숨가쁘게 소리쳤다.

"그래 태경 씨. 우리는 몸의 욕구만 같은 것이 아니라 생각과 뜻이 같아…."

따뜻하고 부드럽고 편안한 목소리로 호준이 말했다.

문득, 태경은 언젠가 그가 느꼈던 어떤 것이 떠올랐다. 태경은 호준의 맨살 위로 올라갔다. 그들의 몸은 포개어졌고, 태경은 그의 가슴에서 고개를 들었다. 두 사람이 눈을 마주보았다.

"… 나는 아이를 둘 낳았어. 임신은 세 번 해보았는데 처음엔 낳을 수가 없었어. 남편이 아이를 원치 않았거든. 그 사람은 집안을 중요하게 여기는 남자라서, 우리가 아이를 기를 형편이 아니라는 거야. 첫번째 임신은 낙태수술로 끝났고 둘째 셋째는 피임으로 조절해서 원하는 시기에 낳을 수 있었어. 임신이 너무 좋더라구. 생명이 내 뱃속에서 자라는 거야. 내 자궁 속에서. 그때의 기쁨을 나는 당신, 정호준을 임신하고 다시 느꼈어. 어느 날인가 나는 당신에 대한 그리움이 자궁에서가 아니라 내 가슴에서 자라는 걸 발견했거든. 아이도 5개월이 지나면 움직이기 시작하는데 당신도 내게서 움직이기 시작했어. 그런데 아이는 자궁에서만 살았지만… 당신은 내 온몸… 뼈 속과 핏줄, 살갗과 두뇌와 머리카락, 손톱, 발톱… 모든 것에서 꿈틀거렸어. 그때, 당신의 태동을 느끼는 순간, 나는 내가 사랑을 배었다고 깨달았어. 회임이었어…."

태경이 말했다. 그 여자의 목소리는 깊고 은은해서 옛날 이야기를 하고 있는 것 같았다. 태경은 머리를 호준의 가슴에 모로 뉘었다. 호준의 손이 춤의 잇닿은 동작처럼 그 여자의 머리 위로 얹혔다.

"호준 씨. 당신은 아직도 내 온몸에 살아 있어. 이젠 몸에서만이 아니라 영혼으로도. 나는 당신을 통해 영혼도 느끼고 운명도 느껴…."

태경이 흐느낌처럼 말했다. 그들은 지금 자신들이 일상의 속성이 만들어낸 수많은 크고 작은 규범과 질서의 바깥으로 나와 있다는 것을 느끼지 못했다. 어쩌면 그것을 느꼈다 해도 불안하지 않았을 것이다.

"… 호준 씨를 사랑하면서 나는 처음으로 나라는 여자를 보게 되었어. 내가 누구인지. 나는 어떻게 살고 싶어하는지. 그리고 나라는 여자는 어떻게 여자일 수 있는지…. 당신으로 하여금 내가 존중되어지는 감격스런 느낌…. 눈물 없이 나는 당신을 떠올리지 못해…. 사랑이라고 말해야 할지…. 그 말은 불충분한 것 같아. 그냥 삶?…"

태경은 나직이 웃었다. 기쁘고 즐거워서였다. 호준의 손길은 태경의 머리에서 두 귀를 지나 지금은 그 여자의 등허리와 엉덩이에서 춤추듯 움직이고 있었다.

태경은 그날 아침이 생각났다. 앞이 보이지 않게 비가 퍼붓는 날이었
다. 여수의 옹색한 공항 사정은 틀림없이 날씨를 감당할 것 같지 않았는
데, 뜻밖에도 비행기는 뜬다고 했다. 그 순간 태경에게 스치던 푸른 섬광
의 느낌. 운명이 비끼는 것 같던 그 기이한 순간이 지금 떠오른 것이었
다. 그리고 비행기 안에서 호준을 만나지 않았던가. 태경은 호준의 팔을
잡고 헤엄치듯 호준의 배에서 위로 올라갔다. 호준의 이마에 입맞추고
그의 눈과 콧날과 뺨, 귀와 입술, 목에 입맞추었다.

  호준 씨. 나는 그 동안 내가 행복한 줄 알았어. 비행기를 모르는 사람
이 기차가 가장 빠르다고 믿는 것처럼. 나는 내 어머니가 그렇게 살던
것같이, 그리고 내가 크면서 알게 모르게 보고 익힌 여자의 생활 습관대
로 하는 게 편했기 때문에, 또 그런 틀 밖으로 나가는 건 나쁜 것이라고
믿었기 때문에, 내 생각은 관습에 묶인 채 정지되었다고나 할까? 마비되
었다고나 할까? 시집식구들의 비위에 맞게, 남편이 요구하는 대로, 인습
과 관습이 가르치는 대로, 남들 눈에 거슬리지 않게… 그렇게 살았어. 그
렇게 사는 방법만이 존재한다고 알았거든. 그게 내 자존심이라고…. 당
신을 만나고 난 후, 나는 내 눈의 방향도 돌릴 수 있고, 사방이 트여 있
다는 사실을 알게 되었어. 그리고 호준 씨. 맹세컨대, 나는 내 아이들의
아버지를 사랑한 적이 없어. 당신을 사랑함으로써, 나는 내가 남편을 사
랑한 적이 없다는 걸 깨달았어. 내가 사랑하는 건, 남들이 칭찬하는 며느
리·아내·가정주부·어머니의 외형이었어. 속은 텅 빈…. 그 속은 빌
수밖에 없었어. 내가 존재하지 않았으니까….

  태경은 속으로 이렇게 호준에게 말했다. 길고긴 고백은 이것이 전부가
아니었다.

  태경은 호준의 성기를 입에 물고 머리는 불두덩을 베었다. 이대로 잠
이 들었으면 좋겠다고, 태경은 바랐다. 그의 왼손은 불알을 만지고 오른
손은 시트 위에서 호준의 손과 얽혀 있었다. 태경의 입 속은 편하고 만
족스러웠다. 그는 눈을 감았다. 노래가 몸 속 어딘가에서 울려나오는 것

같았다. 언젠가 안타까움에 쫓기어 집 뒤의 산으로 올라갔을 때, 낙엽과 물과 바위와 산과 다람쥐에게 사랑을 고백할 때 부르던 노래—눈부신 아침 햇살에 산과 들 눈뜰 때, 그 맑은 시냇물 따라 내 마음도 흐르네. 가난한 이 마음을 당신께 드리리. 황금빛 수선화 일곱 송이도…. 태경의 몸과 마음이 소리도 없이 이 노래를 흥얼거렸다.

　… 아주 오래 전이었어. 첫아이를 낳기도 전이었을 거야. 술이 잔뜩 취해서 돌아온 남편이 자기 성기를 빨으라고 했어. 우선 역겨움부터 일었어. 그렇다고 싫다고 하면 안 된다고 알았지. 그래서 긴장해서 그걸 입에 넣었어. 남편이 목구멍 깊이 넣기를 원했어. 나는 더 이상 참지를 못했어. 화장실로 가서 토악질을 하고 오래도록 양치를 했어. 그래도 나는 남편이 좋다고 생각했어. 또 다른 '좋은 것'이 있다는 걸 알 수 없었으니까. 나는 그저 남편이 '가정에 충실한 것'만으로 '행복'했어. 남편은 남들이 다들 좋은 남자라고 해. 내 친정어머니도 아주 믿음직스러워하는 사위니까. 어떤 남편들은 술주정도 하고 아내를 때리고 심지어는 생활비도 축내고 다른 여자를 집안에 끌어들이는 경우도 있다잖아. 외박을 일삼고 …. 남편에겐 그런 흠이 없어. 한 번 성병을 옮긴 적이 있고 여자관계를 알게 되었어. 하지만 난 크게 '불행'을 느끼지 못했어. 남자들은 흔히 그럴 수 있다고, 그게 남자들의 바깥 세계라고, 나는 그저 집 안에서, 그럴수록 옹골차게 살림 잘하고 아이들 잘 보살피면 절대로 우리 가정엔 '불행'이 투입할 수 없다고 믿었으니까. 그런데, 그런데 말이야. 호준 씨를 알고부터 나는 이런 의심을 갖게 되었어. 혹시 내가 나를 그렇게 가두고 속였던 건 아닐까 하고. 다른 것을 보는 게 두렵고 귀찮아서. '안정'이 좋아서. 흔들리는 건 다 불안하다고 생각해서.

　하느님.

　그런데 왜 저는 십수 년의 결혼생활에서 건질 것이 없다고 느끼는 걸까요? 아이 둘을 낳은 것, 그것 하나말고 또 무엇을 손에 쥐었을까요? 왜 저는 남편을 미워하지 않았을까요?

태경은 친정어머니가 한 어떤 얘기를 떠올렸다. 그날은 파출부를 불러 김장을 버무려 넣고 있었다. 옷차림새나 표정이 파출부 수입에 의존하지 않아도 살 수 있을 것 같은 중년 여자였다. 그런데 그 여자는 자신의 화병과 갑갑증 때문에 파출부 일을 다닌다고 했다. 남편이 친정에서 차려준 작은 공장을 경영하는데, 자기가 믿는 고등학교 후배를 경리로 들였더니 그 후배와 바람이 났더라는 것이다. 이때 받은 충격으로 화병이 생겨서 그후로도 낫지를 않는다고. 같이 살고 싶지 않지만 이혼한 여자라고 손가락질 받을까 겁나고 아이들 삐뚤게 자랄까 걱정되어 이렇게 살고 있다고…. 그때 전씨가 파출부와 파출부를 동정하는 태경에게 이런 말을 했던 것이다.

"남남이 만나 한 솥밥 먹고 평생 살기가 뭐 그리 쉽겠느냐. 그래도 다 인연따라 만나는 법이고 부부의 인연이 다하면 자식의 연으로 사는 게 우리네 부부다. 좋기만 바라는 건 욕심이다…. 사람 사이에도 인연의 양이라는 게 있다. 인연의 양이 다했다고 헤어진다면 이 세상에 해로할 부부가 과연 몇이나 되겠느냐…"

남편과 시집의 여러 가지 흉들을 흥미롭게 보던 태경과 파출부는 전씨의 이 설법 같은 말에 기가 죽고 말았다.

그런데 지금 태경이, 그 말—인연의 양에 대해 생각하고 있는 것이었다.

호준이 윗몸을 들고 태경의 어깻죽지에 손을 넣어 그 여자를 끌어당겼다. 호준은 언제까지나 태경의 입 안이 편하도록 자신의 성기를 잠재워둘 수가 없었던 것이다. 욕정을 억제하지 않는다면 태경과 끝없이 그것에 탐닉하게 될 게 뻔했다.

태경의 몸은 아무런 저항도 없이 호준의 팔에 이끌렸다.

남편에겐 불쑥, 나는 사랑하는 남자가 생겼다고 뱉어버릴 것 같던 위태롭던 충동을 기억하면서, 태경은 힘을 다 뺀 몸을 호준에게 맡기고 있었다.

"태경 씨."

호준이 그 여자의 이름을 불렀다.

"말해 봐요."

태경의 목소리는 저 밑에서 올라오는 소리 같았다.

"우리는 이런 얘길 해야 돼. 당신의 남편에 대해서. 괜찮아?"

호준이 물었다.

태경이 고개를 끄덕이었다.

"이혼할 수 있어요?"

호준이 물었다. 순간 태경의 몸이 찰나적으로 죽었다 깨었다. 호준이 '결혼하자'고 할 때보다 그 반응이 더 날카로웠다. 태경에겐 분명 결혼보다 이혼이 더 낯설었다. 결혼이라면 이미 한 번 해보았고 오래도록 그것의 생활을 해왔기 때문이다. 그런데 이혼이라고. 그건 들어보긴 한 말이지만 행동으로 옮긴다는 건 어떻게 하는 건지, 어떻게 되는 건지… 경험한 적이 없어서… 다만 그래서 두렵고 자신이 서지 않는 것일까?

태경은 이혼에 대해 어떻게 생각해야 할지 알 수 없었다. 그러나 그것은 생각보다 더 먼저, 생각과는 관계가 없이 해결해야 할 문제로 눈앞에 다가와 있다는 사실이 써늘하게 인식되었다.

호준은 참을성 있게 태경의 침묵을 지켜냈다. 그 여자의 침묵이 그 여자의 삶의 무엇을 의미하는지, 호준은 캐내려고 하지 않았다. 태경에 대한 자신의 그리움이 그 여자에겐 정작 상처여야 한다면… 차라리 자기가 고통을 감당해야 할 것이라고… 호준은 그렇게 생각하고 있었다. 그리고 그는 아직도 자신의 맨살 위에 지친 짐승처럼 포개져 있는 태경의 얼굴을 더듬었다. 그런데 선뜻 손에 만져지는 건 그 여자의 살보다 축축한 물기였다. 그의 손은 물기 흐르는 눈가에서 굳었고 그의 가슴으로 날카로운 연민의 칼날이 할퀴고 지나갔다. 물기는 고랑물처럼 흐르고, 호준은 머리를 벽에 대고 고개를 젖혔다. 한 여자의 운명이 어떤 기운으로 자신의 삶 속에 고스란히 접목되는 숙연한 느낌 때문에 호준은 숨조차 제대로 쉴 수가 없었다.

　이제 무슨 생각이라는 게 더 필요하리.

　그런 건 아직 한가하고, 아직 바깥에서 얼쩡거리는 자의 변명을 위한 수단에 지나지 않으리.

　호준은 베토벤의 소품을 떠올렸다. 부드럽고 정결하되 따뜻하기 그지없는 소리─로망스 1번일 것이었다.

　호준은 그 소리가 자신의 몸 속에 가득 차오르는 동안, 내내 기쁨으로 기다렸다.

　이윽고 그는 태경을 들어올렸다. 젖은 그 여자의 얼굴에 자신의 얼굴을 대고 그리고 그 여자를 편하게 눕혔다. 이불을 덮어주고 흘러내린 머리카락을 뒤로 넘겨놓고…. 그 여자의 슬픔이 외기에 닿지 않도록, 그래서 상처가 될까 봐….

　호준은 태경이 이제 더 이상 눈물을 흘리지 않을 때, 그 여자의 귀에 속삭였다.

　"우린… 행복해질 거야…"

빛과 그림자

태경은, 만나는 순간부터 태희가 자기를 응시하는데, 전혀 거북해 하지 않았다. 언니가 달라졌어. 정말 사랑에 빠진 사람 같아. 사랑이 어쩌면 사람의 인생을 저렇게 바꿔놓지… 하며 넋빠진 듯한 목소리로 지껄여도, 태경은 태연하게 듣고 있었다.

실상 태경에겐 태희의 그런 감상이 중요하지 않았다. 그는 자신의 '굳은 결심'을 가까운 육친에게 맨 먼저 털어놓아야 한다는 자기 결단의 순간을 붙잡으려는 데 온 정신이 쏠려 있었다. 그 말을 어떻게 하고 언제 해야 하는지, 태경은 그것만 생각했다. 그래서 태희가 요새도 건축가 자주 만나? 하고, 확인 사살하듯 묻는 말에도 대꾸하지 못했다. 지금 태경에겐 그런 질문이 너무도 쓸데없는 것이었다.

자매는 그들이 늘 만나는 이태리 식당에서 스파게티와 맥주를 시켜 먹었다.

"태희야. 맥주는 겨울이 제맛이지?"

태경이 거품 오른 맥주를 한 모금에 반 잔 정도 비우고 나서, 웬지 슬프게 들리는 목소리로 말했다. 그리고 그는 태희가 뭐라고 대꾸할 틈도 주지 않고 말했다.

"난… 그 사람과… 결혼할 거란다…"

163

태경의 말끝에, 태희가 어안이 벙벙해진 표정으로 언니를 쳐다보았다. 태경이 웃음으로 동생을 바라보다가 슬며시 얼굴을 돌렸다.

잠시 침묵이 지나갔다.

태희는 말없이 스파게티를 먹다가 문득 포크를 접시에 소리나게 놓았다.

"언니… 언니가 지금… 그 사람과 결혼한다구 그랬나?"

태희가 곤혹스러워하며 말했다.

그런데 이상했다. 태경은 자기가 말한 '결혼'과 태희가 되물을 때의 '결혼'이라는 말의 의미가 전혀 다르게 느껴지는 것이었다.

"… 언니는 결혼한 사람이 어떻게 또 결혼한다는 거야? 그 남자가 그렇게 하자구 그랬어? 그쪽은… 기혼자랬지? 그럼 자기가 이혼을 했대? 아니면 언니가 이혼하기루… 형부하구… 이혼할 거야? 너무 기가 막히다. 꼭 소설 같애. 어쩌면 언니 입에서 이런 말을 듣게 되지? 믿기지 않아. 상상도 할 수 없어…. 이혼이라면… 그런 건 내가 할 수 있지 않나? 언니는 어울리지두 않아. 그 남자가 언니보구 가정을 깨래? 그러래?"

태희의 목소리에 점점 울화의 기운이 짙어졌다. 태경은 아무 말도 하지 않았다. 그는 태희에게 자신의 결심을 얘기하려고 생각했을 때, 동생이 이런 반응을 보이리라고는 상상도 하지 못했던 것이다.

"… 이혼두 때가 있을 거야 언니. 지금은 시기가 나빠. 근우는 고등학교에 진학하고 소영인 중학생이 되잖아. 애들이 다 사춘기야. 그리고 우리 어머니, 딸만 기르며 슬프게 살아오셨는데… 어머니가 언니를 얼마나 믿어. 그런데 언니가 이혼한다면… 아마 어머닌 쓰러지실 거야. 형부는 … 무슨 죄루 날벼락을 맞아야 하지? 언니 사랑 하나 때문에 이렇게 많은 사람의 인생이 상처받고 망가져도 괜찮아? 사랑이라는 게… 난 모르겠어 언니. 그렇지만 근우·소영이·형부·어머니의 고통과 바꿀 수 있는 건… 난 이해하지 못해…. 너무 화가 난다. 꼭 배신당하는 기분이야. 그 남잔… 지가 예술을 하면 다야? 언니의 인생을 이렇게 만들어도 된

164

대? 예술가는 상식을 아무렇게나 뒤집어도 괜찮은 거야?"

태희는 맥주로 목을 축였다. 눈은 정말 배반감으로 이글거려 보였다. 태경이 말하는 동안 식탁의 흰 커버를 내려다보고 있던 태경은 아직도 그 자세대로였다.

"언니! 언니가 그냥 나한테 떠볼려구 한번 해본 말이지?"

태희가 잠시 생각에 잠겼다가 한결 가뿐한 목소리로 물었다. 그러나 태경은 아무 말도 하지 않았다. 그는 아랫입술을 깨물고 깊은 숨을 들이마셨다가 내뱉었다.

이윽고 그가 고개를 들었다.

"미안하다 태희야. 넌 이해하기 어렵겠지···. 그런데··· 난 이제 더 이상 그 사람과의 관계를 숨길 수가 없게 되었어."

"형부가 눈치챘구나!"

"그게 아니구··· 난··· 내가 그 사람과 숨어서 만나는 일을 할 수 없어. 그건 나 자신을 모욕하는 거 같애. 나뿐만 아니고 형부한테도 그래."

"그 남자도 언니하구 생각이 같아?"

"글쎄··· 난 같다고 믿어. 우린··· 그럴 거야. 이젠 함께 살든가 헤어져야 하는데··· 헤어지면··· 아마 난 죽을는지 몰라···. 나두··· 왜 이런 결심을 섣불리 했겠니. 오래도록 고민했어. 세상에는··· 사람과의 관계에는··· 이성이나 상식으로 이해할 수 없는 것도 있는 것 같애···. 물론 나 하나 때문에 애들과 남편, 어머니 그리고 너도 상처받을 거야. 하지만 그 상처는··· 내 선택이 잘못이 아니라면 말이야, 웬지 곧 서로 이해하고 회복하게 될 것 같애. 미신인지 모르지만 난 웬지 그런 예감이 든단다···. 사람이 죽는 건 가장 나쁜 선택이잖니. 물론 그 방법두 생각해 봤단다. 내가 ··· 나 같은 여자가 무얼 생각해 보지 않았겠니···. 태희야··· 미안하다. 부끄럽고··· 운명이겠지··· 운명일 거야··· 운명이 아니라면··· 이해할 수 없으니까···."

태경의 오랜 얘기가 여기서 끝났다. 태희는 언니의 눈에 고인 물기를 보았다.

"태희야. 그거 마저 먹어라. 괜히 밥이나 다 먹구… 얘기할걸."

"언니는 나보다 더 안 먹었네 뭐."

자매는 서로의 스파게티 접시를 바라보며 슬프게 웃었다.

"형부는 아셔?"

"아니. 곧 올라오니까… 어쩌면 내가 여수에 가서 말할까… 여러 가지 생각 중이야. 어머니한테도 편안하게 얘기해야겠는데… 아이들두… 인생이라는 게…."

태경이 한숨을 쉬었다.

결국, 자매는 더 이상 접시에는 손도 대지 못하고, 두려움과 슬픔을 억누르면서 식당을 나왔다. 날은 그 사이 어두워졌고 하늘도 캄캄했다. 태희는 언니에게 뭔가 할말이 있는 것 같으면서도 그것이 무슨 말이어야 하는지 알지 못해서 그냥 택시 타는 언니에게 손만 흔들고 말았다. 태경이 이혼을 얘기할 때 불끈 치솟던 배반감은 어디로 갔는지, 태경이 답지 않은 선택에 울화가 치밀던 그 기세는 어떻게 되었는지….

태경은 집으로 오는 택시 속에서 자신이 감당해야 할 수많은 이별 때문에 소리없이 울었다. 눈을 감고도 다닐 수 있는 길들과 낯익은 간판과 건물들…. 택시는 태경이 이별에 대한 감정을 정리하기도 전에 집 앞까지 왔다.

현관문은 걸려 있지 않았다. 게다가 삐끔이 틈이 벌어져 있었다. 소영이가 잠깐 나간 걸까? 생각하며 태경은 집 안으로 들어서다가 불 하나 켜 있지 않아 캄캄한 집 안에 그만 다리가 오그라붙도록 놀랐다. 하지만 그는 곧 소영이의 방문에서 새어나오는 불빛을 보았다.

소영이는 헤드폰을 끼고 마지막 남은 방학숙제를 하느라 정신이 없어서 태경이 다가가는 것도 몰랐다. 어머니가 제 얼굴을 손으로 가릴 때야, 그 손을 잡으며, 엄마지? 했다.

"잘 있었니 소영아?"

태경이 손을 풀며 젖은 목소리로 말했다.

"지금 왔어, 엄마?"

"이모랑 얘기를 오래 했거든. 오빠 학원 갔니?"

"라면 삶아 먹었어. 오빠가 라면 삶더라. 고등학생 된다구… 착해진 걸까?"

"널 사랑해서 그런 거란다."

"아, 엄마. 아까 어떤 아저씨가 엄마 찾았는데, 엄마가 없다니까 나한테 이름이 뭐냐 몇 살이냐… 이런 거 묻던데. 자기는 집을 만드는 사람이래. 내가 아저씨가 누구냐구 물었거든!"

태경은 소영이의 말이 다 끝나기도 전에 돌아섰다. 차마 딸의 낭랑한 목소리며 의문에 찬 표정을 바라보고 서 있을 수가 없어서였다.

"옷 좀 갈아입어야겠다."

태경이 변명하듯 중얼거리며 딸의 방을 나왔다.

그러나 태경은 옷을 갈아입겠다고 생각하면서, 그의 발길은 전화기 쪽으로 다가갔다. 그는 망설임도 없이 준 건축으로 전화를 걸었다. 놀랍게도 호준이 직접 전화를 받았다.

"마침 전화 걸려던 참인데… 지금 밖에서 저녁 약속 때문에 사람들이 기다리고 있거든요. 시간이 되면 내일 설악산에 가자고. 오전 10시나 그쯤 사무실에서 출발할 예정인데요…."

태경은 호준의 말이 채 끝나기도 전에 '갈 수 있다'고 대답했다. 호준이 내일 보자고, 급하게 말하며 전화를 끊었다. 내일 보자…. 그래. 나는 가야 한다…. 태경은 수화기를 내려놓고도 한참이나 제자리에 서서 이런 생각을 자신의 기억에 각인하듯 박아 넣었다. 그리고 나서야 그는 옷도 갈아입고 샤워도 했다. 그리고 부엌 정리를 할 때, 아이들 도시락 반찬거리를 살필 때, 태경은 울컥울컥 목이 메여서 잠시 고개를 추켜들곤 했다. 같이 살 수 있겠지…. 태경은 아이들을 생각했다. 하지만 자기 혼자만 이 집을 나갈는지도 모른다고… 생각만 해도 숨이 막혔다. 만약에…

그렇게 된다면… 태경은 그 다음은 상상하지 못했다. 그는 부엌일을 하다 말고 소영이에게로 갔다.

"엄마! 이제 두 개만 더 쓰면 끝이야!"

소영이가 태경을 쳐다보면서 두 팔을 추켜올렸다.

"일기니?"

"응."

"그거 봐라. 매일매일 썼으면 이렇게 혼나지 않잖니."

태경은 이렇게 말하며 아이의 뺨을 쓰다듬었다. 이때 태경은 딸의 뺨에 닿는 자신의 손바닥에서 묻어나는 슬픔의 감촉 때문에 목이 메였다. 그래 소영아. 내 딸아. 넌 아직은 모를 거다. 하지만 어른이 되면 엄마를 이해하게 될 거야. 네가 누군가를 운명적으로 사랑하게 될 때…. 사람은 사랑 없이 살 수도 있고 사랑을 모르고도 살 수가 있지만, 한번 사랑을 가진 사람은 그것을 잃고는 살아갈 수 없단다….

태경은 딸의 방에서 나오며 속으로 말했다.

태경은 소영이에게 더운 코코아를 만들어다 주었다. 자기가 그 동안 아이들에게 너무 소홀했던 게 깨우쳐졌다. 이제 곧, 모든 것이 정리되면… 태경은 이런 생각을 했다. 그러나 지금은, 이미 정리가 된 것처럼 편안했다. 호준의 사랑을 의심하고 자신의 감정을 제대로 소화할 수 없었을 때의 혼돈은 다 가라앉은 것 같았다. 이제는 호준이 곁에 없다는 것이, 아쉽고 불안하지 않았다. 다만, 자꾸만 뜨겁게 솟구치는 이별의 느낌만이 문제였다.

그러나 태경의 오랜 방황 끝의 편안은 오래가지 못했다. 생각지도 않고 있었는데 전씨가 아무 연락도 없이 밤 9시도 넘은 때에 왔던 것이다.

태경은 어머니의 갑작스런 방문의 뜻을 단숨에 알아차렸다. 일흔 가까운 어머니와 마흔다섯의 딸은 눈길을 마주치지 못했다. 그저 어린 소영이만 외할머니가 오신 것이 좋아서, 방학숙제를 다 끝냈다고 소리치며 전씨를 끌어안았다.

"그렇잖아두 어머니 오시라구 전화할 참이었어요."

태경이 소영이와 함께 소파에 앉은 전씨에게 말했다.

"아직두 어미 자식이라구 맘 통하는 속은 남아 있는 모양이로구나!"

전씨가 뼈 있는 말을 했다. 태경은 몸이 주저앉을 것 같았다. 이제는 어머니에게 무슨 말을 해야 할지 생각도 나지 않았다. 그러나 인생에 절 망만 있지 않듯이 태경을 마침내 무너져내리게 할 일은 일단 일어나지 않았다. 소영이가 외할머니 좋아하는 가수 이미자가 나왔다고 전씨의 관 심을 돌려놓았던 것이다.

태경은 배를 깎고 카스테라를 썰어서 소영이와 어머니 앞에 가져다놓 고 자기도 어머니와 같은 의자에 앉아서 가요 쇼를 구경했다. 그래서 별 일 없이 시간이 잘 지나가는 듯했다. 그러나 이런 느낌은 다만 태경의 바람에 지나지 않았다. 근우가 돌아오고 한 시간쯤 지나 아이들이 다 제 방으로 가고 전씨도 소영이와 같이 자러 간 다음, 태경이 아침 준비를 끝내고 뒤늦게 안방으로 들어갔을 때, 채 2분도 지나지 않아서 홀연히 전씨가 태경에게로 건너왔던 것이다.

태경은 자기도 모르게 어머니를 끌어안았다.

"얘기 좀 하자."

"알아요, 어머니."

"안다구?! 뭘 아니!"

"어머니. 괜찮아요. 걱정하지 마세요."

"그럼 태희란 년이 나한테 괜한 거짓말을 했냐? 그래?!"

전씨가 극단적인 희망과 절망의 사이를 갈팡질팡하는 목소리로 물었 다. 태경은 대답할 수가 없었다.

"그년은 어미를 죽일 일이 있어서 하필이면 그런 숭악한 거짓말을 꾸 몄다냐?"

전씨가 다시 늙은 눈으로 딸의 어딘가에 숨어 있을지 모르는 비밀을 찾아내려는 듯 날카롭게 훑어보며 말했다. 태경은 어머니의 손을 잡고 방바닥에 앉았다.

"태희란 년이 거짓말 했지?! 그렇지? 나쁜 년 같으니라구….'

전씨가 다시 말했다.

"어머니…."

태경의 입술이 마구 떨리더니 전씨를 불렀다. 전씨는 태경의 목소리와 그 떨리는 입술이 무서웠다. 그래서 그는 고개를 도리질하면서, 차마 눈을 감지 못해 딸을 바라보고 있었다.

"… 어머니…."

다시 떨리는 목소리로 딸이 어머니를 불렀다. 아직도 어머니의 도리질하는 고개는 멈추지 못하는데…. 어머니에겐 이 시간이 지옥이었다. 아무리 부모와 자식이 전생의 첫번째 원수라 해도 이 나이에 새삼스레 그것을 확인해야 한다는 건 죽음보다 더 나빴다. 어쩌면 자식은 부모에게 줄 고통의 양이 있는지, 그것을 쓰지 않고 자라서, 힘들이지 않고 키운 착한 자식이라고 마침내는 이런 식으로 한꺼번에 고통을 갚는 건지….

"… 말해 봐라…."

전씨가 무겁고 어두운 목소리로 말했다. 태경은 이미 말하지 않을 수 없다는 것을, 어머니를 속일 수 없다는 것을 직감하고 있었다. 그런데도 입이 쉽게 열리지 않는 것이었다.

"늙구 힘없는 어미가 갑갑증으루 죽기를 바라지 않으면… 어서 말해!"

전씨의 목소리는 낮고 쉬었으나 열병 같은 힘이 느껴졌다.

"어머니."

태경이 자기도 모르게 무릎을 꿇었다. 전씨는 침묵했다. 무릎 꿇는 딸이 보기 싫었다. 그가 마지막까지 저버리지 못한 기대는 태경에 대한 신뢰였다. 아무렴 태희의 말이 사실일려구…. 그래도 이런 기대에 필사적으로 매달렸던 것이다. 그런데 이 무슨 흉악한 징후인가. 왜 느닷없이 무릎을 꿇는가 말이었다.

"어머니 용서해 주세요."

태경이 말했다.

전씨는 순간 독사라도 본 것처럼 몸을 뒤로 젖혔다. 니가… 니가 무슨 말을 하려고…. 절망과 두려움이 가득 찬 전씨의 눈이 이런 말을 하고 있었다.

"어머니… 이혼하려구요."

태경이 말했다. 태경의 등은 굽어서 자기에게 퍼부어질 온갖 질책을 받아내려는 것 같았다. 순간 전씨는 자기가 딸의 따귀를 날아가도록 세게 때렸다고 생각했다. 하지만 실제로 일어난 것은 그가 뒤로 넘어지며 벽에 부딪친 것이었다. 벽이 없었다면 그는 방바닥에 쓰러졌을 것이다. 태경이 어머니의 머리를 받쳐들었다. 전씨는 잘 들리지도 않는 목소리로, 싫다, 싫어, 싫어… 를 되풀이했다. 태경은 주문을 외듯 끝없이 어머니 용서해 주세요, 라고 말했다. 그는 어머니의 눈꺼풀이 깜박거리고 어머니의 가슴에 고동이 울리는 것만 다행이었다. 밤은 깊어가고 사방은 고요 속에 잠겨들었으며 먼 찻길에서 가끔 질주하는 자동차소리가 들려왔다. 고통과 공포는 세균 같았다. 그것은 방 안의 고요 속을 안개나 구름처럼 채우고 휘저었다. 전씨가 눈살을 괴로운 듯 찌푸리며 고개를 들었다. 그는 딸이 울고 있는 것을 보았다. 전씨는 벽에 기대 앉았다. 태경은 여전히 무릎을 꿇고 있었다. 고통과 공포의 고요는 쉽사리 가셔지지 않았다. 어머니와 딸은 시간이 흐르는 것도 잊은 듯했다. 딸은 소리없이 울고 어머니는 한숨을 몰아쉬었다.

"이혼을 하겠다구?"

얼마 후에, 어머니가 기운 없고 쉰 목소리로 물었다.

"네에."

태경은 목이 메어 겨우 네에, 라고 대답했다.

"김서방이 몹쓸 짓을 했냐?"

"아니요."

171

"첩을 들였어? 허구헌날 매질을 하디? 술에 곯아 처자식 나 몰라라 팽개쳤다냐? 똑바로 대답해 봐라."

"아니요 어머니."

태경은 겁에 질린 목소리였다.

아니라구.

전씨는 속으로 말했다. 아니라구. 그런데 이혼을 하겠다니···. 전씨는 그의 상식이나 그의 자존심으로는 이런 상황에 대해 대응할 아무런 준비도 갖출 수 없었다.

"그럼··· 니가···."

전씨는 '화냥질을 했느냐'고 묻고 싶었다. 하지만 차마 딸에게 그런 말까지 할 수는 없었다. 그것은 여자가 받을 수 있는 마지막 저주와 같은 것일 터여서.

두 사람은 다시 절망적인 침묵에 놓여졌다. 그러다가 전씨가 다시 입을 열었다.

"김서방이 아냐?"

"아니요."

"애들은 아냐?"

"아니요."

"언제부터 이렇게 되었니?"

"1년쯤 되었어요."

태경이 말했다. 전씨는 고개를 움직거렸다. 그래. 니가 어딘가 달라지더라. 차림새며 화장하는 모양, 그리고 늘 허둥대었지···. 그래도 설마 이런 일이 생길 리야···.

"뭐하는 사람이니?"

"건축가예요."

"사별한 남자니?"

"아니요."

"아이구… 하느님…."

전씨는 더 이상 말을 할 수가 없었다. 여자로 태어나 추잡해지기로서니 화냥질보다 더한 게 어디 있으랴. 전씨는 사소하게는 대낮에 춤추다 들이닥친 형사와 기자들을 피해 치마폭을 뒤집어쓰고 의자 밑으로 기어드는 유부녀들에서, 제비족에 시달리다 자살하는 여자에까지 그리고 배 맞아 도망가는 부인에 대한 험악한 소문들을 떠올렸다. 그런 게 다 가정교육 제대로 받지 못한 아녀자들의 일이겠거니 했는데, 난데없이 발 앞에 떨어진 불덩이는 무엇인가 전씨는 늙기 시작하는 티가 역력한 얼굴의 딸을 뼈도 추릴 수 없게 때려주고 싶었다. 아니면 이 세상 누구도 입에 담을 수 없도록 딸을 감쪽같이 '없애고' 싶었다. 이제 그 자랑스런 사위의 낯을 어떻게 대할 것인가. 귀여운 소영이와 벌써 의젓한 기색이 보이는 근우는 어떻게 기를까…. 이순의 나이를 넘어 칠순을 바라보는 때, 좋은 일만 골라 해도 미처 하지 못하고 죽을 나이에 이르러 이런 벼락을 맞다니…. 내가 전생에 무슨 죄를 지었나. 내 어디에 추악한 화냥기가 있어 저런 해괴한 딸을 두었나. 왜 이런 꼴을 보도록 살아야 하는가….

전씨가 자신의 목숨이 귀찮다고 느낀 적이 있었던가? 남편과 사별을 했을 때도, 박복한 자기 팔자가 남부끄럽기는 했지만 이 지경처럼 처참하지는 않았다. 거푸 땅이 꺼지도록 한숨을 내쉬며, 아이구 내가 죽어야지… 라고 신음을 뱉던 전씨가 갑작스럽게 딸의 팔을 억세게 잡았다.

"끊어라! 알겠지?"

살인을 모의한들 이토록 비장할까. 전씨의 목소리엔 그의 전 생의 무게가 모두 실린 듯했다.

"아직 김서방이 모르면… 천우신조다. 끊어! 지아비 자식 위해 제 몸의 생피 생살도 내어 먹인다는데 네 욕망하나 못 누르겠니? 만일 그렇지 않다면 니가 이 어미를 죽이는 거다!"

전씨의 목소리는 여전히 비장하고 음산했다. 그리고 그는 딸의 대답을 기다렸다. 딸은 벌써부터 무릎 꿇은 자세로 허리를 숙인 채 말이 없었

173

다. 눈물은 제풀에 잡혔지만 그가 어머니의 말에 대해 어떤 생각을 하고 있는지, 지금으로서는 알 수가 없었다. 전씨는 딸의 팔 하나를 잡고 있긴 했으되 얼굴은 볼 수 없었다.

"약속하지? 이 늙은 어미를 죄인 만들지 않지?!"

전씨가 어느덧 목이 메인 목소리로 말했다. 딸의 팔을 잡았던 손이 헐겁게 떨어져 나갔다. 이제 전씨는 더 이상 독한 기운을 내뿜을 수도, 딸을 협박할 수도 없었다. 그는 탈진한 듯 보였다. 기진한 표정으로 주름진 얼굴에 눈물을 흘리며 넋두리를 시작했다. 사람은 하루를 살다 죽더라도 사람값을 해야 한다는 것과 여자의 덕이 무엇이며 어떻게 살아야 하는지 그리고 사람은 바위 틈에서 돋아난 게 아니라 부모 형제의 뿌리와 가지를 두고 있어서 '제 기분 내키는 대로' 살 수는 없다고, 그런 사람이 세상을 망치기도 하고 악하게도 한다고 그리고 남편만한 남자가 없다는 것, 미우니 고우니 해도 병들어 누우면 찬물 한 컵이라도 가져다 줄 사람은 남편과 자식뿐이라고…. 더욱이 김서방은 어떠냐. 요즘 세상에 그만큼 나무랄 데 없는 남자도 드물다. 여자가 마흔이 넘으면 두말 할 것 없이 자식의 운명을 위해 살아야 한다…. 게다가 태경이 너는 어떤 자식이냐. 속 한 번 썩이지 않았던 자식이다. 늦게 무슨 악수가 뻗쳐 이런 일을 당하게 되었느냐. 부디 제발 더 늦기 전에 여기서 끝내라! 어려우면 나라도 나서서 해결하겠다. 제발 세상 모르고 자라는 너의 자식 생각하고 이 늙은 어미 편하게 눈감고 세상 하직하도록 도와라…. 아이들의 장래를 생각해 봐라. 어미의 내력을 안다면, 어미가 샛서방 따라 나가 어미 없이 자랐다고 하면 그 애들이 혼인인들 제대로 하겠느냐. 어쩌자고 자기가 뼈 틀어서 빼놓은 자식의 팔자에 멍에를 씌우려 하느냐…. 정이라는 것도 살다 보면 붙는 것이고, 떨어지면 불씨처럼 사그라들게 마련이지 않겠느냐….

전씨의 넋두리는 마치 해원굿에 든 무녀 같았다. 그는 자기의 넋두리 어디쯤에선가부터 다시 흐느끼고 있는 딸의 그 흔들리는 등판을 주름지고 흰 손으로 쓰다듬었다. 그 위로 늙은 여자의 눈물이 참을 수 없다는 듯이 굵게 떨어져내렸다.

… 아무렴. 네가 마냥 어린아이도 아닌데, 막 자란 여자가 아닌데 이혼까지 생각하기엔 나름대로 남모르는 이유가 있을테지…. 어미라고 어디 부부 내막을 다 알겠니. 하지만 고통은 니가 짊어져라. 절대로 자식에게 넘겨주면 안 된다…. 그렇게 하기로 마음먹으면 이 세상 못 할 일이 무어 있겠느냐. 잘 생각하고 독하게 마음먹어라. 시기를 놓치면 목숨을 주고도 고치지 못하는 것이 여자의 부정이란다….

전씨는 자신의 옷섶에 콧물을 닦았다. 오만 서러움이 한데 몰려와서 가슴이 빠개지고도 남았다. 태경의 울음은 멈출 줄을 몰랐다. 차라리 제 목숨을 버리고 싶도록 밉고 야속하던 자식이지만 온몸을 들썩이고 우는 모습에 전씨의 가슴은 아릴 뿐이었다. 그래서 전씨는 차마 더 이상 딸의 생살을 저며내는 넋두리는 내뱉을 수가 없었다. 그는 딸의 등을 한사코 쓰다듬으며 코를 훌쩍거렸다. 입술은 자꾸만 경련이라도 일어나는 듯 실룩거려졌지만, 그래도 그는 이를 악물고 있었다.

"어미야… 태경아… 내 착한 딸…."

이윽고 전씨가 딸에게 목메인 목소리로 말했다. 그러나 딸은 아직 말할 수가 없었다.

"내 말 잘 알아들었지? 그렇지? 내 말대로 할 수 있겠지? 그래야지?"

전씨의 목소리는 차라리 가련하다고 해야 옳으리라.

"그렇지 태경아. 내 말대루 할 수 있지?"

전씨가 말했다. 이렇게 말할 때, 딸의 등을 여태 쓰다듬고 있는 그의 손바닥으로 그의 전 생의 무게가 실리는 것 같았다. 태경은 참을 수 없어 흐느끼며 고개를 끄덕였다.

"어머니. 어머니 말대로 할게요…."

마침내 딸은 울면서 이렇게 말했다.

"그래 그래. 오냐 알았다. 어련하겠니. 니가 누군데. 티 하나 없이 자라

지 않았니. 니가 누구냐. 사람이 살다보면 차마 되새기기도 싫은 액운을
만날 때도 있단다. 액땜으로 치자! 액땜으로…."

"그래요 어머니. 어머니 죄송해요. 내가 왜 어머니한테 고통을 드리고
싶겠어요…."

"알았다. 우리가 서로 이해하고 덮어주지 못할 일이란 없다. 이제 그
만 울어라."

그러나 이렇게 말하면서 왜 전씨는 주룩주룩 눈물을 흘리는 것일까.
딸의 괴로움이 살점 묻어나듯 살에 닿는 탓인지 몰랐다. 남의 마음이 하
나같이 느껴지고 보이게 되는 '나이'라는 건 이렇게 고약했다. 딸의 용서
할 수 없는 불륜의 고통마저, 이제는 함께 느끼며 울고야 말게 되는 것
이….

일흔과 쉰의 나이를 바라보는 어머니와 딸은 애끓는 정으로 서로를
어루만지다가 자정이 넘어서야 헤어졌다.

태경은 어머니가 오줌을 누고 코를 풀고 세수를 한 다음, 물을 마시고
소영이의 방으로 들어갈 때까지 방바닥에 앉아 있었다.

태경은 일어나려고 움직였다. 그런데 그의 다리는 꿇은 채 굳어서 꼭
쇳덩이 같았다. 그뿐만이 아니었다. 발이 사정없이 저려들었다. 앉지도
서지도 못하고 태경은 혼자서 고통을 참아내야 했다. 피가 그들의 습관
대로, 그들의 질서대로 흐르기를 기다릴 수밖에 없었다.

고통이 더디게 가라앉았지만 머지 않아 거기에도 가속이 생겼다. 태경
은 그래도 얼얼한 다리로 일어섰다. 밖으로 나가려고 문고리를 잡았던
손이 이내 그대로 굳었다. 밖으로 나가기가 웬지 두려웠다. 거실이며 주
방 그리고 아이들 방은 한밤중이며 어두울 터이건만 그래도 태경은 나
가기가 거북스럽게 느껴졌다.

그는 불을 끄고, 입은 채 침대에 누웠다. 어떤 느낌—여태 한 번도 느
껴 본 적이 없는, 어쩌면 젖은 혼령이 내려오는 느낌이랄까? 태경은 그
런 기이한 느낌을 느끼며 어둠 속에서 눈을 크게 떴다. 어머니와 함께

겪어낸 시간이 태경에겐 우주 밖으로 나갔다온 것만큼이나 엄청난 경험이었다. 그는 아직 그 경험에서 제대로 정신을 가다듬지 못한 것 같았다. 정말 그랬을까? 그럼 이 젖은 혼령의 느낌은 무엇일까. 소리도 없고 무게도 없으며 물론 냄새도 없으나 방 안으로 홀연히 차고 있는 이 느낌…. 태경은 반듯이 누워서 눈은 천장을 향한 채 양쪽 팔을 벌렸다. 그리고 손을 폈다. 손에 무엇이 내려앉는지 훔치듯 지켜보려는 것이었다.

그런데 웬일일까. 1분도 지나지 않아 태경의 아랫입술이 위쪽으로 말려 올라가며 그 여자의 눈살이 찌푸려졌다. 그리고 목구멍에서 크윽, 하는 신음이 터져나왔다.

아, 당신….

태경은 이제 알아버린 것이었다. 그리움이 이렇게 방 안에 차고 있었던 것이다. 그 여자는 입술을 속으로 말아 잇몸으로 악물었다. 이제 그의 아이같이 투정 부리는 신음소리는 그의 콧속을 울리며 터져나왔다.

태경은 피할 수가 없었다. 어느 결에 방 안을 빈틈없이 채운 그리움을 그 여자가 무슨 힘으로 피할 수 있으리. 죽는다면… 그리움을 모르게 될까….

날이 밝고 아침이 되었다. 겉보기에 집 안은 예나 다름없었다. 전씨와 태경은 잘 잤느냐는 인사를 서로 똑바로 바라보지 못한 채 나누었고 전씨는 괜시리 아이들에게 자꾸만 말을 걸었다. 소영이는 내일이 개학인데도 늦잠 버릇을 버리려 하지 않고, 외할머니는 손녀를 깨웠다.

아직 8시가 되지 않았다. 그런데 전화가 왔다. 태경은 행주를 빨다가 그 소리를 듣고 자지러질 것 같았다. 온몸에서 피가 다 빠져나가는 듯했다. 하지만 전화는 전씨가 사냥개처럼 덮쳤다.

"여보세요."

전씨가 말했다. 태경은 행주를 건졌으나 손목에 힘이 빠져서 짤 수가 없었다.

"그래! 나다! 아침부터 수선 피울 일 났어?"

태희구나…. 태경은 전씨의 말소리를 들으며 속으로 말했다. 아찔하게 돌았던 머리가 핑그르 제자리로 돌아오는 것 같았다.

"전화 받아라!"

전씨가 소파에 앉은 채 태경에게 소리쳤다. 태경은 맥이 빠졌다. 전화 벨에 무조건 자지러지던 것과는 또 다르게, 태희라는 사실이 그를 실망시켰는지도 몰랐다.

태희는 무조건 언니, 미안해, 라고 말했다. 태경은 입을 조금 벌린 채 말은 하지 않았다. 태희는 어머니가 기절할 듯이 언니네로 떠나고도 아무렇지 않았다. 언니가 더 분별력을 잃기 전에 어머니가 나서는 수밖에 없다는 것이 태희의 생각이었다. 어머니 말이라면 언니가 새겨들을 것 같고 어머니라면 자신의 인생의 경험과 세상에 대한 신뢰 그리고 애정을 기반으로 해서 언니를 잘 설득시킬 것 같았다. 그런데 태희는 잠자리에 들었을 때, 문득 자기 자신이 참을 수 없이 부끄러워졌던 것이다. 자기가 얼마나 인생에 대해 얄팍한 태도를 가지고 있으며 얼마나 불성실한지 그리고 자신의 지식인으로서의 오만이란 게 실제상황에선 마치 언제나 벗겨낼 수 있는 얼굴 화장 같은 게 아니었는지 하는 각성 때문에 견딜 수가 없었다.

자기가 언니에게 떠벌렸던 말—여성의 자기 주체성 회복이니 자기 개발이니 하는 것, 가정주부의 남편과 가정에 대한 예속성을 떨쳐내는 행위로서의 남자 친구 갖기…. 다만 겉치레에 지나지 않는 이런 이론이 자신의 장신구에 지나지 않았다는 자각 때문에 태희 자신이 혐오스러웠다.

언니의 외로움이 무엇인지, 언니가 마침내 탈출할 수밖에 없도록 만든 소외가 무엇이었는지… 태희는 정작 자기가 그런 것에 관심을 기울였어야 했다고, 그렇게 하지 못한 건 애정이 없기 때문이라고, 진정으로 자기가 사랑하는 건 세상도 사람도 아니고 다만 사회라는 것 속에 드러낼 수 있는 자기 현시 같은 명예욕뿐이라고….

그러나 지난밤, 태희를 견딜 수 없는 혐오감에 빠뜨린 이런 반성들을 언니에게 낱낱이 전달하기는 어려웠다. 무엇보다 태경의 반응은 냉담보다 더 나쁜, 거의 무반응 같은 느낌이 들었기 때문이다. 아무리 미안하다, 잘못했다, 어머니가 야단하지 않았느냐, 언니를 이해하고 싶다, 나는 나쁘다, 가장 진보적인 것 같으면서 실제로는 작은 변화도 귀찮아하는 봉건·보수주의자다… 이렇게 말해도 태경은 그저 음, 그래, 정도로 대꾸할 뿐이었다.

결국 통화는 그렇게 끝났다. 전씨는 소파에 앉아서 두 딸의 대화를 알아내려고 신경을 곤두세우고 있었다.

"뭐래냐?!"

큰딸의 반응으로는 아무것도 짐작할 것이 없어 답답해진 전씨가 태경에게 물었다.

"그냥. 안부를 묻네요."

태경은 지친 목소리로 겨우 이렇게 대답했다. 전씨는 태경의 눈치를 살폈다. 기운도 없고 살아갈 진도 다 빠져나간 듯 보이는 딸이 아무래도 애처로웠다. 어제 같으면, 둘이 같이 죽어도 성이 안 풀릴 것 같았는데 지금 저 풀죽고 기 빠진 딸의 모습은 너무도 처량한 것이었다. 더 이상 살고 싶지 않은 사람같이도 보였다. 도대체 어떤 마귀 같은 놈이 내 착한 딸을 저 지경으로 만들었을까. 대관절 뭘 빼먹을 게 있다고…. 여자 등이나 쳐먹으려는 사내가 늘어나는 세상은 망하고야 말 것이다…. 전씨는 속이 찢어지는 것 같았다. 그래도 태경이 차려주는 아침을 손주들과 같이 먹었다. 태경은 밥맛이 없다고 의자에 앉지도 않았다.

"니 나이가 몇인데 맛으루 음식을 먹냐?"

전씨가 딸에게 이런 걱정을 했다.

태경은 대답도 않고 뜰이 보이는 거실 통유리문에 가서 밖을 내다보았다. 뜰엔, 늦겨울의 밝은 아침 햇살이 가득 차 있었다. 빛은 마른 나뭇가지를 스치고 마른 풀과 잎사귀 위에도 내려앉았다. 태경은 볕이 닿는 마른 나뭇가지를 바라보았다. 아직 봄 같은 건 생각도 하지 않는 것 같은 단풍나무와 감나무, 푸르긴 하되 우중충한 소나무와 향나무의 바늘잎… 그리고 뜰 한켠의 지난 가을에 마지막 빛까지 바래어서 누렇게 꺼풀처럼 붙어 있는 과꽃과 사루비아를 보았다. 그 동안 태경은 한 번도 보지 못한 것들이었다. 저것들 주위로 퍼져 내린 꽃씨가 머잖아 미어지게 돋아날 것이었다.

태경은 빛이 들어오고 있는 유리에 볼을 대었다. 유리는 따사로웠다. 따뜻한 유리의 감촉 때문일까. 아니면 묘지의 푯대처럼 서 있는 마른 과꽃과 사루비아 때문일까. 태경의 몸에서 슬픔이 파도처럼 일어나기 시작했다. 그를 한동안 사로잡았던 어머니와 태희의 영향은 슬픔의 파도에 씻겨내리고 태경의 마음은 마른 풀 위로 내려앉았다. 그리고 마른 풀 위에 앉은 그의 마음은 혼처럼 아롱아롱 올라가는, 그러다가 이내 사라져 버리는 아지랑이를 발견했다. 아지랑이는 어느 순간 풀 위에서 나타나 곧 사라지곤 했다.

태경의 마음은 나타났다 사라지곤 하는 아지랑이 때문에 울고 싶었다. 그러나 그의 마음은 곧 다른 것을 보았다. 마른 잔디 사이에서 푸른 빛을 찾아낸 것이었다. 잔디와 과꽃 사이에 이름도 모를 풀이 푸실푸실 녹은 흙을 비집고 나와 세상에 고개를 내민 것이었다.

태경은 울컥 울음이 솟구쳐서, 눈을 감았다. 그래도 볕이 닿는 풀밭이 눈에서 지워지지 않았다.

지금, 하염없이 뜰을 바라보고 있는 자기를 잠시도 눈 떼지 않고 관찰하는 어머니가 있다는 것도 태경은 잊고 있었다. 그는 푸른 싹을 만져보고 싶었다. 언 땅이 어떻게 녹았는지도 만져봐야 했다. 그래서 그는 밖으로 나갔다.

"어미야!"

전씨가 딸을 소리쳐 불렀다. 등을 보이고 앉았던 근우와 소영이가 뒤돌아보았다. 그러나 문은 전씨의 목소리 하나 남기지 않고 닫혔다. 전씨는 태경이가 집에서 입는 옷차림으로 어딜 가랴 싶었으나, 그래도 마음이 놓이지 않아서 베란다로 나가 살폈다. 그는 곧, 뜰에 쪼그리고 앉아 있는 딸을 발견했다. 태경은 전씨 쪽으로 등을 보인 채 풀을 만지작거리는 모양이었다. 무얼 보았나? 전씨는 무심히 이런 생각을 하면서 딸을 바라보았다. 태경은 쪼그려 앉았고 등은 굽었으며 옆머리가 흘러내렸고 왼손은 굽힌 다리와 가슴 사이에 박혔고 오른손은 무엇인가를 만지작거리는 것이었다. 전씨는 그런 딸을 거의 고요한 기분으로 바라보았다. 그러다가 그는 굽은 딸의 등에서, 쪼그려 앉은 마흔다섯 살의 딸에게서 어린 날과 소녀 시절 그리고 처녀 때와 늙는 기색이 눈에 띄는 요즈음을, 그 40여 년의 세월을 한꺼번에 느꼈다. 야릇한 감회가 일었다. 기쁨이나 감격이라기보다는 슬픔에 가까운, 그런 감회였다. 전씨는 뜰 한켠에 쪼그려 앉아 있는 딸에게서 세월의 슬픔만 느낀 것은 아니었다. 웬지 딸이 자신의 고통을 억누르고 삭이는 그 애끓는 마음이 만져져서 안쓰러웠다.

하기야 부부라는 게 뭔가. 원체 남남으로 만나, 자식 낳고 평생 같이 살아야 한다니… 그래서 사는 게 아닌가… 어떤 때는 말이 좋아 안주인이지, 벌레만도 못한 취급을 받는 것 같아 자신의 인생이 비관될 때가 어디 한두 번이겠는가. 결혼하는 날로부터 시작되는 시집살이는 끝이 없고 마침내 자식 시집살이는 얼마나 쓰라린 일이던가… 남편 하나 바라고 사는 인생이련만 남편이란 늘 외지사람 같고…

전씨는 딸에게야 차마 말할 수 없는 자신의 결혼에 대한 씁쓸하고 스산한 생각을 씹어보았다. 아마 저 애에게도 내가 모르고 남이 모르는 외로움이 있을 것이다… 그렇기로 어미된 도리로 어찌 이혼을 지켜볼 것이며… 여자의 팔자가 워낙 기구하고 서러운 것인데 남자로 뒤바꾸지 않고서야 어찌 그 팔자를 고칠 것인가…

전씨는 여태 그런 모양으로 앉아 있는 딸을 바라보며 이런 저런 상념에 젖어들었다. 그러다가 다시 식탁으로 왔다.

"교복을 입는다며?"

전씨가 근우에게 말을 걸었다.

"네! 차암, 오늘 교복 찾구… 돈 쓸 일 많은데…."

근우가 말했다. 이유없이 소영이가 눈을 흘겼다.

"고등학교 간다구 꼴값이야."

소영이가 공연히 심통을 부렸다.

"나 지금 나가야 하는데. 친구들하구 약속했거든요. 엄마 어딨지?"

근우가 두리번거리며 태경을 찾았다.

"뜰에 있더라."

전씨가 말했다.

근우가 그쪽으로 걸어갔다.

"없는데요."

"없어? 없다니? 금방 있었는데…."

전씨가 놀란 눈을 하고 뜰이 보이는 베란다로 달려갔다.

돌아갈 수 없는 강

　손가락으로 검은 흙을 파헤치고, 차마 생명이라고 부르기가 눈물겹도
록 어린 쑥의 싹을 만질 때, 태경은 울컥 치밀어오르는 그리움 때문에
더 이상 앉아 있을 수가 없었다. 흙에선 이미 봄 냄새가 났고 가시장미
의 줄기에도 겨울에 들킬세라 속 깊이 물이 오르는 게 느껴졌다. 그런데
왜 이런 현상들에서 태경은 호준을 보아야 했을까.

　한시 바삐 해야 할 일이 있는 것처럼 벌떡 일어선 태경은, 그러나 집
밖으로 걸어가기 시작했다. 마치 산책을 나선 것처럼, 아니면 가까운 구
멍가게에 물건을 사려는 듯이…. 하지만 그는 경비실을 빠져나오더니 급
히 뛰기 시작했다.

　그냥… 얼굴만 보고 올 거야….

　태경은 뛰면서 이런 생각을 했다. 볕이 좋은 맑은 아침이라 해도 아직
은 늦겨울이었다. 태경의 목덜미로 산에서 달려 내려온 차가운 바람이
너울처럼 스쳐 들어갔다. 그는 검정 울 바지와 크림색의 스웨터만 입고
있었고 신은 낡아서 뒤축을 꺾어 슬리퍼로 삼은 단화였다.

　골목과 만나는 큰길로 막 버스가 지나가고 택시도 지나갔다. 태경은
그것들을 보면서 자기가 가진 돈이 없다는 것을 깨달았다. 바지 주머니
에 손을 넣어보았다. 종이가 만져졌다. 반가웠다. 언젠가 장을 보다 남은

돈이거나 우유값이나 신문값을 주고 거슬러 받은 돈일 것이었다. 아무렇게나 반으로 접힌 낡은 천 원짜리 다섯 장이 있었다. 갑자기 태경은 이 돈이 행운의 표상처럼 여겨졌다.

좋은 일이 있을 거야. 태경은 자기 자신에게 말했다. 행복감이 느껴졌다. 목덜미와 발목, 뺨에 닿은 차가운 공기도 반가웠다. 택시가 빨리 잡히자 태경의 기쁨은 하늘까지 솟았다. 행선지를 말하고, 태경은 기사에게 시간을 물었다. 기사는 시계를 들여다보면서 8시 49분이라고 느린 말소리로 대답했다.

뭐라고 말할까…. 얼굴만 보러 왔다고… 설악산에 갈 수 없어 너무 섭섭하다고… 혼자 다녀와서 내게 얘기해 달라고… 겨울 바다에다 내 안부를 전해 주라고… 내가 당신과 함께 떠나지 못해도 나는 당신과 함께 있다고…. 태경은 차창 밖으로 고개를 돌린 채 이런 생각을 했다. 그의 눈은 아무것도 보고 있지 않았다. 그는 호준을 만난다는 것 이외엔 어떤 것도 보지 못하고 생각도 하지 못하는 듯했다. 또한 자기의 차림새에 대해서도 느끼지 못했다.

택시에서 내려 닫힌 사무실 문 앞에 섰을 때, 비로소 태경에겐 자신이 '이래도 되는가' 하는 생각이 들었다. 아무 거리낌없던 그의 감성과 몸의 움직임에 거부감 같은 것이 생겨났다. 이 사무실엔 호준이 혼자 있는 것이 아니고, 혼자 있다 하더라도 이런 차림새는 아무래도 적당치 않았다.

거침없이 문의 손잡이를 움켜잡았던 태경의 손은 주인이 허락하기도 전에 스르르 풀어져버렸다. 도대체 이 여자를 불현듯 이곳으로 달려오게 한 힘 그리고 5천 원과 빨리 잡힌 빈 택시의 행운—그 징표는 아무런 효험도 없단 말인가.

이때 태경의 등뒤에서 자동차의 경적이 울렸다. 동물적 반사 감각으로 그 여자는 고개를 돌렸다. 차에서 내린 호준이 태경이 쪽으로 오고 있었다. 태경은 아랫입술을 깨물고 눈을 감았다.

"당신이었군요."

호준이 이렇게 말했던가. 태경은 그의 손이 자기의 어깨에 닿는 느낌 때문에 그의 말소리를 알아듣지 못했다.

호준이 사무실 문을 열었다.

"안녕하세요."

여자 직원이 함께 들어서는 그들에게 인사했다. 그 여자는 호준과 나란히 들어서고 있는 '이상한 차림'의 태경을 놀란 눈으로 바라보았다. 자식을 졸지에 잃은 '사모님'이 신경을 쓰며 연락처를 알아내려고 하는 여자가… 저 부인인가? 설마… 그럴 리가…. 태경과 호준이 2층 계단으로 오를 때, 그들 뒤를 바라보며 여자 직원이 생각했다. 그런데 저런 차림새라면, 도대체 어디서 오는 것일까. 사모님은 친정에 계시고… 저 부인과는 사무적인 일이 없는데…. 그 여자의 상상은 끝이 없었다. 외부에서 전화가 올 때까지 갖가지로 뻗어나갔다.

"무슨 일이 있었군요."

담배를 피워 물며 호준이 말했다. 태경은 아랫입술을 깨물고 눈이 부신 듯 찡그리며 고개를 한쪽으로 굽히고 호준을 쳐다보았다. 웃으면서. 그러나 그 웃음은 안쓰럽게 피어오르다 스러지고 마는, 그런 것이었다.

태경은 코끝으로 스치는 담배 냄새를 맡았다. 아주 좋았다. 구수하다고 해야 할지, 향긋하다고 해야 할지…. 하여튼 담배 냄새에 이렇게 마음을 매달긴 처음이었다. 남편이 담배를 태울 때도 이런 경험이 없었다. 태경은 한모금 빨아보고 싶다고, 그렇게 말하고 싶을 지경이었다.

"10시에 출발인데…."

호준이 아래층에 커피를 부탁하고 나서 말했다. 태경은 자신의 닳아빠진 신발을 내려다보았다. 발등의 박음질 부분은 가죽이 벗겨졌고 한쪽은 실밥이 뜯어진 데도 있었다. 그는 왼손을 뺨에 대었다. 차고 까칠하고 탄력이 없는 살이 만져졌다. 아침에 세수도 하지 못한 게 생각났다.

"나쁜 일이 있었어요?"

호준이 태경에게 다가와 그의 손목을 가볍게 잡으며 낮고 부드러운 목소리로 물었다.

나쁜 일. 태경은 속으로 받아서 다시 말해 보았다. 그의 아랫입술이 속으로 패어들며 입이 앞으로 삐죽 내밀어졌다. 어떻게 말하리. 어머니의 분노와 절망을. 태경의 마음이 가슴속에서 도리질을 했다.

"나한테 말할 수 없어요? 나쁜 일이라면 더욱 더 같이 힘을 합쳐야 되지 않겠어요. 우리가 서로 필요한 사람들이라면⋯. 당신의 모습이 지금 어떤지 알아요? 어서 말해 봐요."

이제 호준은 태경의 맞은켠에 앉았다. 그는 커피를 마련해 온 직원에게, 고맙다고 인사하고 오늘은 회의가 없고 예정대로 10시에 떠난다고 말했다. 태경은 등뒤로 그 직원이 내려가는 발소리―나무 층계에 신발이 닿는 소리를 들었다. 호준이 김이 솟고 있는 커피를 태경과 자기의 앞에 놓았다. 설탕도 적당히, 크림도 적당히⋯ 그가 태경의 잔에 간을 하며 중얼거렸다.

"아침두 못 먹은 표정인데⋯ 마셔봐요."

호준이 찻잔에 태경의 손을 끌어다 잔의 손잡이에 대어주었다.

난⋯ 이 남자를 놓칠 수 없다⋯.

태경은 자신의 가슴속에서 무엇인가가 중얼거리는 이런 소리를 들었다.

그는 커피를 한 입 물고, 그것을 한꺼번에 꼴깍 삼켰다.

"어머니가 알았어요."

태경이 고개를 숙인 채 말했다. 그리고 침묵을 느꼈다. 태경은 침묵의 의미가 무서웠다. 침묵 속에서 호준이 라이터를 켰다. 태경은 숨이 막혔다. 자신의 존재가 비굴해지려는 것 같고 한편으론 처참해지는 것 같기도 했다. '사랑'이라는 보이지 않고 증명되지도 않는 것이, 녹아버린 눈사람같이 허무맹랑해질까 봐⋯ 태경은 가슴이 탔다. 제발 그것만은⋯ 그것만은 안 된다고⋯ 태경은 무엇에게건 하소연하고 싶었다. 어머니가 아셨지만, 그건 내 문제라고, 내가 해결할 수 있다고 말할까. 또다시 담배 연기가 태경이 쪽으로 밀려왔다. 호준 씨. 당신에게까지 괴로움을 나눠주고 싶진 않아요. 태경은 싸늘한 손가락을 자꾸만 맞잡아 비틀며 속으로 말했다.

"그래서… 잠을 잘 못 잤겠군요…."

호준이 나직한 목소리로 말했다. 태경은, 아니라고 아무런 괴로움도 없었다고 거짓말을 하고 싶었다. 그러나 결코 그렇게 되지 않았다.

"태경 씨."

다시 호준이 그 여자를 불렀다. 그는 마치 집에서 내쫓긴 모습의 이 여자에게 아주 쉽고 흔한 말로 용기를 가지라거나 의지가 굳어야 한다는 말을 할 수가 없었다. 이미 자신들은 개별적으로 다른 환경에서 살면서 때때로 필요할 때 만나는, 그런 관계일 수 없기 때문이었다. 이제 그런 것은 불가능했다. 어쩌면 태경과 자기는 애당초 그런 관계를 가질 수 없는 사이일지 몰랐다.

호준은 태경이 왼손과 오른손을 쉴 새 없이 옮겨 잡는 모습을 바라보았다. 커피는 처음에 한 모금 마시고 그 다음엔 그것을 마셔야 된다는 사실조차 잊고 있는 것 같았다. 마치 그가 태경을 만나고 있으면, 그 여자가 기혼자라는 사실을 까맣게 잊듯이. 기혼의 중년 여자의 일상의 환경이 어떠하리라는 걸 잘 알면서도 태경에게선 그런 상식조차 상상이 불가능해지던 것처럼.

호준은 다시 담배에 불을 붙였다. 깊게 빨아 연기를 내뿜었다. 태경이 연기 속에 시선을 던졌다. 태경은 담배 냄새를 깊이깊이 들이마시고 싶었다. 오늘, 호준을 만나고 나서부터 생긴 욕구였다. 무슨 징조인지 몰랐다.

"나… 그거 한 번만 피워봐두 될까?"

태경이 수줍어하며 말했다. 호준이 맑은 웃음을 웃었다. 그는 필터 쪽을 태경이 앞으로 해서 건넸다. 태경은 눈살을 있는 대로 찌푸리며 담배를 거의 탐욕스럽게 빨았다. 그리고 저절로 터져나온 연기를 손으로 마구 부채질해 흐트러뜨리며 재채기를 했다.

"우리가 10시에 설악산으로 떠난다고 한 약속 생각나요?"

호준이, 재채기가 채 가라앉지 않은 태경에게 물었다. 태경이 허리를 꺾으며 크게 고개를 끄덕였다.

"갈 수 있겠어요?"

다시 호준이 물었다. 순간 태경은 너무도 확연하게 자기가 지금 어떤 하나를 선택해야 한다는 사실을 깨달았다. 태경의 몸과 마음은 호준을 향해 있었고 자신의 고통이라는 것은 아주 먼 데 있는 구경거리같이 생각되었다. 태경은 자기가 호준에게 등을 돌린다는 건 이미 너무도 부자연스런, 그것은 고통보다 더 나쁜 것이라는 생각을 했다. 이런 생각은 태경에게 마치 영감처럼 다가왔다.

"갈게요."

태경이 짧고 단호한 목소리로 말했다. 호준이 시계를 보았다. 10시란, 미래의 문이 열리는 정해진 시간은 아니었다. 그래서 호준은 아직 10시가 채 되지 않았지만 더 이상 시간을 생각지 않고 일어섰다.

날씨는 웬지 늦가을 같았다. 하늘은 푸르고 드높아서 아주 멀었고, 흐릿한 구름이 드문드문 흩어져 있었다. 바람이 불건만 그것보다 '고요'의 무게가 더 짙게 느껴지는 날씨였다.

"호준 씨. 어쩌면 이렇게 기쁘지?"

차가 서울의 행정구역을 벗어나고 낮은 산을 끼고 달리게 되었을 때 태경이 거의 발작적으로 말했다. 그 여자는 낡은 단화에서 발을 꺼내 책상다리를 하고 앉았다.

왜 당신을 만나면 늘 이렇지? 태경은 이렇게 묻고 싶었다. 이런 기쁨 —말로는 표현할 수 없는 느낌, 내 몸이 아주 가벼워지는 것, 삶의 무게가 느껴지지 않는 상태, 그냥 좋은 거… 나는 당신을 만나기 전엔 이런 기분을 느껴본 적이 없었어. 기쁨 말이야… 태경은 멀리 산굽이 속으로 숨겨지는 길을 바라보며 생각했다. 두 손으로 시트 등받이를 움켜잡고

서. 앞으로 씩씩하게 튀어나가 무엇이든지 다 할 것 같은 자세로.

"당신이 사무실 문 앞에 서 있는 걸 보는 순간, 내가 무얼 생각했는지… 알 수 있어요?"

호준이 말했다.

"아니. 아니 난 몰라. 그냥 그땐 내 꼴이 너무 초라해서 정신이 없었거든."

태경이 즐거운 목소리로 말했다. 노래를 부르는 것 같았다.

"왜 이런 거 있지요. 모서리가 느껴지지 않는 편안함. 난 그런 공간을 생각하는데… 당신의 그런 차림새가 웬지 '가정'을 느끼게 했어. 마치 내가 어디 먼 데 출장을 갔다가 가정으로 돌아온 것 같은 편안한 느낌 말이야…"

호준이 흡사 추억에 젖어드는 듯한 목소리로 말했다.

순간, 태경이 그를 쳐다보았다. 그 여자는 그의 어깨에 그냥 기대어 있고 싶었다. 왜 바로 옆에 앉아 있는 사람 그리고 벌써 몇 시간째 둘만 있는 사람에게서, 태경은 '반가움'을 미치도록 느꼈을까. 태경은 마치 경이로운 계곡이나 산, 혹은 바다나 강을 바라볼 때의 그 원시 같은 마음으로 호준을 바라보았다. 호준이 지금 '가정'이라는 것에 대해 생각하고 있다는 걸 알지 못한 채. 왜 그가 태경에겐 황당한 차림새인 이런 모습에서 편안함을 느꼈고 그리고 그런 편안한 가정에 대한 꿈을 그리워하고 있다는 걸 짐작도 못 하면서. 그리고 그가 태경을 통해 자신의 짧은 결혼생활에 이미 돌이킬 수 없이 나 있는 크고 작은 균열을 발견할 수 있게 된 것, 그런 사실도 눈치채지 못한 채.

태경은 그저 호준이 좋았다. 반갑고 기뻤다. 그의 존재가. 그가 옆에 있다는 것이. 그와 함께 있으면 그가 마흔 몇 해의 삶에서 한 번도 경험해 보지 못한 여러 가지의 감정을 갖게 되었다. 그것은 자유라는 말로밖에는 표현할 수 없는 어떤 것이었다. 부끄러움이 없어지고 슬픔과 기쁨이 깊어지고 사물과 자연이 투명하게 보이고 교감이 된다는 것….

태경은 다리를 폈다. 의자 등받이를 비스듬히 뉘었다. 그리고 그는 팔 베개를 하고 기댔다.

"조금 가면 휴게소가 나오는데, 거기 가서 집에 전화를 해요."

호준이 나직하고 따뜻한 목소리로 말했다. 태경은 한없는 부드러움의 감회에 젖은 채 호준의 말을 받아들이고 있었다. 그런데 무슨 일일까. 방금 호준이 태경에게 들려준 그토록 따뜻한 말이 태경의 가슴 문턱에서 두 발을 버티고 있는 것이었다.

집이라고?

태경은 당황과 슬픔의 느낌으로 이 말을 되씹었다. 자신의 가슴이 완강하게 받아들이기를 거부하고 있는 말―집… 집으로 연락하라고? 집이라면… 그건 호준과의 분리를 의미하는 것이었다. 태경은 지금 거침없이 자기 마음을 적셔오는 이 슬픈 분리의 느낌이 싫었다. 그래서 그는 아무 말도 하지 못했다.

"어머니께서 걱정하실 거야… 말없이 그냥 나왔으니까…."

호준이 여전히 앞만 본 채 중얼거렸다.

태경은 대답하지 않았다. 몸은 아까부터 굳어서 미동도 않은 채 눈길은 아득한 데에 던지고 있었다.

"걱정하지 말아요. 모든 게 좋아질 거야."

호준이 나직하게 말했다. 그리고 그는 놀고 있는 오른손으로 태경의 귀를 만졌다. 머리를 만졌다. 눈을 만졌다….

태경은 호준의 손길을 느끼며 어머니를 생각했다. 정이라는 것도 안 보면 식는 거라던 말, 당신의 생명을 쏟아내듯 관계를 끊으라고 엄격하게 꾸짖던 모습…. 그리고 변명도 저항도 할 수 없던 자기 자신….

"태경 씨가 얼마나 열정적이고 순결한지 알아요? 당신을 통해 나는 '순결'이라는 우리말의 의미를 깨달았어."

호준이 조용한 목소리로 말했다. 그의 오른손은 기어를 잡고 있고 그의 눈은 여러 개의 안전운전을 위한 장치들에서 틈틈이 태경에게로 옮겨왔다. 태경은 눈을 감았다. 눈을 감아도 빛과 세상이 보였다. 그리고 자신의 생이 부드럽게 녹는 걸 감지하였다. 혹은 깃털처럼 가벼워지는 상태…. 자기가 자기와 온전히 하나가 되고 하나로 충분한 포만감, 기쁨 …. 태경은 호준이라는 한 남자에게 더 이상 바랄 것이 없다고, 자신의 얻고 싶은 모든 것을 이제 얻었다고…. 그는 일찍이 자기 존재가 이렇게 송두리째 존중되고 인정받은 경험이 없었으므로….

"당신은 당신의 가치를 잘 모르는 것 같아요. 당신의 혼이 얼마나 정결하고 뜨거운지…. 나는 당신을 통해 내 허위의식을 발견해요. 내가 늘 중요한 가치를 두어왔던 자유의지가 이기적이었다는 거… 자만심 같다는 거…."

호준이 말했다.

"난… 무슨 말인지… 이해할 수 없어…."

태경이 벌써부터 붉어진 얼굴을 가로저으며 안타깝게 말했다.

"결국… 난 당신을… 사랑한다는 거야…."

호준이 말했다.

아, 태경은 이 순간, 잠시 아주 찰나의 죽음을 경험했다고 해야 할까? 무한대의 허공 속을 들어갔다 나왔다고 해야 할지.

그래! 나도 당신을 사랑한다. 아주 오래 전부터. 차마 그 사랑을 어떻게 모두 당신에게 말하고 보여줄 수 있었겠는가. 내 사랑이 당신에게 사슬이 될까 두렵고… 또한 사랑은… 그냥 드러내놓으면 산화되는 어떤 물질같이 생각되기도 해서였다.

나는 당신에 대한 내 사랑 때문에 당신의 나에 대한 사랑은 생각할 수도 느낄 수도 심지어는 저울질도 할 수 없었다. 그런데 당신이 말했다. 지금. 결국, 난 당신을 사랑한다고. 그럴 것이다. 모든 말, 모든 표정 그리고 일상의 욕구와 버릇까지도 우리는 사랑을 향해 해바라기하지 않겠는가. 이제 나는 아주 편안하다. 마치 당신과 맨몸으로 겹쳐 있을 때처럼 …. 내가 아직 감정의 수많은 종류를 경험하기 이전처럼, 단순하고 투명한 상태…. 그래. 우리는 사랑한다. 내 생명은 사랑의 핵과 만났다. 그것과 뒤섞였다. 그래서 새로운 어떤 것으로 다시 태어났다. 이제 나는 사랑의 핵과 교합하기 이전의 상태로는 돌아갈 수 없다. 그것은 내 의지로는 불가능하다. 그것은 마치 하나와 둘이 다르듯이, 하늘과 땅의 성질이 다르듯이…. 그렇다. 나는 다른 질이 되었다. 내 생명의 길이 바뀌었다. 이것은… 생명이 앞으로만 나가듯이, 죽음을 향해 시간을 타고 흐르듯이, 일회성을 극복하는 것은 불가능하듯이, 나는 '달라졌다' 돌이킬 수 없다. 어제의 내가 아니고, 내일의 나는 오늘의 내가 아닐 것이다….

호준이 길가의 간이 휴게소 뜰에 차를 세웠다. 산과 강 때문일까. 대기는 싸늘하고 정갈했다. 바람이 기다렸다는 듯이 차에서 내리는 태경의 머리칼을 마구 휘날렸다. 태경이 싸늘한 바람결에 몸을 숨기려는 듯이 호준의 팔짱을 끼고 그의 몸에 자신의 몸을 바짝 붙였다.

"공중전화가… 안에 있나 봐…."

호준이 옷소매로 태경을 감싸며 중얼거렸다.

"추워요?"

호준이 다시 매달리듯 걷는 태경에게 물었다. 태경은 도리질을 쳤다. 정말 그랬다. 태경은 자기도 모르게 호준의 옷 속으로 들어가고 싶어하는 것이었다.

공중전화는 휴게소 입구 왼쪽 벽에 붙어 있었다. 호준이 동전을 넣어주었다. 태경이 입을 삐죽 내밀고 난처한 표정이 되었다.

"내가… 비켜줄까요?"

호준이 자리를 피하는 게 적당하다고 생각해서 이렇게 말했다. 그러나 태경은 눈살을 찌푸리며, 절대 아니라고, 고개를 마구 저었다.

"뭐라구 말하지?"

태경이 아이처럼 말했다.

"걱정하지 마시라고…."

호준이 나직이 속삭였다.

전화는 첫번째 벨이 울리는가 할 때 저쪽에서 받았다. 전씨의 긴장한 목소리가, 여보세요, 라고 말했다. 태경은 가슴이 아팠다.

"엄마. 저…"

"아이구우, 니가 정신이 있니?"

태경의 목소리를 듣자마자 전씨가 절망과 초조에 절어든 목소리로 말했다.

"엄마. 죄송해요. 걱정하지 마세요. 절대로 엄마를 불행하게 해드리지 않을게요. 약속해요 엄마. 약속해요 어머니…"

태경이가 끓어오르는 피 같은 정을 누르며 이렇게 말할 때도, 전씨는 쉬지 않고, 거기가 어디냐, 제발 정신을 차리라고 이쪽 말은 들으려 하지도 않고 거푸 말했다.

"엄마. 내일 돌아갈 거예요. 전 잘 있어요. 절 믿으세요. 어머니를 실망시키지 않아요. 절 마지막으로 믿어보세요. 걱정이 되시겠지만 제가 마흔이 넘은 딸이니까 한 번만 믿어보세요. 정말 엄마. 엄마. 엄마. 걱정하지 마세요. 전 아주 잘살 테니 제발 딸을 믿으세요. 엄마가 낳은 딸을 먼저 믿으세요. 걱정하지 마시고…"

결국 태경은 어머니가 빨리 들어와야 한다, 정신차려야 한다는 말의 중간에 수화기를 내려놓을 수밖에 없었다. 하지만 태경은 어떻게 수화기를 내려놓고 어떻게 차로 돌아왔는지 기억하지 못했다.

호준은 태경의 안쓰러운 절규를 옆에서 듣고 있을 수가 없었다. 그러나 그의 절규는 호준의 귀에서 사라지지 않았다. 그는 태경이 수화기를 내려놓을 때, 그의 등에 흐르는 고통을 보았다. 호준이 급히 그의 곁으로 가서 태경의 어깨를 잡았다. 그리고 그를 부축해서 차로 데려왔던 것이다.

차가 인제 읍내를 지나 내설악 속으로 들어섰을 때, 그들은 흩날리는 눈발과 만났다.

눈은, 오래 전에 내리고 또 녹고 그 위에 또다시 덧쌓인 눈 위로 내리고 있었다. 길가엔 눈의 무게를 이기지 못해서 찢긴 소나무 가지도 보였다.

한계령엔 앞이 보이지 않도록 눈발이 휘날렸다. 휴게소 앞에는 눈구경을 하려는 승용차들이 서 있고, 하얗기만 한 산을 뒤에 두고 사진을 찍는 젊은 사람들도 보였다. 바퀴에 쇠사슬을 감은 버스와 화물차 그리고 승용차들이 눈을 뒤집어쓰고 눈 속을 느릿느릿 조심스럽게 한계령으로 기어올랐다. 하늘과 땅이 온통 눈에 덮이고 눈에 가리웠지만, 그래서 한계령의 우렁차고 고고한 골짜기와 산들이, 그리고 오랜 세월을 살아낸 나무와 바위 산과 절벽들이 희뿌옇게 가리웠지만, 그래도 거기 그것들은 모두 제자리에 있을 것이었다. 오색의 천불동 계곡이며 선녀탕도 거기 있을 것이고 산허리를 쳐서 만든, 설악산과 대관령으로 이어지는 2차선의 포장국도는 눈을 맞으며 그대로 있으리라.

호준은 조심스럽게 운전했다. 태경은 경이로운 자연의 신비에, 젖은 마음을 내맡기고 있었다. 차가 양양 읍내를 가로질러 낙산사가 있는 주산리의 벌판을 향해 내려섰을 때, 눈은 더 이상 내리지 않았다. 아스팔트는 젖어서 도발적으로 번득거렸고, 겨울의 잠든 논밭의 끝머리쯤엔 오래 묵은 솔밭이 보였고 솔밭 뒤쪽으로부터 바다 냄새가 밀려왔다.

호준은 조산에서 차를 국도의 오른쪽 솔밭 사이로 틀었다. 입구엔 색깔 입힌 페인트칠이 군데군데 떨어져나간, 이젠 쓸모가 다한 듯 보이는 커다란 양철 입간판이 서 있었다. 여기는 조산 해수욕장입니다, 라고 쓰인 글자와 비키니에 색안경을 낀 여자와 수영복을 입은 남자의 모습이 그려진 간판이었다.

태경은, 가슴이 뛰었다. 이제 바다일 것이었다. 이미 어머니의 걱정 그리고 그의 고통의 환경에 대한 되새김은 한계령에서부터 흐릿해지기 시작했던 것이다.

호준이 해안의 옹색한 일주도로 한쪽에 차를 세웠다.

두 사람이 서로를 쳐다보았다. 거의 두어 시간을 앞만 보고 말없이 여기까지 오지 않았던가.

"나… 저기 나가봤으면….."

태경이 어른의 눈치를 살피는 개구쟁이 같은 표정을 지으며 말했다.

"추울텐데."

호준이 중얼거렸다.

"그렇지만 여기 앉아서 바다를 구경하기는… 싫어…."

태경이 순한 눈빛으로 호준을 바라보며 말했다.

곧 두 사람은 차 밖으로 나갔다. 밖은 그들의 생각만큼 차지는 않았다. 태경은 하늘을 향해 팔을 추켜들었다. 그리고 허리와 가슴살을 한껏 늘리더니 아주 갑작스럽게 젖은 모래밭으로 달리기 시작했다. 발이 모래 속에 빠지고 단화 틈으로 벌써부터 모래가 숨어들었다.

바다가 보였다. 회색과 어두운 푸른색 그리고 흰 거품 조각들… 수평선은 잿빛 하늘과 맞닿아 있었다.

밤 파도는 더 거센지 파도 자국 가장자리로 해초와 닳아빠진 나무토막, 스티로폴 조각 따위들이 밀려나와 있었다.

태경은 밀려오는 파도에 손끝을 대어보았다. 그리고 허리를 펴서 먼 수평선을 눈에 넣었다. 온통 그리움 천지였다. 수평선이 그런 느낌으로 가득 차 있으리라곤 전혀 예상하지 못했던 것이었다.

태경은 불현듯 뒤로 돌아섰다. 호준을 찾아야 된다는 생각이 불길처럼 솟구쳤던 것이다. 그러나 호준은 태경의 조급하고 불안한 눈길을 조롱하듯, 바로 그의 뒤에 우뚝 서 있었다. 그리고 그는 태경의 표정에서, 그 여자의 조바심을 이내 읽어내었다. 그가 병풍같이 팔을 벌렸다.

"당신은… 아이 같아요."

호준이 태경의 정수리에 턱을 괴듯이 얹고 뜨거운 목소리로 말했다.

"내가 더 나이가 많잖아!"

태경이 저항밖에 달리 탈출구가 없다는 듯이 소리쳤다.

"당신의 나이는 마흔다섯 개예요."

호준이 웃으며 말했다. 태경이 불쑥 고개를 추켜올렸다. 호준이 눈을 일부러 크게 뜨고 자신의 눈을 침범하는 태경의 눈을 삼켰다.

"무슨 뜻이에요?"

태경이 눈도 깜박이지 않고 물었다.

"당신의 몸과 마음속엔 한 살부터 마흔다섯 살까지가 다 들어 있다는 말입니다. 태경 씨. 제가 뭐 잘못했습니까?"

호준이 짐짓 숙련된 시종처럼 말했다.

태경은 온몸으로 그를 밀어내었다. 호준은 담벼락처럼 꿈쩍도 하지 않았다.

"당신은, 왜 당신을 한사코 보잘것없이 보려고 하는지… 그런 게 미덕이라고 해서 습관이 된 건지… 여자이기 때문인지… 부당하게 자길 낮추고, 자신의 능력을 부정하는 건 자기 자신에게나 사회에도 도움이 안 될 것 같아요. 어쩌면 위선보다 더 해가 클지 모르지…."

호준이 말했다. 그가 이렇게 말하는 어디쯤에서 태경이 뱀처럼 추켜들었던 고개를 떨구었을까.

호준이 다시 태경을 싸안았다. 태경의 몸은 작고, 호준의 품엔 너무도 잘 맞았다.

"화났어요?"

침묵하고 있는 태경에게 호준이 물었다.

"그냥 좀… 왜 이렇게 부끄러운지…."

태경이 중얼거렸다.

"당신이 내 곁에 있다면, 나는 아주 좋은 예술가가 될 것 같아. 그런 확신이 들어요!"

호준이 바다를 바라보며 말했다.

순간 태경이 호준을 쳐다보았다.

"우리는 거짓말을 하지 못해요. 우린 서로를 깊이 느끼기 때문에 거짓말을 만들 수가 없어…."

호준이 말했다. 태경이 호준의 가슴에 대고 있던 손을 들어 그의 목에 둘렀다. 그리고 자신의 발뒤꿈치를 한껏 들어올리고 고개도 들고… 그리고도 모자라 그의 고개를 잡아당겨 그의 입술에 자기의 입술을 대었다. 태경은 지난 11월의 바닷가를 생각했다. 전혀 새로운 삶이, 그들의 생명의 곳간에 쌓이고 있었다.

태경은 호준의 귀와 뺨, 머리카락을 숨가쁘게 만졌다. 셔츠 단추를 벗기고 혁대 밑으로 손을 넣어 러닝 셔츠를 밀어올리고 그의 허리와 등과 가슴살을 어루만졌다. 태경은 주저앉고 싶었다. 등뒤엔 바다가 있었다. 그리고 아무 소리도 들리지 않았다. 태경은, 자신들이 녹는다고 생각했다. 자신들이 녹아드는 것을 느꼈다. 두 몸이 녹아서 모래에 스며들어 마침내 모래가 되고 바다가 되고 자연이 되는 신비한 느낌에 취해들었다.

이윽고 달고 따뜻하고 부드러운 오랜 입맞춤에서 깨어났을 때, 태경은 자기 자신으로 돌아오는 데 '시간'이 필요했다. 그 삶도 죽음도 아닌 짧은 시간 속에서 태경이 속삭였다.

"우리가 죽을 때까지 같이 있을 수 있을까?"

"죽은 후에도 같이 있을 거야."

호준이 더운 목소리로 말했다. 그의 젖은 입술이 몽롱한 태경의 눈에 가볍게 내려앉았다.

"죽은 후에도?"

태경이 눈 한쪽을 잃은 채, 그런 것은 개의치 않은 채 중얼거렸다.

"그래요. 우리가 그걸 진정으로 원한다면…."

태경은 이렇게 말하는 호준의 목소리를 들었다. 그리고 그는 자신의 가슴에서 벅찬 기쁨으로 우는 침묵의 울음소리를 들었다.

그래. 우리를 아무도 갈라놓을 수 없어. 우리는 이미 녹아서 모래가 되었으니까. 모래 틈에 스며든 바닷물이 되었으니까. 대기가 되고 구름이 되고 은하수가 되었으니까. 우리는 시간과 그리움이라는 신을 품었으니까….

태경이 이런 생각에 잠겨 있는 동안 호준은 그의 나머지 눈에도 입맞추고 태경의 어깨를 잡았다.

  "이제 갈까?"

  호준이 말했다. 태경은 바다를 바라보았다. 저것을 여기에 두고 떠난다는 게 너무 아쉬웠다. 태경은 사람이 보이지 않는 짧은 겨울 오후의 바다와 헤어지기가 싫었다. 이상한 일이었다. 왜 호준과 만나면 그의 눈과 마음은 산이며 바다, 강과 계곡, 나무와 풀… 들과 교감하게 되는지 몰랐다.

  "춥지 않아요?"

  호준이 말했다. 태경은 모래를 내려다보았다. 그의 발은 짓궂게 모래를 깊이 파며 방향을 틀었다. 그의 몸이 찢기듯 그쪽으로 움직였다.

  호준이 태경의 차가워진 뺨을 손바닥으로 비벼댔다.

  "난 바다가 좋아!"

  태경이 바다로부터 발을 떼어놓으며 소리쳤다.

  "내가 바다가 될게요!"

  호준이 소리쳤다.

  그래! 난 당신이 좋다! 사랑한다고 말하기조차 두려운 남자!

  그들은 산채 정식으로 저녁밥을 먹었다.

  설악산에선 아무리 밝은 등불이라 해도 그것은 좀 커다란 반딧불에 지나지 않았다. 이곳의 밤은 서울의 어둠과 질이 달랐다. 태경은 이제 춥지 않았다. 그들은 이곳으로 오기 전에 속초 시내에 들어가 태경의 덧옷을 하나 샀던 것이다. 태경이 작은 소리로 노래를 불렀다.

  밤이 되면서 눈이 그쳤는데, 눈 덮이고 언 강 속에서 물 흐르는 소리가 들려왔다. 두 사람은 말없이 오래도록 걸었다. 가로수에서 졸다가 떨어지는 것처럼 눈이 펄썩 하고 땅으로 쏟아졌다. 신혼부부같이 보이는 젊은이들이 서로 부둥켜안듯 하고 무엇이 좋은지 마냥 소리내어 웃으며 지나갔다. 아래쪽 상가지역에서 노랫소리가 들려왔다. 태경은 자기가 이제껏 사랑을 모르고 살아온 여자라는 걸, 호준이로 하여금 그것을 알게 되었다는 걸 생각하며 걸었다. 자기가 지금 이런 눈 내린 설악의 밤길을 운명 같은 남자와 걷고 있다는 사실을 믿어야 될지…. 문득문득 태경은 정신이 아찔해졌다. 그러나 이런 순간적인 의구심보다 태경을 지탱하는 것은 평화로움이었다. 먼 하늘에 새파랗고 하이얗고 노란 별들이 나타나기 시작했다.

이윽고 그들은 호텔로 들어왔다. 호준이 시계를 보더니 클럽에 가서 한잔 하자고 했다. 홀은 우선 시끄러웠다. 밴드의 조악한 연주 솜씨 때문만은 아니었다. 홀 가운데를 메운 중년의 단체 손님들의 거친 흥겨움이 시끄러움을 더했다. 그들은 구석 자리에 앉았다.

"춤출 줄 아세요?"

호준이 물었다.

"전혀 못 해요. 할 줄 아는 게 없어… 뭘 하구 여태 살았나 몰라."

태경이 자조적으로 말했다. 그리고 술을 단숨에 들이켰다.

"술을 잘하잖아요."

호준이 장난치듯 말했다.

"이건, 내가 잘하는 게 아니구 부모님이 준 유산이니까."

태경도 자기 잔에 술을 부으며 말했다. 홀은 시끄러워서 이야기는 하기 힘이 들었다. 블루스가 시작될 때 호준이 태경을 일으켰다. 태경은 거푸 잔을 비우고 호준을 따라나섰다. 남자 가수가 부르는 노래는 우울하고 선정적이었다. 태경은 편안했다. 그리고 즐거웠다.

그러나 그들은 그곳에 더 있지를 않았다.

호준이 방문에 열쇠를 꽂았다. 태경은 그의 뒤에 서서 문을 열고 있는 호준의 몸짓을 머리카락의 흔들림조차 놓치지 않고 바라보았다. 한 남자가 닫힌 문을 열고, 마침내 열린 그 안으로 함께 들어갈 것이었다. 그런데 태경의 가슴에서 쇳물 같은 것이 용트림을 했다. 쇳물의 내용이 무엇인지 알 수도 없었다. 태경은 격정 때문인지 울컥 치미는 손짓으로 호준의 허리를 잡았다. 호준은 손을 뒤로 돌려 태경의 팔을 잡고… 두 사람은 안으로 들어갔다. 태경은 어두워서 아무것도 볼 수가 없었다. 어느 순간 그가 눈을 감아버렸는지도 몰랐다. 호준이 문고리를 걸고 불을 켜고 갑작스레 태경을 무슨 영화처럼 번쩍 들어올려 몇 발짝 걷고 그를 침대에 누일 때까지, 태경은 어둠만 보았다.

침대에 누운 채 그대로 있는 저 여자 태경은 흡사 갓난아이 같았다. 욕망이 없어서 다만 하나의 생명이기만 한 존재… 호준은 그런 존재를 향해, 그 생명에 입맞추었다.

호준이 웃옷을 벗어 옷장에 걸고 한쪽에 떨어져 있는 태경의 스웨터도 걸었다.

그 사이 태경이 일어나 의자에 앉았다. 그는 찬물을 한꺼번에 한 잔 반이나 마셨다.

"호준 씨. 난 진실하게 한번 살아보고 싶어요. 사랑하면서…."

호준이 커튼을 걷고 있을 때, 태경이 그를 쳐다보며 절박한 목소리로 말했다. 호준은 아무 말도 하지 않았다. 그의 한 손은 아직 커튼을 잡고 있었다.

"나는 이제 마흔다섯이 되었어. 얼마를 더 살 수 있을까. 대충 20년에서 30년. 아니 10년일지도 모르고…. 하여튼 살아온 날보다 살 날이 더 짧다는 것만은 확실해…. 그 짧은 날을 기쁘게 살아보고 싶은 게 지나친 욕심일까? 한번 결혼한 여자는 그런 희망을 이루는 게 죄가 될까? 이 세상에 남자와 여자는 아주 많지만, 서로 어울리고 화합이 자연스러운 짝이 있을 거야. 여자끼리도 이유없이 그저 좋은 사람과 웬지 맞지 않는 사이가 있거든…. 내 기분 이해할 수 있어요?"

호준은 아무 말도 하지 않았다. 그래도 태경은 그가 아주 진지하게 자기의 얘기를 듣고 있다는 걸 알 수 있었다.

"난… 호준 씨를 만나기 전에는… 글쎄, 불행하지는 않았을 거야. 불행을 느낀 적은 없었던 것 같아. 화나거나 속상한 적은 있었지만…. 그래서 그랬는지 '결혼'이나 '나 자신'에 대해선 전혀 생각을 하지 못했어. 그냥 늘 열심히 살았다고 할까. 그런데 당신을 깊이 알게 되면서 비로소 내 젊은 날을 모두 바친… 소모한 결혼생활에 대해서 생각하기 시작했어. 내가 남들이 부럽게 집 안을 쓸고 닦고 하면서 나를 돌보지 않고 살았던 건 어쩌면 도피의 한 방법이었을지도 몰라. 진실을 보지 않기 위해. 실상을 깨닫지 않으려고…."

태경은… 않으려고… 를 갑자기 떨어져내리듯 작은 목소리로 말하며 무슨 생각엔가 잠겨들었다.

… 나는 남편을 미워하진 않는다. 하지만 사랑하지도 않는다. 어쩌면 신혼이라는 때가 있었겠지. 그러나 처음엔 '달콤'하기보다 당황스러웠어. 너무 서툴었기 때문에, 당황스럽게 아내가 되었지. 남편은 늘 바쁘고 밤을 새워 일하는 적도 있었어. 어학 공부 때문에 새벽같이 집에서 나갔어. 나는 그가 돌아오는 시간을 몰랐지. 그래서 저녁부터는 기다리기만 했어.

어느 날 아이를 낳고 어머니가 되었고 살림에 요령이 생기면서 주부가 되었지. 어머니가 되는 것은 경이롭고 신비한 경험이었지만, 그것은 나만의 일은 아니야. 아이들도 결국은 나로부터 독립하기 위해 개인이 되는 과정을 살아가는 거야. 아이들도 남편처럼 자기들한테 '잘해 주기만'을 바래. 나는 남편과 아이들에게 '잘해 주기만' 하는 역할을 맡은 거나 다름없어. 그 역할을 게을리하거나 그 역할에 회의하면 '천벌'을 받는다고, 여자가 아니라고, 나는 그렇게 믿게끔 키워졌지.

주는 것만 받아먹고 시키는 대로 고분고분 다 해내고, 그러면서 남편이 내게 줄 것을 주지 않을까 봐 늘 두려워 그의 눈치를 보고, 그의 비위를 맞춰야 하고, 그는 내게, 무엇을 '주고' 나는 남편에게 '받는' 역할이 사랑이라고…. 그건 거짓이야. 그런 모멸적인 관계가… 이젠 싫다!

태경은 목뒤에 손을 둘렀다. 다리를 길게 뻗쳤다. 몸의 중심이 밑으로 흐르기 시작했다. 태경은 그래도 그냥 두었다. 엉덩이가 의자 끝으로 미끄러져 내리도록.

태경은 문득 고개를 돌렸다. 그의 눈길이, 여태 그 여자를 바라보고 있던 호준의 거미줄 같은 눈길에 걸렸다. 태경은 눈을 찌푸리고 아랫입술을 깨물었다. 호준이 거기 있다는 것이 얼마나 다행인지! 반가웠다. 눈물이 찔끔 날 것 같았다.

"생각이… 끝났어?"

창턱에 앉아 있던 호준이 바닥으로 내리면서 물었다. 태경은 팔을 추켜들었다. 살을 말릴 것 같은 짜증에서 벗어나고 싶었다. 짜증의 그물코를 낱낱이 풀고 끌어내고 싶은 욕구가 솟구쳤다. 호준이 의자를 끌어다 태경의 옆에 놓았다. 그가 아직 추켜들린 채로 있는 태경의 오른팔을 잡아 아래로 내렸다.

"나는 어려운 일이 생기면 잠깐 고민하다가… 그렇지 잠깐 고민하다가 생각을 바꿔요. 잘될 거라고. 잘될 테니까 잘되도록 노력하자고. 물론 잘 안 되는 일도 있지만."

태경이 이렇게 말하는 호준을 말똥거리는 눈으로, 그러나 눈 한구석에 짜증이 장마전선처럼 비껴 있는 눈으로 쳐다보았다.

"내 방법 어때?"

호준이 태경의 눈을 감기려는 듯이 손으로 밀어내리며 물었다.

글쎄.

태경이 속으로 말했다. 그는 다만 머리가 터질 것 같아서 아무 생각도 할 수가 없었다. 그는 호준이 자신의 손을 만지고 턱을 더듬고 머리카락을 만지는 걸 느끼기만 했다.

"호준 씨!"

태경이 갑작스럽게 그를 불렀다.

"나, 이제 서울 가면 어떻게 되지?!"

태경이 초조하고 절망적인 목소리로 물었다.

"당신이 원하는 대로."

호준이 속삭이듯 대답했다.

태경은 그러나 이런 속삭임에 의지할 수가 없었다.

"내가 무얼 원해?!"

태경이 의자에서 곧추 앉으며 도발적인 목소리로 물었다. 이런 태도나 목소리는 그의 결혼생활 내내, 누구도 본 적이 없는 것이었다. 그의 두 눈은 젖었고, 불빛 때문에 빛나는 것만은 아니었다. 호준의 손이 태경의 무릎에서 죽은 것처럼 스르르 떨어져내렸다. 이렇게 흘러내린 그의 손이 자기의 얼굴을 감쌌다.

1분쯤 지났을까?

그가 담배를 찾아 입에 물었다.

방 안은 고요하고, 돌고 있던 냉장고의 모터가 툭 멈췄다. 길 쪽에서 자동차 달리는 소리가 들려왔다. 호준이 라이터를 내려놓고, 연기를 길게 뱉었다.

태경이 일어났다. 그 여자는 냉장고를 열고 작은 맥주병을 꺼냈다.

"난 얼마 전에 아이를 잃었어요."

태경이 술병을 따고 의자에 앉아 잔에 술을 부을 때, 호준이 나직한 목소리로 말했다. 태경은 그 말을 대뜸 알아듣지 못했다. 그래서 호준을 빤히 쳐다보았다.

"… 아이가 죽었다는 사실을 확인했을 때, 나는 아내라는 여자와 타인이 되었다는 섬뜩한 느낌을 느꼈어요. 아직도 그 응급실에서의 써늘한 느낌을 잊을 수 없는데… 아이는 2년도 채 안 되는 삶을 살다 떠나면서 우리 부부의 턱없는 인연을 끊어버린 셈이지요. 웬지… 그렇게밖에 생각이 안 들더라구요. 아내는 늘 남편으로서의 나를 불편해 했으니까. 나는 그 불편의 의미나 내용을 전혀 이해하지 못했고…"

술을 마시던 태경이 손을 떨더니 두 손으로 잔을 잡아 탁자에 간신히 내려놓았다. 그의 눈에는 겁이 가득 차 있었다. 그뿐만이 아니었다. 그는 무엇이든지 호준에게 '사과'하고 싶었다. 너무도 미안했다. 호준보다 나이는 더 먹었어도 자기가 훨씬 철부지처럼 행동하고 생각한 것 같아 부끄럽기도 했다. 호준은 길게 타들어간 재를 재떨이에 털었다.

"무슨 말을 해야 할지 모르겠어…"

태경이 겨우 이렇게 말했다. 호준의 눈은 아래로 내리뜨여서, 그가 우느지, 그냥 무심한지, 화가 났는지 태경에겐 분간이 안 갔다.

"난 아무것두 모르고…"

태경이 중얼거렸다.

"괜찮아요."

호준이 부드럽게 말했다.

태경은 울 것만 같았다. 자신이 자신을 갉아먹던 그 짜증이라는 그물이 호준의 아픔에 비하면 얼마나 사치한 것인지… 왜 그런 일이 있으면서 그 동안 내색조차 하지 않았는지… 그가 야속하고 자기 자신이 미워졌다.

"대신 태경 씨를 얻었잖아요."

호준이 나직이 말했다. 태경이 고개를 번쩍 들었다. 그는 커다랗게 뜬 눈으로 호준을 뚫어지게 바라보았다.

한 순간이 지나갔다. 태경이 호준의 발 아래 무릎을 꿇고 앉았다. 그리고 손을 그의 무릎에 얹었다. 태경은 아무 말도 할 수가 없었다. 온 방 안이 희한한 광채로 드넓어지는 느낌이 들었다. 몸이 가벼워지고 아무런 생각도 하지 않는 상태―그러나 분명 공허가 아닌 허허로움. 기쁨인가? 호준이 태경의 손을 잡았다. 그가 끌었는지, 아니면 태경이 일어났는지, 이윽고 태경이 호준의 다리에 앉았다.

"우리는… 괜찮을 거야…"

호준이 태경의 볼에 입을 대고 말했다. 그의 부드러운 입술이 태경의 볼에서 움직거렸다.

태경이 반드시 그래야 된다는 듯이 고개를 끄덕이었다.

"우리는 절대로 헤어지지 않아. 그래야 돼."

태경이 울먹이며 말했다.

"그래요. 헤어지지 말자구. 많은 어려움이 있겠지만… 그런 어려움을 헤쳐나가는 것이 사랑이니까…"

호준이 말했다. 태경이 감동으로 벅찬 얼굴을 감추지도 못한 채 마구 고개를 끄덕이었다.

"당신이 진정으로 원하면, 그렇게 될 거야."

"내가 원하는 대로?"

태경이 갑자기 불안한 표정이 되며 되물었다

"우리가 원하는 대로!"

호준이 말을 바꾸었다. 태경은 이제 더 이상 할말도 없었다. 확인할 것도 남아 있지 않았다. 두 사람은 한동안 고요 속에서 아주 편안하게 앉아 있었다.

"부인은 지금 어디 있어요?"

한참만에 태경이 조심스럽게 물었다.

"자기 집에 있어요. 아이를 거기 가서 잃었으니까."

"아파서?"

"사고라는데… 운명이라고 생각해요."

"부인의 충격이 컸겠어요."

"글쎄. 시간이 지나면 다 괜찮아질 거야."

"시… 간…."

"그 여자는 아직 자기에게 알맞는 삶의 틀을 찾지 못한 여자니까… 시간이 가면 알게 되겠지. 자기에게 맞는 인생…"

호준이 박음질하듯 말하더니, 결국은 그것조차 끝맺기를 못했다. 태경은 그가 더 이상 말하지 않으리라는 걸 알았다. 그는 호준을 바라보고 있을 수가 없었다. 그는 조용히 호준의 다리에서 내려앉았다. 자기가 한 남자를 그리워하고 있을 때 그 남자의 삶에 너무도 큰 어려움이 일어났던 것이다…. 태경은 이 사실을 '아무렇지 않게' 받아들일 수가 없었다.

자신의 눈물 같은 사랑이 그의 고통에 무슨 도움이 되었는지… 태경은 오히려 자기 자신이 그에게 미안하기까지 했다. 그러나 마음 한구석에, 호준이 한 말―자기에게 맞는 인생이라는 말이 걸려서 지워지지를 않았다. 자기에게 맞는 인생… 나에게 맞는 인생… 사람에겐… 아마 그럴지 모른다. 자기에게 맞는 삶이 있을 것이다. 자기에게 맞는 삶… 사람….

태경은 조용히 일어났다. 그는 빛의 흐름처럼 아주 고요하게 움직여서 침대에 누웠다. 호준이 돌아보았다. 그가 일어섰다. 침대로 왔다. 태경을 내려다보았다. 그 여자의 젖은 눈이 시냇물 같았다.

"피곤해?"

호준이 그의 옆에 앉으며 다정하게 물었다. 태경은 눈을 감고 고개를 저었다. 그리고 침대에 세운 호준의 셔츠 소매 속으로 손을 넣었다. 남자의 투박하고 부드러운 살을 매만지기 시작했다.

"언짢아요?"

호준이 태경의 볼을 만지며 물었다. 태경은 아무 말도 하지 않았다.

"얘기하고 싶지 않았지만 어차피 당신도 알아야 할 것 같아서…"

호준이 말했다. 태경은 호준의 팔을 밧줄처럼 붙잡고 몸을 일으켜세웠다.

"이제 내가… 당신 없이는 살아갈 수 없다는 걸… 느껴요?"

태경이 중간 중간 침묵의 틈을 두며 말했다.

"그래."

호준이 대답했다.

"그럼 내가 어떻게 해야 하는지, 잘 얘기해 줄 수 있겠네?"

태경이 말했다.

"그걸 원해요?"

호준이 물었다.

"어떡하면 좋지?"

태경이 물었다. 호준이 자기도 모르게 한숨을 쉬었다. 태경은 자기의 태도가 싫어졌다. 호준에게 고통을 주고 있는 것 같아서, 그렇게 하는 자신의 비굴한 태도가 혐오스러웠다. 그러나 이미 뱉은 말이었다. 태경은 호준의 등에 얼굴을 묻었다. 그는, 그의 든든하고 따뜻한 등에 기대어, 이 남자를 잃을 수 없다고 생각했다. 자기는 이미 다른 별에서 살아보았기 때문에, 자기에게 맞는 세계가 있어서 다시는 먼저의 별로 돌아갈 수가 없다고. 자신의 생명이 느껴지지 않고 투박하며 멍청하게 살았던 그 과거의 별로는 돌아갈 수 없다고… 그것은 죽음보다 더 나쁘다고….

"태경 씨."

호준이 태경을 불렀다. 나직하고 따뜻한 목소리였다. 태경은 대답 대신 손가락으로 호준의 등을 긁었다.

"아이들과 헤어질 수 있겠어요?"

호준이 물었다. 잠시 침묵이 생겼다.

"몰라."

곧, 출렁거리는 목소리로 태경이 대답했다. 호준이 그의 팔을 뒤로 돌렸다. 아이를 업듯이 태경을 팔로 감았다.

"난 말이에요. 당신의 아이들과 같이 살고 싶어요. 당신이 낳은 아이들이니까…."

호준이 너무도 편안하게 들리는 목소리로 이렇게 말할 때, 태경은 자신의 생이 어딘가로 뭉텅 움직이는 듯한 기이한 기분을 느꼈다. 그 기분은 이내 사라지지가 않았다.

"내가 어디서부터, 무엇부터 당신의 짐을 나눠져야 할지 오래도록 생각해 봤어요. 당신이 나를 사랑하고 있다는 게 확인되는 순간부터. 내가 당신과 함께 살고 싶어질 때부터. 우리가 함께 사는 게 옳은 것처럼 생각될 때부터."

호준이 말했다. 태경은 숨을 쉴 수가 없었다. 그의 머릿속이 몽롱해지기 시작했다. 혹시 우주로 가면 이럴까? 태경은 자신의 몽롱한 상태에서 우주를 생각했다. 어딘가로, 새로운 세계로 아무 저항 없이 자신의 생이 스며들고 있는 느낌만이 불가항력적으로 느껴질 뿐이었다.

태경이 천천히 팔을 들어 호준의 목을 감았다. 이제 그의 몸에는 힘이 남아 있지 않았다. 호준의 목에 그의 팔이 감겨져 지금의 자세를 간신히 지탱하고 있었다.

시간이 꿈처럼 흘렀다. 침묵이라고 표현하는 건 거칠어서, 그저 사랑이라고 하는 게 나을 것 같은 시간이 그들의 정물 같은 모습 속으로 흘렀던 것이다.

"남편한테 말할게요."

태경이 고요하게 말했다. 호준은 대답하지 않았다. 그러나 그가 듣고 있다는 걸, 태경은 알았다.

"나는 더 이상 숨기고 감출 힘이 없어."

다시 태경이 말했다. 그의 음성이 울렁거렸다. 그를 잡고 있는 호준의 팔에 힘이 모여들었다.

"내가 진실하게 말하면 남편도 진실을 받아들일 거야. 내가 같이 사는 동안 그 사람한테 악하게 한 것이 없으니까. 나를 원수로 생각하지 않는다면, 내가 진정으로 원하는 인생을 살도록 도와줘야 할 거야. 그래야 인간이야. 난 그렇게 생각해…."

태경의 말소리는 조금씩 높아지고 울림의 굴곡이 심해졌다. 그리고 그는 마침내 울기 시작했다. 어떤 서러움이 지금 그의 목젖을 치받고 올라오는지 몰랐다. 태경은 서러움 때문에, 호준이 땅이 꺼지게 내쉬는 한숨소리를 듣지 못했다. 물론 그가 어떤 생각 중에 한숨을 쉬었는지도 알 수가 없었다.

호준이 돌아앉았다. 태경이 손으로 자신의 눈물이 줄기져 흘러내리는 얼굴을 덮었다.

당신의 남편이 당신을 사랑했다면, 분명히 당신의 순진하고 순결한 심성을 발견했을 겁니다. 만일 그렇다면 당신을 이해할지도 모르지요. 하지만 그가 당신의 심성에 대해 전혀 관심을 갖지 않았다면… 당신에게 얼마나 큰 고통을 줄지….

호준이 속으로 말했다. 그는 태경의 남편을 본 적이 없었으므로 그에 대해 제대로 상상할 수는 없었다. 하지만 태경을 통해 느껴지는 인상은, 태경의 남편이 '권위적'이라는 것이었다. 아내와 가족과 가정을 소유한 소유주로서의 강인함과 너그러움과 거만을 한꺼번에 가진 남자일지 몰랐다. 자기가 원하는 자기 식의 아내를 한 사람 소유해 두는 것으로 만족하는 남자…. 호준은 아무리 생각을 다르게 해보려 해도 태경의 남편에 대한 구도는 이런 인상을 벗어나지 않았다.

그는 어쩌면 머지 않아 그런 경직된 삶의 질서에 체질이 굳어버린 남자와 마주쳐야 하리라고, 그때가 곧 오리라고 예감했다. 태경과 함께 살자면 반드시 거쳐야 할 통로이리라….

호준은 태경에게 휴지를 가져다주었다. 그리고 그가 눈물과 콧물을 닦은 휴지를 받아 쓰레기통에 넣었다.

태경은 한동안 울던 울음을 그쳤다. 그의 서러움의 때는 그렇게 벗겨지는지 몰랐다.

"나는 왜 이렇게 잘 울지? 울보인가 봐."

태경이 코를 훌쩍거리며, 이젠 웃으며 말했다. 그런 그를 호준이 따뜻하게 바라보았다.

"잘될 거야."

그리고 그가 말했다.

"정말?"

태경이 흡사 겁먹은 어린아이 같은 목소리로 물었다.

"그래! 걱정 말아요!"

호준이 힘차게 말했다. 태경이 활짝 웃었다. 구름이 밀려가듯이 그에게서 두려움과 걱정이 사라지고 있었다.

"이제 잘까요?"

호준이 말했다. 태경이 고개를 끄덕이었다. 그들은 서로의 옷을 벗겨

주고 함께 욕조로 들어갔다. 호준이 태경의 몸에 비누질을 해주었다. 태경이도 그가 하듯이, 그에게 그렇게 했다. 설악산의 물은 그들의 살갗을 더없이 매끄럽게 해주었다. 살갗만이 아니라 머리털에도 윤기를 주었다. 그들의 잠자리는 편안하고 아늑했다. 서로의 맨살이 닿자, 호준의 성기가 태경의 젖어서 녹은 듯이 열린 성기로 미끄러져 들어갔다. 따뜻하고 미끄럽게 부드러우며 모든 것을 잊게 하는 쾌감 속에, 그들은 주저없이 닿았다. 태경의 입술이 호준의 어깨 안쪽에 닿았다. 호준의 따뜻한 혀가 태경의 입술 사이로 스며들고, 그들의 몸은 아무것도 기억할 수 없고 생각할 수 없는 상태에 젖어들었다. 아주 오랫동안, 잠깐씩 서로의 존재를 확인하려는 듯 눈을 뜨면서.

태경은 이런 황홀이 눈물겹도록 좋았다. 오랫동안 수치와 모욕의 상자에 갇혀 있던 그 여자의 성욕이 마침내 당당한 알몸으로 볕에 나선 것과 같았다. 그 여자는 자기 속으로 드나드는 한 남자의 성기를 기쁨의 눈길로 바라보았으며, 자기와 다른 체형의 사람인 남자의 뼈와 살을 아무런 편견이나 선입견 없이, 주저함 없이 만지고 살피고 느꼈다.

그러다가 그 여자는 말로는 설명할 수 없고 설명은 이미 그것의 본질을 희석하게 될 뿐인 오르가슴에 이르렀으며, 그 상태에서 자기로부터, 삶으로부터 해방되는 순간을 획득했다.

태경은 이런 상태가 '축복'이라고 생각하기에 이르렀다. 한 남자와 여자의 생명이 맞닿아 평화를 얻게 되는 길은 멀고 험난하지만, 거기에 이르른 사람에게 주어지는 신의 축복의 징표라고 믿게 되었던 것이다. 황홀함이….

통로

··· 근우와 소영이는, 그 애들이 원하는 대로 해야지. 아이들 아버지에게도 원망이 생기지 않게···.

다음날 이른 저녁 무렵 호준과 헤어져 집으로 돌아오는 길에, 태경은 결국 이런 결론을 내렸다. 자신이 낳아 기른 자식들과 헤어져 살아야 한다는 생각이 들면, 태경은 우선 피가 식는 것 같은 오한을 느꼈다. 자기가 아이들 없이 살 수 있을지, 아이들이 갑작스레 자신과 헤어졌을 때, 그 충격을 어떻게 감당해 나가려는지···. 만약에··· 남편이 아이들을 다시는 만날 수 없게 한다면···. 어떤 영화에서처럼 학교 앞에 가서 기웃거리다가 아이들의 모습만 훔쳐보게 될는지···.

태경의 이런 생각은 집이 가까이 다가올수록 더 진하고 커져서 태경의 감정 기능을 꿀깍 삼키고 말았다. 그래서 태경은 그저 슬프고 먹먹해진 채 택시에서 내려 집으로 들어갔다. 아이들과 헤어진다는 것, 아이들이 자기와 헤어질 때 받을 고통을 생각하는 건, 이젠 태경의 감각으로선 더 이상 감당할 수 없는 것이었다.

걸음을 걷는 그의 발길은 무겁고 흔들려 보였다.

태경은 현관문 앞에 섰다. 집 안에서 소영이 악을 쓰는 소리가 들려왔다. 초인종도 누르지 못하고 손잡이를 잡아당기는 태경의 팔목에 문 안쪽의 완강한 저항이 느껴졌다. 근우가 뭐라고 소리치고 있었다. 남매가 싸우는 것이었다. 어머니는 무얼 하고 계실까. 태경은 형언키 어려운 고통에 목이 메었다. 힘없이 누른 초인종소리에 벌컥 문이 열렸다. 태경은 문을 열어준 어머니의 눈빛에서 이내 절망과 슬픔을 보아야 했다. 하루 사이에 중병을 앓고 난 사람처럼 얼굴이 핼쑥해진 전씨를 보자 가슴이 철렁 내려앉았다.

"왔니."

그런데도 전씨가 먼저 딸에게 안도와 절망이 범벅된 목소리로 말을 건넸다. 태경은 걱정과 슬픔에 가득 찬 어머니에게 너무도 하고 싶은 말이 많았다. 아쉬운 대로 우선 '어머니, 아무 걱정 마세요'라고 말해 드리고 싶었다. 그런데 입이 붙어서 좀체 떨어지지가 않았다. 어머니의 불안은 너무도 깊고 클 것이었다. 깊고 큰 어머니의 불안을 어디서부터 헐어내야 될지, 아니면 희망으로 메워야 할지, 태경은 그래야 할 것 같으면서도 도무지 엄두를 내지 못했다. 아이들은 태경이 돌아온 것도 모르고 무엇 때문인지 계속 싸움질을 했다. 태경은 방으로 들어가 옷을 갈아입으면서 아이들로부터 들려오는, 내놔! 내꺼야! 하는 고함을 아득한 느낌으로 들었다. 그러면서 그는 침대에 걸터앉았다. 아무것도 하고 싶지가 않았다. 하기로 하면 모든 것이 일이었다. 그런데 왜 집으로 돌아왔는데 이토록 무기력해져야 할까. 왜 아이들에게 선뜻 얼굴을 보이지 못할까. 너희들은 남매다. 어머니 뱃속에서 태어난 사람은 너희 둘뿐이다. 어떤 일이 있어도 서로 의지하고 사랑해야 한다…. 태경은 왜 이렇게 말하지 못했을까.

"밥 먹었니?"

삐끔이 닫기다 만 문을 밀고 고개를 디민 전씨가 기운 없는 목소리로 물었다. 태경은 어머니를 쳐다보았다. 갑자기 늙어버린 기색이 완연했다. 태경의 가슴이 아린다 싶더니 눈시울이 뜨거워졌다. 태경의 일탈은,

전씨의 상식과 생활 정서를 뛰어넘는 것이라서, 이제 그는 딸에게 섣불리 따질 수도 없었던 것이다. 마흔 중반의 딸에게 가지는 절망과 두려움은 마치 딸이 받아놓은 목숨을 죽이고 있는 것 같아 슬픔조차 겉으로 드러내기 무서운, 그런 것이었다. 시한부 생명의 자식에게 어미가 할 수 있는 일이란 밥을 챙겨 먹이는 것밖에 없는 것처럼, 전씨는 딸에게 그 말밖에 하지 못했던 것이다. 그러나 태경은 대답할 시간을 갖지 못했다. 전화벨이 울렸던 것이다. 조건반사처럼 태경이 일어섰는데, 수화기는 전씨가 들었다.

그이는 아닐 거야….

태경은 오래 전부터 그랬던 것같이 두근거리는 가슴을 누르며 생각했다.

전화벨 소리 때문인지, 아니면 제풀에 싸움이 끝났는지 아이들이 소영이의 방에서 나왔다.

"엄마 왔잖아?"

제 방 앞에, 우두커니 서 있는 어머니를 보자마자 소리쳤다. 태경은 딸을 무턱대고 끌어안았다. 딸의 뒤에 근우가 벌겋게 된 얼굴로 서 있다가 동생과 어머니의 포옹을 바라보았다.

"잘 있었니?"

태경이 소영이를 풀어놓으며 근우에게 인사했다. 아들이 그냥 미소지었다.

"오빠는 아주 나빠! 내 테이프를 자기 달래! 말두 없이 가져가구… 도둑놈이야!"

소영이가 배우처럼 재빨리 표정마저 일그러뜨리고, 슬프고 억울한 목소리로 소리쳤다.

"그래서 실컷 싸웠구나."

태경이 말했다. 이때 전씨가 태경에게 수화기를 들어 보이며 태희라고 말했다.

"이모가 오늘 열 번두 더 전화했어. 엄마 오면 꼭 전화하랬는데 이모가 먼저 했네."

소영이가 지껄였다. 태경은 태희와 얘기하고 싶지 않았다. 그러나 일어섰다.

"언니 어디 갔었어?"

태희가 꾸짖는 목소리로 물었다. 태경은 짜증이 났다. 어린 동생이 자기에 대해 걱정하고 있는 '중요한 점'이 무엇인지, 태경은 오히려 그것을 묻고 싶었다.

"엄마가 전화에 대고 울더라."

태경의 침묵이 결코 부드럽지 않다는 걸 느낀 태희가 한풀 꺾인 낮은 목소리로 말했다.

태경은 아랫입술을 깨물었다. 이번에도 태희가 들은 언니의 대답은 한숨소리뿐이었다.

"그 사람하구 갔었어?"

"응."

태경이 너무도 쉽게 대답했다. 이번엔 태희 쪽에서 침묵했다. 30초쯤 지났을까.

"언니 정말 이혼할 거야?"

"다른 방법이 없잖니."

"이혼밖에?"

"응."

"그 사람도 그렇게 생각해?"

"물론이지."

"그쪽두 이혼한대?"

"그럴 거야."

"언제?"

"글쎄."

"그 사람 없이는 살 수 없어?"

태경은 태희의 이런 수사관 같은 질문이 싫었다. 태경은 수화기를 내려놓고 싶었다. 더 이상 말하고 싶지 않았다. 말은 행동을 헷갈리게 하는, 그래서 도리어 방해만 되는 요물일는지 몰랐다. 그냥 이혼하고, 사랑하는 남자와 살 것이다. 그렇게 되도록 '행동'하면 된다… 말은 너무 피곤하고 불필요한 생각을 군더더기처럼 붙이게 된다… 태경은 이런 생각을 했다.

"인니. 내일 나랑 만나."

태희가 비장하게 들리는 목소리로 말했다.

"언니. 나랑 만나. 언니하구 꼭 만나야 돼! 알았지? 내가 그리 갈까?"

"아침에 전화하자."

"아니야. 지금 약속해. 집에 가면… 엄마두 계시구… 애들은 개학이지? 언니가 시내루 나올래?"

"글쎄."

"그럼 내가 갈게. 언니네 집 근처 다방으루 가지 뭐. 아, 거기 왜 은행 있잖아. 은행 지하에 뭐 있더라. 10시? 10시 반?"

태희의 목소리는 집요했고, 태경은 그 집요함 때문에 '10시 반'으로 약속했다.

"엄마, 외할머니가 그러는데 엄마 친구가 너무 아파서 돌봐주러 급히 갔다는데… 친구 누구야?"

수화기를 내려놓고 멍청하게 앉아 있는 태경에게 소영이가 다가와서 물었다. 태경은 잠시 어리둥절하다가 이내 어머니의 배려를 깨닫고 가슴이 뭉클해졌다.

"어미야, 그래 그 친구는 좀 괜찮디?"

이때 전씨가 딸과 손녀의 얘기에 이런 말로 끼어들었다. 그러면서 전씨는 아직도 태경의 얼굴을 쳐다보고 있는 손녀딸의 고개를 돌려 세웠다. 소영아 들어가 자자. 내일 학교 가잖니? 하고 말했다.

이 짧은 동안에 일어난 일로 태경은 한동안 소파에 붙박여 있어야 했다. 전씨에겐 아직 태경이 길 건널 때 조심해야 할 어린자식이었고 죽는 날까지 보살펴야 할 딸일 것이었다. 태경은 어머니의 사랑 때문에 목이 메었고 또한 그 사랑이 두려워 옴짝달싹할 수가 없었다. 그러나 이런 틈에서도 태경은 호준을 느꼈다. 그는 대기처럼 태경이 숨쉬는 어느 곳에서나 가득 차 있었고, 태경은 홀연한 느낌 속에서 불현듯 '사랑'을 숨쉬곤 하는 것이었다.

어느 결엔가 집 안이 조용해졌다. 태경은 거실의 불을 끄고 주방을 돌아본 다음, 부엌 불도 끄고 방으로 들어가려다 불빛이 새어 나오는 근우의 방문을 열었다. 근우는 책상 앞에 앉아서 무엇인가를 쓰고 있다가 고개를 들었다. 태경을 보면서 본능처럼 공책을 덮었다.

"내일 개학이니?"

태경이 물었다.

"오늘 했잖아요."

"아, 그랬니?"

태경은 부끄러웠다. 하지만 근우는 대수롭잖게 여기는 모습이었다.

"넌 이제 고등학생이 되는구나 벌써…."

태경이 민망함을 감추려고 중얼거렸다.

근우는 어머니가 어서 나가주기를 바라는 눈치였다. 태경은 아이와 자기 사이에 어떤 거리가 느껴져 당황스러웠다.

"엄만 나간다."

태경이 썰물 같은 목소리로 말했다. 근우는 입을 달싹거리는 것 같았으나 실제론 아무 소리도 내지 않았다. 태경은 아이의 방문을 등뒤에서 닫았다. 그리고 안방으로 들어갔다. 몸은 나른한데 잠을 자고 싶지는 않았다. 무슨 할 일—집안 살림살이가 아닌 어떤 일을 해야 할 것 같은 조바심이 조심스럽게 밀려들었다.

거의 1분쯤 방 가운데 우두커니 서 있었다. 그래도 태경에겐 조바심의 내용이 떠오르지 않았다. 태경은 옷을 벗으려고 가슴 위에 달린 지퍼의 꼭지를 잡아 내리다가 그만두고 커튼이 쳐진 창가로 갔다. 커튼을 밀고 덧문을 열었다. 어스름한 세상이 보였다. 그것을 보는 순간, 태경의 마음이 거침없이 밖으로 쏟아져 나갔다. 그제야 태경은 자신의 조바심이 저 세상 속, 드넓은 천지로 나가는 것임을 깨달았다. 이제까지 자기가 살아온 하나의 점 같은 삶을 떠나, 무수한 점과 선으로, 그것들 속에 휩싸여 살아가고 싶었다. 태경은 왼손으로 어둠에 물든 투명유리에 손을 대었다. 유리는 차고 웬지 눅눅했다. 그의 손이 확인할 수 있는 세상은 고작 이랬다. 태경은 허겁지겁 두 짝의 유리문을 가운데서 닫힌 고리를 틀어 벗겨내고 창을 열었다. 찬바람이 들이닥쳤다. 태경은 고개를 내밀고 차가운 대기를 한껏 들이마셨다. 태경의 마음에 있는 아쉬움과 그리움 속으로 대기가 물기처럼 스미고 채워지기 시작했다. 기독교인들이 세례를 통해 삶의 질을 바꾸려하듯, 지금 태경은 마치 스스로의 욕구가 만들어 낸 의식에 빠져든 것 같았다.

태경은 창문 밖으로 손을 내밀었다. 겨울 밤의 대기에 살이 닿았다. 그 대기 속엔 그리움의 원형질들이 형태도 없이 배어 있을 것이었다. 태경은 그 대기 속으로 자신의 갈망을 해방시켰다. 대기 속으로 들어간 자신의 갈망이 마침내 어딘가로 떠돌다가 운명처럼 안식하는 곳이 있으리라고… 태경은 무녀처럼 속으로 이런 갈망의 주문을 외웠다.

태경은 어둠의 대기를 다 마시고 눈을 크게 떠 세상의 깊고 아득한 곳을 끝까지 바라보고 싶었다. 창 밖으로 내민 소망의 손엔 차가운 겨울 바람이 닿았지만 태경은 그 차가움 속에서 봄과 여름, 가을과 겨울을 한꺼번에 느끼었다. 그리고 자신의 생명이 생활의 옷을 입었다 할지라도 저 드넓은 세상 속에서 거침없이 살아가도록 하고 싶었다. 거침없이 살아가는 자신을 보고 느끼고 싶어졌다. 그래야 한다고, 꼭 그렇게 하겠다고… 자신에게 울먹이면서 말했다.

"얘! 어미야! 태경아!"

이때 전씨가 슬며시 방으로 들어와 창가에 매달려 있는 딸을 불렀지만 태경은 듣지 못했다. 전씨는 태경의 뒤로 다가가다가, 딸이 손을 내놓고 휘젓고 있는 것 같자, 그 자리에 붙박이고 말았다. 아, 그놈이! 저 창밖에 와서… 지금이 언제라고! 누가 보면 어쩌라고!

전씨는 한시 바삐 딸을 돌려 세우고 싶은데 몸이 주리 틀린 것처럼 움직여지지 않아, 숨이 막힐 지경이었다. 전씨가 입 안에서 신음 같은 소리 거푸 내놓았다. 태경이 자기도 모르는 사이에 고개를 돌렸다. 어머니가 서 있는 것이었다. 꼭 무슨 장승 같은 모습이었다.

태경은 늦잠에서 화들짝 깨어나듯 서둘러 창을 닫아 걸고 덧문을 달고 커튼까지 쳤다.

"거기… 누가 왔지?!"

전씨가 가늘게 떨리는 목소리로 물었다.

"엄… 마…"

태경이 애원하듯 전씨를 불렀다. 전씨가 의심과 기대가 엇갈리는 눈빛으로 딸을 쳐다보았다.

"누가 오겠어요. 그냥 창 밖을 좀 내다본 건데… 어머니두 차암…"

전씨는 어쨌든 딸의 진심이 사실인 것 같아 마음이 놓였다.

"주무시지 않구 어머니."

"생각이 있으면 너두 알지 않겠니? 내가 편하게 잘 수 있는지…"

전씨가 이렇게 말하면서 방바닥에 주저앉았다. 태경도 전씨를 따라했다.

"대관절 어딜 갔었니?"

전씨가 딸의 허벅지에 손을 얹으며, 그 손에 전신의 무게를 얹으며 말했다. 지금은 적어도 딸과 자기밖에 없으므로, 전씨는 목소리조차 당당했다. 태경은 대답하지 못했다.

"내가 저 고사리 같은 손주 새끼 둘만 없었대두… 아마 간이 말라 죽었을 거다…"

"어머니. 너무 그러지 마세요. 나는 아이가 아니라구요. 전 마흔다섯 살이나 되었어요 어머니! 마흔다섯!"

태경이 젖은 눈으로 어머니를 바라보며 간절하게 말했다.

"나이가 무슨 소용이래. 행실이 철없는걸!"

"그렇지 않아요."

"그럼 말해 봐라. 니가 그렇게 입은 차림으루 바람같이 사라져서야 되겠니? 너두 자식을 기르잖니? 나중에 소영이를 생각해 봐라. 여자란 사내들과 달라 자식 때문에도 제멋대로 살지 못하는 인간이란다. 니가 그런 이치를 안다고 하겠니? 그런 행동을 하면서…."

태경은 아랫입술을 깨물었다. 할말이 없었다.

"예전에 애어미가 서방질이 나니까 아이가 옷고름을 잡고 자더란다. 그런데 그걸 가위로 자르고 도망을 갔다더라만…."

전씨는 말끝에 혀를 찼다. 태경은 답답하고 화도 났다.

"어머니! 왜 나쁜 데루만 생각해요?"

"그럼! 지금 니 행실을 좋게, 얼씨구 잘한다! 이렇게 봐야겠니?"

태경은 할말이 없었다.

"… 소리 소문 없이 조용하게, 남모르게 고비를 잘 삭이두룩 해라. 넌 날 원망하겠지만, 죽을 날 받아둔 거나 다름없는 어미는 딸을 절대로 미워하지 못한다…."

태경은 자신의 허벅지를 누르고 있는 어머니의 손가락을 만졌다. 이미 탄력을 잃은 살갗이, 살과 핏줄과 뼈를 싸고도 남아 이리저리 밀리었다.

"… 사람의 정을 무우쪽 자르듯 자르랄 수야 없겠지…. 그래두 말 나기 전에 잘 정리를 해라. 이 어미의 마지막 당부다. 내 말 알아듣겠지. 머지 않아 김서방두 올라온다는데… 큰일 내기 전에 잘해라…. 니가 누구니… 내 딸 태경이 아니냐. 어미 속 한번 아프게 하지 않고 크더니…."

전씨가 콧물을 소매 끝으로 훔쳤다. 늙은 어머니의 눈에서 눈물이 흘러내렸다. 어쩌면 딸이 겪을지도 모를 태산 같은 수모와 고통이 느껴져서, 그것을 어머니로서 어쩌지 못하는 한스러움 때문에 전씨의 슬픔은 가라앉지를 않았다. 태경도 소리없이 울었다. 그들은 휴지통을 옆에 가져다놓고 눈물과 콧물을 닦았다.

"내가 그 사람을 한번 만나랴?"

한동안 울기만 하던 전씨가 말했다.

"어머니."

태경이 무릎을 꿇으며 어머니를 불렀다. 전씨가 딸의 얼굴을 보았다.

"어머니. 그 사람은 아주 좋은 남자예요. 어머니두 한번 보면 알아보실 거예요. 전 어머니… 그 사람 때문에… 행복이 뭔지… 알게 되었어요…."

태경이 이렇게 말하고 있을 때, 전씨가 딸의 어깨를 주먹으로 후려쳤다. 그러나 태경의 어깨엔 아무런 아픔도 느껴지지 않았다.

"어머니. 제가 설마 바람이 나겠어요? 그렇게는 못 해요. 저는 지금 제가 결혼했다는 것 이외엔 아무것도 걸릴 게 없어요 어머니. 결혼은 하늘에 걸린 달이 아니라고 생각해요. 어머니, 사람이 결정한 일은 사람이 풀수도 있잖아요?"

태경이 어머니를 빨아들일 듯이 바라보며 꼼꼼하게 말했다.

"김서방한텐 제가 얘기할게요. 아이들은 아이들이 좋다는 대루 하겠어요. 어머니는 어머니 자신을 죄인으로 옥박지르지 말고 저를 좀 당당하게 대해 줘보세요. 왜 목소리만 죽이도록 키우셨어요? 왜 착하라고만 했어요? 그래서 바보처럼 흉내만 내며 살았다구요…. 이젠 정말 사는 것처럼 살아보겠어요. 드넓은 세상에서 내 눈으로 똑바로 세상을 바라보고 내 힘으로 세상에 뿌리를 내리고 살아보겠다구요…. 아무 걱정 마시고 저를 믿으세요."

태경이 말했다. 전씨는 한 마디도 이해하려 하지 않았다.

다음날도 태경은 지난밤에 어머니와 했던 이야기를 태희와 되풀이해야 했다. 상대가 어머니에서 30대 초반의 여자 동생으로 바뀌었다 뿐이었다.

'이혼'까지 할 필요가 있느냐는 게 태희의 의견이었다. 언니가 다른 남자를 '사랑'한다면, 그것도 이해할 수 있고 '가능'한 일이다. 그렇지만 사랑 때문에 일반적인 하자 사항이 없는 가정을 깬다는 게 '미숙한 방법'이라는 것이었다.

"사랑은 생활이 아니라구! 사랑은 감정이야. 많은 감정 중의 하나라구! 왜 언니는 그 나이에 작은 한 부분으로 전체를 뒤집어 쓸려고 해? 그건 불가능하구, 불가능한 걸 욕구하기 때문에 불행은 당연한 결과로 오는 것이라구. 언니는 사춘기 소녀가 아니야. 난 처음엔 그 건축한다는 남자가 근사하게 느껴지더라구. 언니에게서 남다른 아름다움을 발견하고 사랑한다는 게…. 하지만 일을 이렇게까지 만드는 건 어리석고, 그 사람을 신뢰할 수가 없어!"

태희는 자신의 말에 자신이 만만한 표정이었다. 그리고 그 말이 반드시 옳다고 믿는 것 같았다. 그러나 태경은 그렇게 말하는 동생을, 난생 처음으로 구경꾼처럼 바라보았다. 동생이 남달리 똑똑하고 진취적인 것이 늘 자랑스럽고 부러웠는데, 지금은 그 오랜 감정이 냉정하게 바뀌었던 것이다. 태희의 말은 셈이 맞는 것 같지만 맞지 않고, 사람을 위하는 것 같지만 외롭게 하는 것이라고 생각했다.

"언니. 이혼은 하지 마. 근우와 소영이도 부모와 살 권리를 가졌다구. 그 애들도 단란한 가정에서 자랄 권리가 있다니깐. 가족은 결국 그런 의무와 권리의 관계로 이루어진 작은 혈연사회지 뭐겠어."

태경은 고개를 숙인 채 듣기만 했다.

"언니. 난 언니를 미워해서 이렇게 말하는 건 아니야. 언니의 파국이 두렵고 언니가 불행해지는 걸 바라지 않기 때문에 이러는 거야."

태경은 다시 태희를 바라보았다. 하고 싶은 말이 속에서 들끓었지만 엉킨 실타래처럼 올이 풀리지를 않아서 태경은 답답했다. 태희는 커피를 두잔째 마셨다.

"엄마가 전화에 대구 우시면서… 당신 전생이 부끄럽대. 무슨 죄를 졌는지 모르지만, 죄를 졌으니 이런 벌을 받는다고…. 엄마의, 인생을 이해하는 방법이 옳지는 않지만 그래도 너무 가엾더라구."

태희가 침울하게 말했다. 태경은 길모퉁이의 찻집에서 동생과 마주앉아서 지금까지 아무 말도 하지 않았다.

"언니가 뜰에 앉아 있다가 슬며시 사라졌다면서? 입고 있던 옷차림 그대로…."

태희가 말했다. 태경은 웃을 수도, 울 수도 그리고 태연할 수도 없었다. 이미 두 사람은 자기들이 시내의 백화점 간이 음식점이나 이태리 식당에서 맥주잔을 기울일 때와는 감정이 다르다는 것을 서로 잘 알고 있었다.

"언니. 내 생각인데, 이혼은 하지 않는 게 좋겠어. 이혼은 하지 말구 언니의 생활을 얼마든지 바꿀 수 있잖아. 아직 늦지 않았으니까. 언니 문학공부 다시 시작할 수도 있어. 요샌 그런 공부를 할 수 있는 데가 많은 모양이더라구. 아니면… 일을 갖든가… 보험이나 서적 세일즈도 괜찮다거든. 내 생각 어때 언니? 그리구 그 남잔 말이야… 애인으로 두고 가끔 만나면 될 거 아니야? 요샌 그런 여자들이 많대. 괜찮지 뭐?"

태희는 결코 명랑하지 않은 목소리를 일부러 가뿐한 듯 꾸며내어 말했다. 태경은 동생의 눈길을 피했다. 태희는 언니가 자신의 진정 어린 말을 한 마디도 받아들이지 않았다고는 생각하지 못했다. 더군다나 태희는 자신의 생각이 현명하다고 믿었던 것이다. 그래서 태희는, 이제는 언니가 말할 차례라고, 태경이 입을 열도록 언니를 응시하고 있었다.

"넌… 사람을 사랑해 본 적이 없구나."

이윽고 태경이 아주 조용한 목소리로 이렇게 말해서, 듣고 있던 태희는 얼떨결에 서리를 만난 것처럼 오싹 소름이 끼쳤다.

"난… 더 이상 형부를 속일 수 없단다. 니가 이 기분을 이해할 수 있겠니? 내가 너무도 깊이 한 남자를 사랑하게 되었는데… 그런 상태론

형부를 예전같이 대할 수가 없어. 그렇게 할 수 없단다…. 그건 사람에
대한 모욕이 아니겠니? 형부에 대해서도 그렇고 나 자신에 대해서도 그
렇고 호준 씨와 나의 관계에 대해서도 모욕이야…. 내가 마흔다섯이나
되어서 어떻게 모욕의 삶을 살겠니…. 내가 참을 수 없는 건, 내가 피하
고 싶은 건 바로 그거란다…. 근우와 소영이… 내가 낳아 기른 자식들이
고, 그 애들 생각하면 머릿속이 한순간에 암흑처럼 되곤 하지만…."

　태경은 말을 잇지 못했다. 그는 입술이 터지도록 깨물었다. 언젠가 동
해안에서 돌아온 날 밤, 찬수가 와 있었고, 아직 호준과의 성교의 기억이
나 흔적도 가시지 않은 상태에서 또다시 남편과 아무렇지도 않은 듯이
그 일을 치르어야 했을 때, 그 파괴감을 태경은 잊을 수가 없었다. 아무
것도 모르는 남편이야 속일 수 있겠지만, 속이는 동안 타락하는 자기 자
신은 어쩔 것인가. 태경은 이 기분을 동생에게 설명할 수 없었다.

　"… 나는 결혼하고, 뒤 한번 돌아보지 않고 열심히 살았던 것 같애. 정
말 그랬어. 나라는 존재는 아내와 어머니와 주부와 며느리로 쪼개져서
싱크대와 장롱과 가계부에 악착같이 붙어 있었지…. 내가 무엇인지, 왜
그 일을 해야 하는지… 그런 것도 모르면서…. 어머니가 그렇게 하면서
사는 걸 보고 자랐기 때문에 나도 그렇게 살았는지 몰라. 열심히… 남편
이 없어지면 나도 없어지고, 남편이 내게서 관심을 거두면 내 인생이 처
참하게 허물어질 모래성 같은 삶을 살면서… 나는 내가 잘난 가정주부
라고… 각종 취미생활을 하는 중년 여자들을 쓰레기 보듯 경멸했구나
…. 나는 이제 아무도 경멸하지 않는단다. 어떤 인생도 경멸당할 이유가
없기 때문에…. 내가 선택하려는 인생은 내가 나로서 살고자 하는… 그
런 인생이란다…. 호준 씨와의 사랑은 마치 현미경처럼 세상을 보게 해
줬어… 이혼이 어떻게 쉽고 즐거울 수 있겠니. 오래된 현재의 질서를 뒤
집어엎는 건데…. 하지만 나는 그 고통의 중심에 서 있으려는 거야. 아마
… 피할 수 없을 거야. 그런 예감이 들어. 운명같이…. 나는 돌아갈 수 없
이 먼 데까지 와버린 것 같단다…. 이해할 수 있겠니… 돌이킬 수 없는

거…."

태경은 무섭도록 차분한 목소리로 긴 이야기를 끝냈다.

태희는 자기의 손톱을 만지고 있었다. 그는 언니가 얘기하는 동안, 언니는 자기와 다르다는 것 이외엔 더 생각하지 못했다.

생각에 잠겨 있던 태희가 천천히 고개를 들고 언니를 똑바로 바라보았다.

"언니는… 결혼에 대해 꿈을 가진 것 같아. 남자에 대해서도 아주 낭만적인… 환상을 가졌다고 할까?"

태희가 심각하고 어두운 표정을 하고 말했다.

"남자는… 결국 똑같지 않을까? 우선 여자가 아니라는 점에서 그렇고, 여자보다 남자가 낫다고 생각하는 원천적인 우월감에서 똑같아. 물론 언니가 운명으로 여기는 그 건축가는 예술가라니 다른 일반적인 남자와 다를지는 모르겠어. 차별 의식이 덜할까? 아니, 우월감의 표현에서 차이가 나겠지. 어떤 남자는 여자를 끝없이 동정하고 보호하려는가 하면 어떤 남자는 하녀 다루듯 기분 내키는 대로 하니까."

태희가 여기까지 말하고 손을 깍지 꼈다. 그리고 깍지 낀 손 위에 얼굴을 얹고 태경을 탐색하듯 바라보았다. 태경은 고개를 떨구고 있었다.

"언니. 나는 다만 언니가 언니의 인생을 이 남자에서 저 남자에게로 떠넘길까 봐 걱정이 되는 거야. 남자에게 의지하면 의지할수록 소외감은 더 깊어지니까…."

"얘. 넌… 어쩌면 그렇게 말을… 그게 똑똑한 거니? 사람을 어떻게 그렇게 하나의 생각으로 다 재려고 하니? 사람이 어떤 행동을 할 때엔, 그 행동에 수많은 원인이 있을 거라구. 그 원인들에 애정을 갖지 않으면… 무서운 독선에 빠지지 않겠니."

태경은 웬지 화가 났다. 그러나 차분한 목소리로 이렇게 말했다.

… 나는 너처럼 말을 잘 못 한다. 그렇지만 너보다 더 깊고 신중하게 사물을 들여다보고 만져보고 … 또 사랑할 거다…. 이게 너와 나의 차

이다 ….

태경은 속으로 이런 말을 해보았다. 정말 그랬다. 태희에게 자신의 사랑을 설명한다는 것은 불가능했다. 우선 어떤 말로 자기가 발견한 기쁨과 희망의 느낌을 표현할 수 있을지…. 태경은 말로 그것을 다른 사람에게 알려주는 일은 포기하기로 했다. 새로운 오해와 편견만 만들어낼 것이 뻔해서였다. 그러나 시간이 가면 자기를 아끼는 사람들이 반드시 자기를 인정하리라는 믿음은 버리지 않았다.

갑자기 태희가 키득키득 웃었다. 태경이 얼굴빛을 붉히고 동생을 쳐다보았다.

"아무도 언니를 미워하진 못할 거야. 그런 느낌이 들어."

태희가 중얼거렸다. 그리고 태경에게 붙박은 눈길을 좀체 거두려 하지 않았다. 태경은 거북스러웠지만 참았다.

"언니는… 사실 나보다… 내가 흉내낼 수도 없이 대단한지 몰라…."

다시 태희가 중얼거렸다. 태경의 입술이 조금씩 비어져 나왔다. 어처구니없다는 눈빛이 되면서 그랬다.

"글쎄…. 나는 분석하고 도사리고 하는 데 시간을 보낸다면… 언니는 생의 가운데서 확실한 부피로 살잖아…. 그런데 왜 내겐 언니가 소설이나 영화 속의 주인공처럼만 여겨지지? 그래서 속이 상하나 봐. 왜 그럴까? 내가 언니보다 삶을 더 신뢰하지 않기 때문일까? 내가 바라는 언니는… 결혼생활도 그냥 하면서 언니가 똑바로 서는 건데…. 시인이 되든가…. 그리고 연애도 하고…. 이혼을 한다니까 진부하게 느껴지고… 짜증도 나. 복잡하게 사는 게 싫어…."

태희는 떠오르는 생각을 꼼꼼하게 되새기듯 말했다. 처음 만났을 때의 저돌적이고 오만한 기색은 거의 가시고 도리어 우울함마저 느껴지는 분위기였다.

"형부는 아직 모르지? 얘기할 거야?"

"얘기해야지. 이달 중순쯤 발령이 나면 곧 올라올 거야. 그때까지 기다릴까, 내가 그 전에 내려가서 얘기할까… 아직 마음을 정하지 못했어."

태경이 말했다. 그는 처져 보이다가도 자기의 문제—이혼이나 사랑에 얘기가 닿으면 불현듯 진지한 표정이 되었다.

태희는, 언니가 '이혼을 하고 말 것'이란 생각을 했다. 이미 언니는 그것을 결정하고 있어서 다른 어떤 설득도 귀찮은 덧칠에 지나지 않을 것 같다고 생각했다. 평소, 연약하고 순종적이기만 하던 언니에게서 저런 단호함이 생기는 건 무슨 조화인지, 신기하기까지 했다.

"그 남자는 어때?"

"나보다 더 먼저 정리를 할 거야."

"그쪽두 이혼? 아이도 있댔지 않았어?"

태희가 물었다. 태경은 더 이상 말하고 싶지 않았다. 아이가 사고로 갑자기 죽었다는 말도 하기가 싫었다. 웬지 그걸 말한다는 건 야비한 것 같아서였다.

결국 태희에게 남은 마지막 감정은 절망과 연민뿐이었다. 그것은 자기가 전혀 언니를 설득하지 못한 사실 때문만은 아니었다. 자신의 삶에 대한 당당함, 자신만만함 따위가 결국 자기가 인생을 단순하게 보아온 때문은 아닌지… 이런 회의가 들었던 것이다. 수많은 사람이 얽히고 설키면서 살아가는 세상살이에서 각자가 지닌 고뇌와 감성의 갈래며 켜는 수도 없이 많을 터인데, 자기는 이제껏 눈에 보이는 거죽이 전부라고, 다 안다고 까불거리며 잘난 척했던 게 아닌가 하는 부끄러움이 느껴졌던 것이다.

자매가 헤어질 때, 태희가 태경의 허리를 꽈악 끌어안고 슬픈 목소리로 속삭였다.

"언니. 내가 진정으로 바라는 것은 언니의 행복이야."

태경은 말없이 동생을 돌아보았다. 태희는 어머니도 만나지 않고 돌아가겠다고 했다. 자매는 카페 앞에서 헤어졌다. 태경은 다시 카페로 들어가고 싶었다. 그곳 출입문 한켠에 놓인 공중전화를 쓰고 싶은 것이었다. 호준이 잘 있는지, 목소리만 들어도 몸이 개운할 것 같았다. 그런데 여의치 않아 그냥 나섰던 것이다. 집으로 가는 크고 작은 골목에는 어쩌면 그렇게 공중전화가 많은지. 태경의 눈엔 그것만 보였다. 그러나 호준은 자리에 없었다. 언제 돌아오는지 물으려고 하는데 늘 친절하던 젊은 여자 직원이 급하게 전화를 끊어버렸다.

무슨 일이 생긴 건가? 태경은 무턱대고 불안해서, 그쪽으로만 온갖 상상을 하기 시작했다. 부인과 일이 잘 되지 않는지, 사무실에 나쁜 일이 생겼는지…. 태경은 어느 하나 속시원히 알 수가 없었다. 이럴 때면 언제나 자신의 생을 튼튼하게 받치고 있으며 자기를 단단히 매고 있다고 굳게 믿는 '사랑'에 대해서조차 회의가 가는 것이었다. 사랑이라는 것이 생활 속에 무르녹지 않을 때, 얼마나 신기루같이 허망한 것인지…. 태경은 자기가 아주 작아지고 작아져서 무엇의 눈에도 띌 수 없게 되고 마침내는 수분으로 땅에 스며서 사라지길 바랐다. 차라리 그렇게라도 되면… 열망과 절망으로의 끝없는 곤두박질은 끝나지 않을까…. 하지만 태경은 곧 자신의 자신없는 변덕을 나무랐다. 전화를 받는 사람은 그 나름의 여러 이유가 있어 자칫 예의를 잃기도 하리라고. 그걸 심각하게 받아들이는 건 아직 자신의 호준에 대한 믿음이 경박스럽기 때문이라고.

"태희는 안 오니?"

들어서는 태경의 뒤쪽을 곁눈질하면서 전씨가 물었다. 태경은 기운이 빠져서, 아니요, 라는 말조차 소리낼 수 없었다.

"누가 널 찾던데…."

전씨가 비켜서서 대수롭잖게 말했다. 그러나 태경은 깜짝 놀라 기운을 차리고 눈을 크게 떴다.

"여자더라."

전씨는 딸의 긴장하는 꼴이 밉살스러워 퉁명스럽게 뱉었다.

여자라구? 태경은 소파에 주저앉으며 생각했다. 수정인가? 태경은 전씨에게, 어머니가 들어본 목소리가 아니냐고, 몇 명의 친구 이름을 대며 물어보았다. 전씨는 못 들어본 목소리인데, 너를 잘 모르는 여자 같더라고 말했다. 태경은 괜시리 겁이 났다. 까닭 없이 그런 언짢은 기분부터 느껴지는 것이었다. 하지만 느낌의 뿌리는 찾아낼 수가 없었다. 그래서 태경은 다시 전화가 온다면, 그때까지 그것을 잊기로 작정했다.

전씨는 태경에게 정월에 담근 간장이 맛있다면서 메주 걱정을 했다. 베란다에 볕이 잘 들어 간장을 담궈 먹는 게 좋을 것이라고, 요새 유행하는 몹쓸 병들도 간장, 된장까지 전부 사서 먹기 때문에 생기는 것이라고 말했다.

그러나 태경은 정월의 간장에는 관심이 가지 않았다. 전화도 잊기로 했으면서, 그런데도 태경의 마음은 집안 살림살이 속으로 다가들지를 못했다. 그저 아무도 없는 곳에 혼자 있고 싶었다. 어서 밤이라도 와서, 어둠의 고요 속에라도 잠긴다면…. 태경의 마음은 어지러움으로 뒤엉키기 시작했다. 무엇을 해야겠는데 그 '무엇'이 잡히지 않는 것이었다.

언제부터인가 태경은 자신의 몸과 마음이 가족들로부터 '겉도는 낱개'로 느껴지기 시작했다. 예전엔 그렇지 않았다. 집 안팎 어디에 있거나 태경은 '자기 자신'보다 '식구'들이 생각되어, 자기가 곧 식구들이었던 것이다. 그런데 지금은 그렇지 않았다. 가족들 속에서, 가정이라는 우무질 속에 자신이 낱개로 오들오들 끼어 있는 것이 느껴졌던 것이다. 그래서 자기 하나가 우무질 속에서 없어진다 해도 그 전체 우무질은 그대로 남아 있을 것이라고….

전씨는 딸의 어수선한 기색을 눈치챘다. 어서 가정으로 마음이 가라앉아야 할 터인데…. 전씨는 딸의 눈치를 부지런히 살폈다. 어쨌든 '그놈'을 만나지 말아야 한다. 정이 제아무리 질기다 해도 사람 마음이라는 게 다 안 보면 시들기 마련이라고, 생각했다. 그래서 전씨는 이 집에서 꼼짝도 않을 작정이었다.

이것이 전씨의 딸을 위하는 유일한 방법이었다.

지난 며칠은, 태경에겐 고통의 날들이었다. 호준에게선 전화 한 번 없었고, 태경은 수화기를 들었다가 몇 개의 숫자만을 누르고는 놓아버리기를 되풀이했다. 웬지 여자 직원의 목소리를 듣기가 거북하고 켕기는 것이었다. 호준은 바쁘다고 했고 실제로 무척 바쁠 것이라고 생각하면서도 전화 한 번 걸어주지 못하는 그가 야속했다. 그 사람은 많은 사람들과 더불어 일을 하는 까닭에, 그리움의 형태나 표현 방식이 혼자 있는 시간이 많은 자기와는 다르다고, 태경은 자신에게 설득했지만 결코 우울과 불안이 풀리지 않았다.

결국, 사람은 혼자인가. 그 혼자인 사람이 구원처럼 매달려보는 게 사랑인가…. 태경은 이런 비장한 생각까지 하기에 이르렀다.

그러나 태경의 이런 조바심은 엉뚱한 데에서 너무도 위태롭게 깨어졌다. 전씨가 며칠 전엔가 얘기했던 '어떤 여자'가 다시 태경을 찾았던 것이다. 오늘도 전씨가 태경에게 전화를 바꿔주었다. 전씨는 전화벨만 울리면, 혹시 '그놈'이 태경을 꾀여낼새라 재빨리 수화기를 들곤 했던 것이다.

"태경 씨세요?"

여자의 목소리는 젊었다.

"네에, 전데요."

여자보다 늙은 태경의 목소리엔 물기와 떨림이 섞여 있었다.

"저는 정호준의 아냅니다…."

여자가 말했다. 태경은 그 다음 말을 듣지 못했다. 이것은 너무도 뜻밖의 '사건'이었다. 태경이 사색이 된 채 겨우 알아들을 수 있었던 말─그것은 그 여자가 자기를 만나고 싶다는 것뿐이었다. 태경은 거절할 수가 없었다. 여자는 예의를 갖추려는 것 같았다. 가능한 대로 태경이 편한 장소, 편한 시간에 맞추겠다고 여자가 침착한 목소리로 말했다. 그러나 태경은 왜 그토록 멍청이가 되고 말았는지… 어떤 장소도 떠오르지 않았다. 그래서 결국 장소는 그 여자가 정했다. 호텔의 커피숍이었다.

수화기를 간신히 내려놓은 태경은 손가락 하나도 까딱할 수가 없었다. 전씨는 더욱 기겁한 얼굴이었다. 내용도 모르면서 태경의 꼴을 보고 그런 것이었다. 태경은 앉은 자리에서 소파에 모로 쓰러졌다. 하지만 정신을 차려야 했다. 두 시간 후라지만, 잡아놓은 시간은 길지 않았다. 태경은 힘겹게 일어나 세수부터 했다. 전씨는 궁금하고 불안해서 태경을 쫓아다녔다.

전화를 받는 표정이며, 수화기를 내려놓고도 꼼짝을 하지 못하는 딸이 하도 수상해서 전씨가 태경에게 다가갔다.

"누구냐?"

전씨가 불길을 예감한 집요한 눈빛으로 물었다. 태경은 어머니의 눈길을 피했다. 그 여자가 누구라고… 태경은 혀를 깨물지언정 그 말을 할 수는 없었다. 게다가 태경은 제정신이 아니었다. 그는 있는 힘을 다해 어머니를 밀어내고, 제발 혼자서 잠깐만 있게 해달라고 살을 저미는 목소리로 말하며 안방으로 들어가더니 한 시간이나 기척도 없었다. 다행히 문이 안에서 걸리지 않아 전씨는 가끔 문을 열고 들여다보았다. 태경은 침대에 죽은 듯이 누워 있었다. 점심때가 지나서 태경이 일어났다. 그의 눈은 충혈되어 있었다.

전씨는 화장을 하는 태경의 옆에, 마치 어머니의 외출에 심통난 아이처럼 앉아 있었다. 태경은 눈썹에 검은 칠을, 눈두덩엔 푸르고 갈색이 나게, 입술엔 붉은 칠을 하고 볼에는 분홍을 발랐지만, 그의 표정엔 눈물이 가득 고여 있었다. 표정뿐 아니라 목구멍과 입 안에도 눈물이 고여서, 태경은 집을 나설 때, 그를 근심과 걱정과 연민으로 바래는 어머니에게 다녀오겠다는 말 한 마디 제대로 입 밖에 내지 못했다.

태경은 택시를 탔다. 볕은 따사로웠으나 바람에는 눈 기운이 섞여서 싸늘했다. 태경에겐 택시의 속도가 지루하고 답답했다. 거리는 봄과 겨울이 뒤섞인 듯 지저분하게 보였다. 볕이 닿은 쪽은 질척거렸고 후미진 데는 음산하게 얼어 있었다. 사람들의 차림도 그랬다. 두터운 겨울옷을 섣불리 벗어 던진 사람, 여전히 오리털 파카를 걸친 사람. 길바닥엔 널부러진 비닐과 종이 조각, 깨어진 보도 블록···. 무어라고 말할까···. 태경의 눈은 환절기의 거리 풍경에 가 있었으나 그의 마음은 불안하고 초조했으며 자꾸만 움츠러들었다. 그리고 머릿속에서는 정호준의 아냅니다, 라던 여자의 목소리가 떠나지 않았다.

태경은 택시 문의 손잡이에 불안정한 느낌으로 닿아 있는 자신의 손을 보았다. 바투 깎인 손톱, 뭉툭한 손끝, 굵은 매듭···. 그러나 그것보다 한눈에도 탄력을 잃어 보이는 살가죽이 태경의 주제를 더욱 초라하게 느끼도록 했다. 태경은 도둑질이라도 들킨 것처럼 손을 등뒤 쪽으로 감춰버렸다.

운전기사가 즐겨 듣는 모양인 라디오의 코미디 프로그램에선 무슨 우스운 애길 했는지 기사가 혼자서 킬킬거렸다.

호텔과 붙은 백화점 앞길은 노선 버스와 택시로 주차장같이 어지러웠다. 태경은 맨 앞쪽에서 내렸다.

그냥 가버릴까···. 태경의 발걸음은 약속 장소로 습관처럼 움직였으나 그의 마음은 쉬지 않고 이 생각을 했다. 가버릴까···.

태경에게 일류 호텔은 천장의 높이만으로도 위압적이었다. 태경은 집을 잃은 아이만큼이나 당황한 꼴로 기다란 로비에서 커피숍을 찾았다. 그러나 정작 한쪽에 박혀 있는 커피숍은 소박하고 한적했다. 그 한적한 홀이 태경에겐 웬지 희뿌옇게 보였다. 어떤 자리가 비어 있고 어떤 자리가 차 있는지···. 어느 곳에 '그 여자'가 혼자 앉아 있는지···. 그러나 혼자 앉아 있는 젊은 여자는 없었다. 태경은 지금이 약속한 그 시간이었음에도 불구하고 그 여자가 없다는 게 우선은 마음이 놓였다. 당황한 꼴만 안 들켜도 어딘가 싶었으리라.

태경은 1분 동안에 여러 번이나 엉덩이를 들어서 앉음새를 고쳤다. 가방을 의자 옆에 두기도 하고 무릎에 올려놓아도 보았다. 자기도 모르는 사이에 경직된 고개를 돌려 사방을 바라보고 손거울을 꺼내 자신의 낯을 훔쳐보았다. 눈꼽 낀 것은 없었다. 하지만 턱의 늘어진 살가죽은 색조 화장으로도 숨겨지지 않고 속절없이 도드라져 보였다.

이때, 한 여자가 입구에 나타났다.

태경이 손거울을 가방에 집어넣고 다시 단정하게 앉아서 앞을 바라보았을 때, 그의 눈에 그 여자가 띄었다. 그러나 태경은 그가 자신의 '그 여자'라고는 생각지 않았다. 그 여자는 나이 든 처녀로 보였던 것이다. 그런데도 그 여자는 태경의 곁으로 다가오며 유심히 보는 듯하더니 다른 자리로 갔다. 자리만 달랐지, 그들은 바다를 향해 앉아 있는 갈매기처럼 같은 쪽을 바라보고 있었다.

한참이나 지났다.

아마 약속 시간으로부터 10분은 지났으리라. 그때 종업원이 다가와 혹시 수유리에서 오지 않았느냐고 물었다. 태경은 그렇다고 대답하면서 무턱대고 얼굴을 붉혔다. 종업원이 '그 여자' 쪽으로 고개를 돌렸다. 맞다고, 종업원이 그 여자에게 눈으로 말했다. 순간, 젊은 여자가 푸식, 웃었다. 저런 아줌마가 호준이 애인이라니…. 그 여자는 웃음부터 나왔던 것이다. 너무도 뜻밖의 여자였으므로.

그러나 그가 태경의 앞자리에 와 앉으며, 몰라뵀습니다, 라고 인사할 땐, 그 여자의 얼굴에 경멸기는 씻은 듯이 사라지고 없었다. 태경은 자기가 눈을 감았는지 떴는지 분간도 하지 못했다.

"전화하셨던…"

떨리는 목소리로 이렇게 물은 게 자기 자신이 아니라고 여겨질 지경이었다.

"네. 제가 정호준의 아냅니다."

여자가 말했다. 목소리는 전화에서보다 더 맑게 들렸다. 태경의 손이 떨렸다. 온몸이 떨리고 있었다. 고개는 밑으로 꺾였고 그는 탁자 밑에 숨긴 손으로, 마치 필사적이게 손톱 밑을 파고 있었다.

"사실은…"

여자가 입을 열었다. 태경은 자기의 목숨이 혐오스러워졌다.

"만날 필요가 없는 거지요. 영화두 아니구…."

여자는 낮은 목소리로 말했다.

태경은 듣기만 했다. 그러면서 속으로, 빨리 미안하다고 사과해야 할 텐데… 라고 조바심을 쳤다.

그 여자는 또 다른 말을 했다. 그러나 태경은 듣지 못했다.

"… 아마 제가 부인을 만난 걸 알면… 호준 씨는 나를…. 하지만 저는 확인하고 싶었어요…."

그 여자가 말했다. 그 여자는 얼마 전 두 사람이 결정적으로 이혼에 합의하기에 이른 말—당신은 내 예술혼을 메말리지만 태경 씨는 반대로 샘솟게 한다… 던 말만 듣지 않았어도 남편의 정부를 찾아 나서는 천박한 짓은 하지 않았을 것이다. 그런데 처음 웨이터로부터 중년의 단정한 가정주부인 태경을 확인했을 때, 그 여자는 자신의 조바심이 도리어 코미디 같아서 웃음이 터져나왔던 것이다.

하지만 시간이 지날수록 자신의 첫인상이 도리어 경박했음을 느끼게 되었다. 이것은 그 여자에게 새로운 고통이었다. 언젠가 호준이 지나는 말로 그 여자에게 던진 말—당신이란 여자는 사랑도 없고 생활도 없다 …. 그런 것을 귀찮아하는 이기주의자다… 라던 말이 새삼 떠올랐다. 그 여자는 고개 숙인 중년의 태경에게서 뭔지 모를 편안함과 따뜻함을 보았던 것이다. 생활의 때가 깊이 배인 것 같으면서도 슬픔과 기쁨의 감성이 투명하게 흐르는 표정…. 그 여자는 태경이 경황 없는 중에 시킨 커피를 식기 전에 드시라고 말했다.

"미안해서… 뭐라고 말할 수가 없습니다…."

마침내 태경이 오래도록 벼르던 말을 했다. 눈시울이 젖어들기 시작했다. 자신이 자기의 전 생을 바쳤다고 믿었던 시간들이 어쩌면 꿈이었는지 모른다는 생각이 들었던 것이다.

그 여자는 아무 말도 하지 않았다. 이곳에 오기 전에 그를 사로잡았던 미움이나 태경을 보자마자 느낀 경멸은 이제 흔적조차 남아 있지 않았다. 지금은 그저 슬픔과 소외감만이 그 여자를 지배했다. 웬지 자기가 태경보다 더 초라하게 여겨지는 것이었다. 그 여자는 태경이처럼 눈시울을 적시지는 않았지만 걷잡을 수 없이 솟구치는 패배감 때문에 견디기 힘들었다. 자기네 두 사람은 처음부터 서로의 바깥에서 서성거리고 겉돌면서 살아온 부부라는 생각이 들었다.

"호준 씨와 결혼하실 건가요?"

한동안의 침묵 끝에 그 여자가 물었다. 순간, 태경이 고개를 번쩍 추켜들었다. 그 여자는 태경의 얼굴에서 눈물 자국을 보았다. 태경의 입술이 경련을 일으키고 있었다. 그런 중에 태경의 눈엔, 그런 말을 거침없이 내뱉는 여자를 놀라워하는 빛이 역력히 나타났다. 태경의 상식으로는 그 여자의 말을 이해할 수도 받아들일 수도 없었다.

결국 태경은 자신을 삼킬 듯 쏘아보는 호준의 아내에게 아무 대답도 해주지 못했다.

그들 두 여자가 만난 지 반 시간이 지나도록 두 사람이 나눈 대화는 얼마 되지 않았다.

침묵이 한동안 지나고, 이윽고 호준의 아내가 계산서를 뽑아 들었다. 태경은 그것이 무엇인지도 모르고 앉아 있었다.

여자는 말없이 일어섰다. 태경도 엉거주춤 엉덩이를 들었다. 여자가 입을 달싹거리는 게 보였다. 눈이 무엇인가 말을 하고 있었다. 모멸과 씁쓸한 기분에 대해서라고 할까?

여자가 돌아서서 계산대로 갔다. 그제서야 태경은 서둘러 그 여자의 뒤를 따라갔다.

"아니, 제가…"

태경이 부리나케 가방을 열며 말했지만 여자는 틈을 주지 않았다.

두 여자는 커피숍의 입구에서 헤어졌다.

태경은 눈으로 하는 그 여자의 인사에서, 쓰디쓴 모멸의 감정을 읽었다. 여자는 뿌리치는 듯한 걸음걸이로 로비의 중앙을 향해 걸어갔다. 태경이 볼 수 있는 것은 그런 걸음걸이의 여자, 뒷모습뿐이었다. 그 여자가 가슴 터지게 느끼고 떠나는 패배감과 쓰디쓴 좌절에 대해서, 태경은 느낄 수도, 볼 수도 없었다. 물론 짐작도 하지 못했다.

태경은 한동안 그 자리에 서 있었다.

이제부터 해야 할 동작을 잊은 로봇같이.

그러나 아주 오래도록 그렇게 서 있지는 않았다.

태경은 서둘러 백화점 쪽으로 나갔다. 그곳으로부터 찻길로 나가는 통로는 그가 훤히 잘 아는 길이었다.

거리에 섰을 때, 늦은 오후에 다가드는 저녁의 느낌이 태경을 에워싸는 듯했다. 태경은 하늘을 쳐다보고 허공을 둘러보았다. 방금 자기가 어디로부터 여기에 왔는지, 자기에게 무슨 일이 일어났는지 애매모호해졌다. 그저 확실하게, 너무도 선명하게 다가드는 것은 호준에 대한 솟구치는 그리움뿐이었다.

결국, 태경은 그리움에게 자신을 내맡겼다. 그리움이 시키는 대로 했던 것이다.

택시를 타고서야 그는 시계를 보았다. 분을 가리키는 바늘은 숨가쁘게 5시를 채우려는 것 같았다. 거리는 웬지 한산했다. 그래서 서울 같지가 않았다. 어쩌면 러시아워의 지옥을 위해, 잠깐 한산한 것인지도 몰랐다. 태경은 차마 호준의 사무실로 갈 수는 없었다. 웬지 마음이 거기까지 거침없이 내닿지를 못했다. 그래서 그는 사무실 근처에서 내려 길가의 레스토랑으로 들어갔다. 지하로 내려가는 계단은 좁고 붉은 양탄자가 깔려 있었다. 겨울을 났음에도 불구하고 지하엔 음지 냄새가 났다. 천장까지 닿을 것 같은 열대 수목들은 모두 조화였고 그것은 하나의 자리와 또 다른 자리를 가로막고 있었다. 레스토랑의 붉은 기운 도는 조명 속으로 바브라 스트라이젠드는, 이제 꽃을 보내지 말라고 노래하는 중이었다. 사랑의 노래도 부르지 말고….

태경은 입구가 잘 보이는 자리에 앉고 싶었다. 종업원은 무조건 따라다니며 그가 어서 자리잡아 앉기를 바랄 뿐이었다. 태경은 나뭇가지 사이로 자신은 숨되, 입구는 잘 보이는 곳에 앉았다. 그리고 종업원에게, 자기는 손님을 기다린다고 말했다.

손님…. 태경은 종업원이 자기 곁에서 떠나고 났을 때, 그래서 홀가분하게 생각에 잠길 수 있게 되었을 때, 하나의 '손님' 속으로 별똥별같이 빠져들었다. 얼마나 오래도록 자기 혼자서 그를 상상하고 그를 느끼며 지낼 수 있게 되길 갈망했던가.

태경은 동전을 꺼내 들고 공중전화를 찾아갔다.

"수유립니다."

태경은 전화를 받는 여직원에게 부드럽고 겸손한 인상을 주도록 신경 쓰며 말했다. 여직원은 일단 친절했다. 그러나 그가 하는 말은, 호준이 없다는 것이었다.

"오늘 안 들어오시나요?"

태경은 여직원에 대한 자기 인상 따위는 순식간에 잊어버리고 절망적인 목소리로 물었다. 여직원은 곧장 대답하지 않았다. 그는 자신의 사모님에게 이 여자—수유리의 전화 번호도 가르쳐주지 않았던가.

"저는… 모르겠어요. 들어오실 것 같기두 하고… 들어오실 거예요. 바빠서 야근을 하실지… 저는 6시에 퇴근을 하거든요…."

"네에…."

태경은 신음처럼 뱉었다.

"메모를 남겨드릴까요?"

여직원의 목소리엔 뒤켠으로 짜증이 숨겨 있었다.

"저어… 제가 지금… 사무실 근처에 있어서요…. 기다릴까 하구요. 꼭 드릴 말씀이 있거… 든요…."

태경은 이렇게 말하면서 자신이 참혹함으로 쪼그라드는 느낌을 느꼈다.

"언제 오실지…"

여직원이 중얼거렸다. 태경은 수화기를 내려놓고 싶었다.

"6시에서 7시 사이에 전화해 보세요."

여직원이 말했다. 태경은 고맙다고 인사했다.

6시에서 7시 사이. 너무도 막연한 틈이었다. 그런 틈이라면 무엇인들 빠져나가지 못하랴. 태경은 힘없이 자기 자리로 돌아오면서, 최악의 경우… 못 만나도 좋다고 자신에게 말했다. 그리고, 그래도 자기는 이곳에서 기다리겠다고 생각하면서.

기다리기 위해, 태경은 술을 시켰다. 갈증이 어디에 숨어 있었는지 차가운 맥주가 거푸 태경의 속에서 받아들여졌다. 태경은 잠시 동안에 한 병을 다 비웠다. 태경은 취하고 싶었다. 취한 채 세상 속에 있고 싶었다. 모든 것이 부드럽게 보이도록. 서로 사랑을 알아볼 수 있도록.

… 나는 사랑한다.

태경은 속으로 말했다. 나는 단지 사랑할 뿐이다. 사랑하면서, 사랑하는 사람과 살고 싶다…. 그게 내 소원이다…. 나는 사랑하는 사람과 사랑하면서 사는 삶이 얼마나 풍요로운가를 알아버린 여자다…. 나는 사랑한다…. 어떤 사람은 증오를 통해 세상을 볼 것이고 슬픔을 통해 세상을 보게도 될 것이다. 하지만 나는 한 사람의 사랑을 통해 세상을 보았다. 세상 속으로 들어갔다. 사랑의 옷을 입고 사랑을 느끼며 … 사랑의 힘으로….

태경은 이렇게 속으로 말하는, 기쁘되 서글픈 자기를 보았다. 차디찬 술이 담긴 유리잔을 손아귀에 가득 잡고서, 그는 보이지 않는 것을 보기 위해 그윽한 눈길을 아주 먼 데로 뻗치고 있었다.

호준 씨.

오늘 내게 무슨 일이 있었는지 알아? 내가 얼마나 초라하고… 가련했는지…. 그런데 나는 이제 그런 것조차 사랑이라고 믿는 이상한 여자가 되었어. 아마 당신도 이해하기 어려울 거야. 당신의 젊고 세련된 아내와 헤어졌을 때, 갑자기, 또다시 나는 당신만 느끼고 당신만 보게 되었어.
나는 당신이라는 대기 속에서 구름처럼 흘러, 지금 여기에 있어. 그리고
술을 마셔. 혼자서. 당신이 없으니까. 어쩌면 오늘, 이렇게 혼자서 술을
마시다가 그냥 돌아갈 수도 있겠지. 그럴 수도 있을 거야. 우리가 서로
다른 시간에 이 세상을 떠나게 되듯이. 당신을 기다리다가 그냥 돌아간
다… 그냥… 돌아간다… 간다….

태경은 깜박 잊었다는 듯이 술을 마셨다.

시계를 보았다. 6시가 거의 되었다. 2분 남았다. 6시다. 여직원은 6시에
서 7시 사이라고 했으니까… 만약 신이 있다면 오늘 우리를 만나게 할
거야. 그래야 해. 그래야 신이라고 할 수 있어. 나쁜 신….

태경은 두병째 술을 비웠다.

… 나는… 타락… 했나…?

태경은 탁자 위에 두 팔을 얹고 거의 엎드리다시피했던 윗몸을 일으
켰다. 그리고 똑바로 앉아보았다. 가짜인 나뭇가지 사이로 입구가 보였
다. 젊은 여자와 남자가 들어오고 문이 저 홀로 흔들리다가 멈췄다.

6시 10분이 되었다.

문은 자주 여닫히고 대부분 연인이나 친구 사이로 보이는 젊은이들이
들어왔다. 태경은 자신이 이곳에서 점점 뜨는 게 느껴져 거북스러웠다.
늙은 여자가 혼자서 빈 맥주병을 두 개나 올려놓고 입구를 숨어서 지켜
보고 있다… 는 것이, 태경은 부끄러웠다. 그냥 돌아갈까, 이렇게도 생각
해 보았다. 호준이 이 세상에 같이 살고 있다는 사실만으로 충분히 행복
할 수는 없는지… 태경은 자신에게 이렇게도 물어보았다.

호준 씨와 결혼하실 건가요?

그런데 왜 갑자기 '그 여자'가 물었던 이 말이 떠오르는 것일까.

당신의 아내와 만났다구….

태경은 호준을 만나야 할 이유를 찾아낸 것처럼 자리에서 일어났다.
다시 공중전화에 10원짜리 두 개를 집어넣고 숫자를 눌렀다. 신호가 울

리기 시작했다. 금속의 떨림이 태경의 조바심을 지지는 듯했다. 태경은 지져지고 졸아든 가슴으로 송수화기에서 들어올려지는 소리를 감지했다. 곧, 남자의 목소리가 들려왔다. 준 건축입니다. 태경은 입이 잘 떨어지지 않는 걸 느끼며, 소장님 계시느냐고 물었다. 그쪽에선 대답이 떴다. 어쩌면 3초쯤 틈이 벌어졌을지도 모른다. 그런데 태경은 그 틈이, 사람이 한 번도 들어가본 적이 없는 신화의 동굴처럼 느껴졌다.

"곧 들어오신다고 연락이 왔답니다."

그 남자가 말했다.

"네에…."

태경의 목소리가 얼마나 절망적이었는지, 말하는 그 여자 자신은 알지 못했다.

"전하실 말씀이 있습니까?"

태경은 남자가 이렇게 물을 때, 겨우 정신을 수습했다.

"저는… 제가 지금 근처에 와서 기다리고 있는데 오시면 이곳으로…."

태경은 레스토랑의 위치와 이름을 알려주었다. 수화기를 내려놓으면서 그 여자는 절망을 뱉어내듯 한숨을 쉬었다. 태경은 다시 자리로 돌아와서 단정하게 앉았다. 눈길은 제풀에 나뭇가지 사이로 보이는 출입구 쪽으로 내달렸다. 태경은 '추억'을 더듬기로 했다. 호준이라는 남자를 처음 만나던 때로부터 오늘에 이르기까지…. 그 사이에 일어난 일들을 떠올려보았다. 그러나 그 여자의 마음은 추억을 더듬지 못했다. 어느 한 과거 속에도 머물지를 못하는 것이었다. 그저 출입구와 카운터의 전화벨 소리에 모든 신경의 더듬이를 쏘아 던지고 있을 뿐이었다.

태경은 좋아하는 노래말을 생각해 보려고 애썼다. 패티 김의 내 사랑아 어느 곳에 있는지…. 이렇게 시작되는 노래가 있었지. 가난한 이 마음을 당신께 드리리…. 이건 처음이 어떻더라? 그 맑은 시냇물… 어떻지? 태경은 여기에서 헤맸다. 그렇게 잘 부르던 노래의 가사가 도무지 떠오르지 않았다. 어느 날 당신과 내가 날과 씨로 만나서… 이건 시였어.

239

태경은 다시 두 병의 맥주를 시켰다. 종업원은 바구니에 넘치도록 팝콘을 담아다 놓았다. 맥주는 여전히 차가웠다. 만약에 그가 오지 않는다면, 7시까지만 기다리다가… 9시까지, 11시까지 기다리면서, 술만 마시다가… 나는… 이렇게 타락하는 건지 몰라…. 타락한 중년 여자는 어디로 가서 어떻게 살아야 하지? 어머니는 얼마나 걱정하고 계실까. 아이들은 …. 태희는 내가 한 남자에서 다른 남자로 옮겨 간다고 했던가? 시침과 분침이 제각기 '7'자와 '12'자에 닿아 있었다.

태경은 나가야 한다고 자신에게 말했다. 그러나 힘이 없어서 일어설 수가 없었다. 호준이 이곳에 오지 못하는 이유는 수도 없이 많을 것이라고. 그리고 영원히 만나지 못할 수도 있다고…. 태경의 가슴은 조여들다 못해 메마른 벌레 껍질처럼 되었다. 그 여자의 지금 소원은, 아무도 없는 곳에 가서 울고 싶은 것이었다. 하나의 술병이 비었다. 태경은 다른 병을 기울였다. 술과 친해지는 사람은 모두 외롭고 괴롭기 때문일 것이다. 태경은 이런 생각을 했다. 호준이 같은 남자… 예술적 재능을 가진 남자… 나보다 젊은 남자… 세련되고 젊은 아내가 있는 남자… 그를 사랑하겠다고…. 내가 제 주제를 모르고, 나는 한낱 가정주부. 늙고, 아무것도 내세울 게 없는데 젊은 남자한테 빠져서…. 섹스 때문일까… 아, 그것 때문이라고?

태경은 탁자 한켠에 국화 한 송이와 나란히 타고 있는 붉은 촛불을 바라보았다. 불꽃은 바람도 없는데 바르르 흔들리고 있었다.

… 섹스 때문에? 태경은 진저리를 쳤다. 그 여자가 이혼을 할 작정이라면 구태여 나를 만날 이유가 없었을 거야…. 태경은 다시 빈 잔에 술을 따르기 위해 고개를 들었다. 그때 언뜻 눈길이 스치는 곳에, 그가 오고 있었다…. 태경은 자기도 모르는 사이에 자리에서 일어섰다.

호준은 태경의 옆에 앉았다.

"잘 왔어요!"

그가 힘차게 말했다. 태경은 입술을 깨물었다. 호준의 팔을 잡았다. 긴장과 조바심, 좌절감이 한꺼번에 홀연히 사라져서 그의 몸은 허물어지려는 것 같았다. 호준이 태경의 반쯤 술이 담긴 잔을 들며, 목이 마르다고 중얼거리며 마셨다. 그리고 병을 보더니, 벌써 두병째냐고 물었다.

"네병째야."

태경이 말했다.

"더 늦었더라면, 주정뱅이 한 사람 나올 뻔했네."

호준이 말했다. 태경은 허무하게 웃었다.

"그래두, 와줘서… 너무 고마워."

태경이 말했다.

"오래 되었소?"

태경은 차마 두 시간도 넘게 이곳에 있었노라고, 그렇게 말할 수가 없었다. 그가 미안해 하는 것이 태경은 싫었다. 지금은 마음이 비할 데 없이 편안하고, 바람이 있다면 그저 이렇게 오래도록 호준과 함께 있는 것이었다. 자신이 언제 초조하고 불안했었는지, 기억조차 할 수 없었다. 여름날의 시궁창처럼 고여 오르던 의혹과 타락의 예감도, 태경은 도저히 되새길 수 없었다.

"배고프지 않아?"

호준이 태경의 얼굴을 살펴보며 물었다. 그리고 태경의 얼굴에서 무엇을 보았는지, 잘 지냈느냐고 물었다. 태경이 웃으면서 고개를 떨구었다. 어떻게 지내는 게 잘 지내는 것일까… 나의 현실은 무엇이고 비현실은 어떤 것일까… 태경은 순간적으로 이런 생각을 했다. 호준과 앉아 있는 지금이 자신의 현실인지, 어머니의 감시와 불안의 눈초리 속에서 옥죄어드는 삶이 현실인지… 그리고 이렇게 다른 두 현실 중에 어느 것이 자신의 진짜 현실이고, 현실일 수 있는지…

"오늘은 정신없이 바빴어."

호준이 자기 앞에 놓인 술잔을 치우고 종업원이 가져다 놓은 메뉴판을 열며 중얼거렸다.

"오전 오후 회의에다 현장에 들르고… 그런 와중에도 틈틈이 당신 생각이 나더라니깐."

호준이 말끝에 씨익 웃으며 태경을 보았다. 태경은 고개를 숙이고 있었다.

"우리 이런 거, 칼로 써는 거 먹어야지 뭐."

호준이 말했다. 태경은 그가 손가락질하고 있는 안심 스테이크라는 글자를 보며 무조건 끄덕거렸다. 호준이 의자 밑으로 태경의 손을 잡았다.

"내가 좋아?"

태경이 갑자기 들킬세라 작은 소리로 속삭였다.

"좋아!"

호준이 소년처럼 대답했다. 태경은 호준의 손을 만지작거렸다. 이 남자…. 태경은 운명을 생각해야 했다. 넘어야 할 너무도 높고 험한 산과 건너야 할 무서운 강이 아주 가까이 와 있다는 게 섬뜩하게 느껴지곤 했다. 요새 와서 부쩍부쩍 그런 공포 같은 절박감이 자주 끼쳤다. 호준과 헤어질 수 없다고 생각할수록 공포감이 더 커졌다.

"나는 오늘 내가 왜 당신한테 빠졌나, 이 여자의 무엇이 나를 사로잡았나… 생각해 봤어."

호준이 이렇게 말할 때, 태경은 자신의 운명의 빛을 보았다. 투명하지만 눈에 확연히 띄는 어떤 빛이 호준의 몸 속으로 들어가는 게…. 어쩌면 느낌이었는지도 몰랐다.

"당신의 그 맑음 때문이야. 나는 일 관계로 모르는 사람들을 새롭게 만나게 되는데… 당신은 보기 드물게 심성이 맑아요. 당신 속에는 맑은 예술가의 혼과 열정이 숨겨져 있어. 마치 잠자는 공주처럼. 마술에 걸린 왕자처럼 말이야."

이때, 태경이 거의 흐느끼는 듯한 목소리로,

"제발!"

이렇게 말했다. 태경은 호준의 말을 아무렇지도 않게 듣고 있을 수가 없었다. 호준이 이해할 수 없다는 눈으로 태경을 바라보았다.

"가슴이 터질 것 같아서…."

태경이 떨리는 목소리로 말했다. 눈에는 눈물이 그렁거렸다. 잠자는 공주나 마술에 걸린 왕자가 아니어도 좋다…. 나는 지금 이 순간만으로도, 이 기쁨만으로도, 내 운명에 감사한다….

태경의 눈에서 눈물이 주룩, 흘러내렸다. 저 호텔의 커피숍 앞에서부터 흘러내릴 핑계를 찾고 있던 눈물이었다. 태경은 이 남자가 너무도 고마웠다. 사람에 대해서 이런 고마움을 느끼기는 아마 태경의 단조로운 삶의 경험에서는 처음일 것이었다. 태경에게, 호준이 자신의 한쪽 어깨를 대었다. 태경은 그 어깨에 자기 생의 무게를 얹었다. 오랜 모멸의 먼지들에 깊이 묻힌 그 여자의 자존심이 소물소물 움직이기 시작했다.

나는, 사랑한다. 태경은 마음속으로 하늘과 땅에 말했다. 삼라만상에 공포했다. 나는 사랑한다. 마침내 사랑을 얻었다, 라고. 그리고 모든 신들에게 감사한다고 고백했다. 그 여자의 몸과 마음에서 마흔 몇 해째, 걸러지지 못한 찌꺼기들이 빠져나가고 있는 것이었다. 가볍고 투명하고 환해지는 느낌…. 태경은 지금 이런 느낌을 경험하기 시작했다.

그 동안 그들이 시킨 저녁밥이 왔다.

태경은 아주 오랜만에 야채와 밥과 고기를 모두 먹었다.

"밥 먹자고 안 했더라면… 매맞을 뻔했네."

호준이 일부러 주눅든 듯한 목소리로 말했다. 태경은 재미있게 웃었다. 그리고 둘 다 수저를 놓고 물까지 마시고 커피를 기다릴 때, 태경이 불쑥 말했다.

"오늘, 누굴 만났어."

투정처럼 들리는 목소리였다. 말끝을 풀쑥 떨어뜨리고 호준의 눈길을 피해 고개를 숙였다. 호준은 태경의 말을 언뜻 이해하지 못한 표정이었다. 다만 그 말이 편안한 것이 아니라는 느낌만 느꼈다.

그는 고개 숙여서 그의 옆모습만 볼 수 있는 태경을 바라보며, 다음 말을 기다렸다. 그러나 태경은 후회하고 있었다. 말을 꺼내놓은 순간, 태경은 그 사건이 호준과 자기에게 아무런 의미도 없다는 것을 깨달은 것이었다. 어쩌면 '그 여자'도 자기와 만난 것을, 헤어지는 순간부터 지워버렸을지 모르겠다는 생각이 들었다. 호준이 점점 침묵의 부피를 키우고 있는 태경의 목에 손을 얹었다. 그의 긴 팔은, 태경과 다른 의자에 앉았음에도 불구하고 태경의 목을 두르고 그의 귓불을 충분히 만지게 했다. 태경은 호준의 손길이 닿은 자신의 귓불에서 전신으로 퍼지는 저릿저릿거리는 감촉 때문에 그대로 앉아 있을 수가 없었다. 그는 목을 뒤로 젖혔다. 목은 호준의 팔을 베고 의자의 등에 대어졌다. 그리고 눈을 감았다. 감은 눈 바깥으로, 태경은 강물 같은 내일을 느꼈다. 내일과 또 다른 내일들이 끝없이 흐르고 있었다. 이제 곧 내일 속으로 들어가야 할 것이었다. 그런데 그 내일은 무엇일까…. 태경은 내일이 슬프고 두려웠다. 요 며칠 사이에 부쩍 그는 다가오는 날들에 대해 그런 느낌을 가져야 했다. 저 내일의 강은 건너야 하는 강인지, 한없이 따라 흘러야 하는 강인지…. 지금의 태경으로서는 알 수도 없고 그래서 선택은 더더욱 어려웠다. 그러나 마침내 그가 무엇을 선택해야 할지, 태경은 결심해야 하리라. 그것은 어쩌면 슬픔과 고통일지도 몰랐.

태경의 감은 눈에서 눈물이 골을 타고 흘렀다. 마흔이 넘어 생활의 이끼가 켜로 붙은 여자에게서 이토록 많은 눈물이 쉴 새 없이 흐른다는 건 놀라운 일이었다.

호준이 손끝으로 태경의 귓불을 타고 흐르는 눈물을 닦아냈다.

"당신이 만난 사람이 누구지요?"

호준이 무거운 목소리로 물었다. 태경이 다물고 있던 입의 아랫입술이 더욱 위로 밀려 올라갔다.

"나는 가끔, 내가 당신의 타성처럼 되어버린 평화를 깨지 않았나… 그런 생각을 해요. 당신이 괴로움을 얼마나 속으로만 삭이는지, 이젠 내게도 그것이 느껴지거든…. 이젠 그렇게 하지 말아… 함께… 나눠… 우린…"

호준은 더 말할 수가 없었다. 태경의 손바닥이 그의 입을 막았기 때문이었다. 태경은 호준의 사랑을 느끼고 확인하게 되는 게 두려웠다. 사랑보다는 미움이 더 편하고 쉬운 감정처럼 느껴져서였다.

"말하기 싫어요?"

호준이 우울한 목소리로 물었다. 그는 태경의 남편과 자신의 아내를 생각하고 있었던 것이다. 태경이 아랫입술을 물었다. 잠시, 한켠으로 기울었던 그의 마음이 움직이고… 그가 입을 열었다.

"당신의 아내라고…"

태경이 고개를 들며, 길게 뻗쳤던 다리도 끌어당겨 단정하게 앉으며 말했다. 순간, 호준의 몸이 굳는 것 같았다. 태경에게 미안하고, 속이 상해 견딜 수가 없는 것이었다. 왜 그 여자가 그런 필요없는 짓을 했는지…. 결혼 몇 년 동안 한 번도 아내에 대해 제대로 알려 하지 않았고 알 수 있는 기회를 갖지 못했던 호준은 지금도 그런 행동을 이해할 수 없었다. 어제, 사무실 근처에서 그들, 금이 간 부부가 만났다. 그들은 이혼에 대해 얘기해야 했던 것이다. 이혼에 대해선 호준의 아내가 먼저 말을 꺼냈다. 호준은 당신에게도 그것이 좋은 해결 같다고 말했다. 그 여자는 이혼 문제가 정리되면 곧 시카고로 떠나겠다고 말했다. 그곳엔 기반을 잡은 그의 언니가 살고 있었다. 그들 사이는 아주 차분했고, 이야기는 매듭 하나 만들지 않고 간결하게 끝났다. 그런데 이제 헤어져야 한다는 걸 서로 느꼈을 때, 그 여자가 물었던 것이다.

"지금, 그 여자는 어떤 여자야?"

호준은 아내의 이런 질문을 받았을 때, 문득 이빨이 서로 부딪치게 악물리는 걸 깨달았다. 왜 그랬는지 몰랐다. 호준은 태경을 떠올렸다. 순간, 그는 자신의 아내와 태경은 너무도 달라서 설명해 보았자 이해하거나 느끼거나 상상하는 게 불가능할 것이란 판단을 했다. 호준은 낯을 찡그리고, 입을 꽉 다문 채, 아내의 마지막 관심을 무시해야 했다.

"사랑하는 것 같애."

아내가, 비웃음이 감도는 표정으로 그러나 슬픔에 젖은 목소리로 말했다. 호준은 대답하지 않았지만 그의 아내는 그의 표정에서 해답을 읽었었다.

"언짢은 일 있었어요?"

호준이 태경의 손을 잡으며 물었다.

"아니! 전혀! 그냥 내가… 그저 미안해서…"

"미안하다니… 그건 너무 나쁜 표현이야…"

호준이 말했다.

"당신에겐 아무 상관없는 사람이니까. 이혼 때문에 잠깐 만났다가, 당신에 대한 감을 잡은 모양이야."

호준이 말하며 일어섰다.

"가려구?"

태경이 중얼거리며 그를 쳐다보았다. 태경은 가고 싶지 않았다. 이대로 헤어지는 건 너무 잔인하다고 생각했다. 이렇게는… 그냥 갈 수가 없다…. 이런 말을 속으로 되뇌이고 있는 태경의 눈에는 초조와 불안이 찰랑거렸다.

닫힌 문

　태경은 큰길에서 내렸다. 방학동 쪽으로 가는 합승 손님 때문에, 기사
는 태경에게 양해를 구했고, 태경은 밤늦은 시간이었으나 흔쾌히 기사의
의견을 존중했다. 그의 마음은 편안하고 더없이 너그러웠던 것이다. 호
준과 자신의 관계에 대한 밑도 끝도 없는 회의와 열정, 갈망과 슬픔들이
이젠 모두 정리되었기 때문이다. 호준은 이혼이 된 거나 다름없었고, 자
기 자신도 집을 나오기로 결정한 뒤였다. 집을 나오는 문제도 그다지 어
려울 것 같지 않았다. 남편이 자기를 괴롭히지 않고 풀어줄 것이라고
생각되었던 것이다. 자기를 사랑하지 않는 아내와 살기를 원하지 않을
테니까. 그리고 찬수의 사람 됨됨이라면, 그 동안 자기에게 커다란 고통
한 번 주어본 적이 없는 아내의 처음이자 마지막인 부탁을 들어줄 것 같
았다. 태경은 이런 예감을 아주 자신있게 호준에게 얘기했던 것이다. 호
준이, 자기가 찬수를 만나서 결정짓겠다고 했을 때, 태경은 그렇게 말했
다.
　태경은 낯선 거리를 아무런 생각 없이 걸어가듯, 자신의 집으로 난 골
목길을 걸었다. 편안한 기분으로. 그런데 그가 골목의 절반이나 걸었을
까? 그때 누군가가 아무 생각 없이 걸어가는 그의 앞을 가로막고 섰다.
　"니가… 정신있는 사람이냐?"

전씨였다. 밤공기에 머리를 수건으로 휘감고 털 스웨터를 입은 채, 벌써 한 시간 넘게 골목을 오르내리며 딸을 기다리고 있었던 것이다.

"어머니. 왜 나와 계세요? 무슨 일 있어요?"

태경이 전씨의 팔짱을 끼며 기분 좋은 목소리로 말했다. 그러나 전씨는 딸의 팔짱을 뿌리쳤다. 며칠 차분하게 지내서 이젠 딸이 마음을 가라앉힌 모양이라고 지레 안심하고 있었는데, 웬 젊은 여자 전화를 받더니 질겁해서 얼굴이 노랗게 오그라들던 딸… 전씨는 태경이 집을 나간 뒤, 그 여자가 필경 '그놈'의 아내일 것이라고 결론을 내렸던 것이다. 망신살이 있는 대로 뻗치고 자칫 딸이 제 명도 다 못살 것 같은 불길한 상상만 들어 이 시간이 되도록 전씨는 생지옥 같은 시간을 보내야 했다.

"도대체 니가 조금이라두 이 어미 생각을 한다면…"

전씨는 떨려서 말을 잊지 못했다.

"어머니. 걱정 마세요. 아무 걱정도 마세요. 어머니가 원하는 건 딸이 행복해지는 거잖아요. 그러니까…"

"말 같지두 않은 소리 말아라!"

전씨가 발을 멈추고 소리쳤다.

"엄마. 걱정 마시라니까."

태경이 전씨를 다시 붙잡으며 애원했다.

"그래 집에 전화두 못 하니? 차라리 내가 못 볼 꼴 봐야 한다면 어서 죽기나 하련만…"

"어머니두… 왜 자신을 쓸데없이 들볶으세요. 그 사람한테 어머니 얘기했어요. 어머니두 아주 좋아하실…"

태경은 얘기를 끝맺지 못했다. 전씨가 살이 낀 듯 매서운 손짓으로 딸을 때렸기 때문이었다. 세상에… 이건 대체 무슨 얘기란 말인가. 이젠 나까지 끌고 들어가다니…. 전씨는 자신의 늙은 목숨이 으스러지는 느낌 때문에 숨조차 제대로 쉴 수가 없었다.

결국 전씨와 태경은 몇 발짝 떨어져서 집까지 말없이 걸어갔다. 하지만 집에 들어가서도 그들의 생살을 저며대는 것 같은 말싸움은 자정을 넘기도록 계속되었다. 전씨는 태경에게 여자 나이 마흔다섯이면 이제 인생을 거의 다 산 거나 다름없다고 말했다. 남편이 좋다거니 밉다거니 할 때도 지났으며 '제 인생' 어쩌고 할 때는 더더욱 지났다는 것이었다. 이젠 자식들 돌보고, 쓸데없이 남의 입에 오르내릴 짓 하지 말고, 덕이나 하나하나 쌓으면서 곱게 늙다, 좋게 세상 버릴 준비를 해야 할 때라고 말했다.

그러나 태경은 어머니의 피맺힌 모정의 충고를 단 한 마디도 받아들이지 않았다. 그의 모든 노력은 전씨가 자기처럼 호준을 사랑하게 되는 것―그것을 설득시키는 데 기울였다. 하지만 전씨는 설득되지 않았다. 설득은커녕 그는 자신의 삶에 대한 환멸감 때문에 죽고 싶을 뿐이었다. 남편을 앞세워 보냈을 때의 그 치욕감보다 딸의 '부정'이 그를 더욱 혹독한 죄악감에 빠뜨렸던 것이다.

다음날, 전씨는 자리에서 일어나지 못했다. 입술은 까맣게 탔는데, 그가 목구멍으로 넘기는 것은 보리차뿐이었다. 태경은 태희에게 도움을 청했다. 태경이네로 달려온 태희는 일단 언니에게 싸늘했다. 그리고 호준을 만나보겠다고 말했다. 태경은 '그게 좋겠다'고 호준의 전화 번호를 가르쳐주었다.

태희는 두세 시간 만에 호준을 만나고 다시 언니네로 왔다. 태경은 모든 것이 궁금했다. 그러나 태희는 아무것도 얘기하지 않았다. 호준은 인상이 부드럽고 편안했으며 태경이가 '순결한 여자'라고 말했고 '우리는 서로 사랑한다'고 말했는데, 그걸 언니에게 말하고 싶지 않았던 것이다. 다만, 언니의 인생은 어머니와 자기, 더 나아가 조카들과 형부의 요구와는 상관없이 '그들 두 사람'이 원하는 대로 흘러갈 거라는 예감만이 확인되었다고 할까?

태경이 자리를 비웠을 때, 태희가 전씨에게 말했다.

"엄마. 우리집에 가요. 언니 인생은 언니가 알아서 살겠지 뭐. 아이가 아니니까."

"그놈이 나쁜 놈이지? 뭘 훑여낼 게 있다구… 어떻든?",

전씨는 태희의 말뜻을 이해하려고 하지 않았다. 그는 한사코 태경의 행복을 깨뜨린 '그놈'만 죽이고 싶은 것이었다.

"도둑놈은 아니야 엄마. 난 이제 신경 쓰지 않을래."

태희가 말했다. 전씨는 남 같은 태도의 둘째딸에게도 정나미가 떨어졌다. 그러나 태희의 설득대로, 겨우 몸을 추스러서 태희를 따라 나섰다. 태희는 아직 형부가 올라오자면 열흘쯤 있어야 하고, 이곳에 있으면 언니와 싸우기만 할 테니 큰 병 나기 전에 서로 며칠이라도 떨어져 지내라고 했던 것이다.

태경은 열에 뜬 눈빛에 원망을 숨기지 못하는 어머니를 배웅하며, 자길 믿어달라고 수도 없이 말했다. 그러나 끝내 전씨는 한 마디의 말도 건네지 않고 택시에 올라탔다.

어머니와 동생이 타인처럼 떠나고, 텅 빈 집에 돌아왔을 때, 태경은 예기치 못했던 외로움 때문에 목을 놓아 울었다. 울음소리가 행여 바깥으로 샐까 봐 얼굴을 이불 속에 파묻고 울었다. 울면서 그는 자기가 정호준이라는 남자를 얻기 위해 지불해야 하는 값이 얼마나 힘든 것들인가를 선연하게 깨닫기 시작했다. 그리고 그 힘든 고비가 이제 시작되었다는 것을.

이날 태경은 아이들이 돌아와 집 안이 가족의 체온과 목소리로 채워지기 전에, 그는 결국 자기가 혼자 '집을 떠나야 할 것'이란 생각을 어렴풋이 하게 되었다. 그리고 아주 수월하게 여겼던 문제—찬수와의 해결도 결코 쉽지 않으리라는 예감도 했다. 그러나 호준이 하던 말, 결국 태경이 진정으로 원하는 쪽으로 일이 진행되기 마련이라던 말을 무슨 부적처럼 붙잡았다. 그리고 한밤중에 불현듯 깨어나서, 그는 방 안을 둘러보고 주방이며 다용도실, 거실과 화장실을 살펴보았다. 왜 그러는지도 몰랐다. 몽유병 환자같이 그랬다. 그런 후에 안방으로 들어와 그는 얼굴을 감싸고 한참씩 침대 끝에 앉아 있었다. 밤은 고요하고 집 안에선 전류 흐르는 소리만 들렸다.

"나는 누구지?"

태경은 아무도 없는 방 안에서 이런 목소리를 들었다. 누군가가 그렇게 말했다.

"왜 우리는 그리워하면서 떨어져 있어야 하지?"

태경은 단 하나의 말소리에 얼굴을 들었다. 그는 허둥지둥 방 안을 두리번거렸다. 자기 혼자뿐이었다. 왜 우리는 그리워하면서… 태경은 자기 속에서 울리는 자신의 목소리를 들었다. 그 사람이 그립다… 당신이 그립다… 우린 만나야 한다… 이렇게 서로 떨어져 있는 건… 아주 나쁜 것 … 생명의 소모… 태경은 자기 자신과 호준에게 호소했다.

그는 호준이 보고 싶었다. 아무리 생각해 보아도 자기의 그리움이 죄가 될 것 같지 않았다. 자신의 그리움이 죄라고 믿어지지 않았다. 이렇게 그리울 때 목소리라도 들을 수 있다면…. 태경은 자기가 호준의 집 전화번호를 알아두지 않은 게 너무도 후회되었다.

이런 간절한 그리움 덕이었을까.

다음날 태경은 9시도 못 되어 호준의 전화를 받았다. 호준은 태경이 잘 지냈는지, 별일 없는지… 그런 안부부터 물었다. 태경은 하고 싶은 말이 너무 많아서 입술이 으깨지도록 깨물었다.

"어제 모든 걸 끝냈어요. 오후 2시가 조금 넘어서 법원에 갔는데… 판사가 물어본 말은, 합의했느냐는 거 한 마디였어요."

호준이 말했다. 그는 그래도 아이까지 낳고 형식적이었다 하더라도 몇 년을 부부의 관계로 살아온 여자와 헤어지는 제도적 장치가 그렇게 싱거우리라곤 상상도 못 했던 것이다.

이혼… 을 했다고… 태경은 속으로 중얼거리며 천장을 올려다보았다. 호준이 그렇게 말했을 때, 태경은 자신의 가슴에서 무엇인가가 툭 하고 끊어지는 것 같은 선명한 느낌을 잊지 못했다.

"… 마포에 있는 오피스텔로 잠깐 옮겨 살 게 되었어요. 아파트는 그 여자한테 위자료로 주었습니다. 그쪽에서 원했고, 나도 그편이 홀가분하니까요. 우리가 살 집은 당신과 의논해서 지어야지요. 괜찮겠어요?"

호준이 말했다. 태경은 뭐라고 말해야 할지 알지 못했다. 그가 이 세상에 태어나 처음으로 들어보는 말 같아서였다.

"태경 씨."

호준이 아무 말도 하지 않는 태경을 불렀다.

"내 말 듣고 있어요?"

다시 호준이 물었다.

"… 호준 씨… 듣고… 있어요…."

태경이 울먹이는 목소리로 겨우겨우 대답했다.

"두려워하지 말아요. 내가 당신을 사랑하고 있으니까요."

"그래. 두려워하지 않아… 두려워하지 않아…."

태경의 말소리는 점점 작아졌다. 북받치는 기쁨 때문인지, 아니면 어울리지도 않게 치밀어오르는 서러움 때문인지….

"당신은 당신이 얼마나 아름다운 열정을 가진 여자인지, 그 동안 자신을 얼마나 억누르고 살아왔는지… 우리가 서로에게 얼마나 필요한 사람들인지…"

호준이 말했다. 태경은 수화기를 붙잡고 더 이상 견딜 수 없어서 엉엉 소리내어 울었다. 호준이 태경 씨 태경 씨 하고 부르는 소리가 아득하게 들려왔다. 그는 이제 곧 회의를 시작해야 되어서, 그만 전화를 끊어야 했다.

잠시 울음소리가 잦아드는가 싶더니, 태경이 호준을 불렀다. 그 여자는 고맙다고 말하는 것이었다. 호준은 낮은 소리로 웃으며 오후에 시간이 나면 다시 전화를 걸게 될지 모르겠다고 말했다.

전화를 끊고 나서, 태경이 거실 바닥에 무릎을 꿇고 앉았다. 기도하듯 손을 공손하게 맞잡았다. 그의 몸에서 무수한 세포처럼, 고맙습니다, 라는 말이 흘러나왔다. 고맙습니다. 고맙습니다…. 태경은 호흡보다 더 빠르고 깊게 이 말을 읊조렸다. 그리고 태경은 젖은 얼굴로 뜰을 내다보았다. 마른 나뭇가지에 아른거리는 이른 봄볕이 손에 만져질 것 같았다. 그는, 만질 수 없는 봄볕과 껍질 속으로 필경 흐르고 있을 수액과, 볕에 언 몸을 녹이거나 싹의 씨앗을 틔우고 있을 흙 속에 그리고 대기와 우주에… 고마운 자기의 마음을 전했다.

이렇게 몸과 마음이 가벼울 수가 없었다. 더 이상 필요한 것이 없는 상태, 아무것도 가지고 싶지 않은 상태, 그러나 존재하는 모든 것과 부드럽게 포옹할 수 있는 상태…. 호준 씨. 태경이 속으로 그의 이름을 불렀다. 이제 당신은 이 세상에 가득 찼어요. 내가 있는 세상에…. 태경이 말했다.

이날부터 태경은 자신을 정리하기 시작했다. 자신이 결혼할 때 해온 혼수들—장롱과 이불 그리고 세간살이들… 자신이 입던 옷과 여러 가지 물건들…. 그러나 태경이 챙기고 싶은 것은 일기장과 올해 사들인 몇 권의 시집뿐이었다. 그러나 그는 시집도 놓아두었다. 자신의 것이라고 생각되는 것은 일기장과 호준의 작은 스케치뿐이었다.

호준은 9시 전에 출근해서, 우선 태경에게 아침 인사를 했다. 그는 돌아오는 일요일에 오피스텔로 주거를 옮기게 된다고, 자신의 방은 7층 12호라고 말했다.

일요일이라면, 찬수가 집에 와 있는 날이었다. 찬수는 토요일에 와서 월요일부터는 본사 근무에 들어갈 것이었다.

토요일, 태경은 오후에 남편이 상경한다는 얘길 호준에게 했다. 호준은 태경에게, 침착할 것과, 어려운 일이 생기면 반드시 자기에게 연락할 것을 당부했다. 그리고 오피스텔의 전화 번호를 알려주었다. 어쩌면 추운 날, 길떠나는 자식의 옷깃을 꼼꼼하게 여며주는 어머니처럼, 호준은 그렇게 태경이 용기를 잃지 않도록 챙겼다.

하지만 이날, 태경은 온종일 어수선하게 지냈다. 태경은 어수선해지는 자신의 마음이 싫었다. 그래서 신문도 집어들고 책도 펼쳐들었으며 FM의 채널을 이리저리 돌려보았다. 저녁 반찬거리를 뒤져보고, 수도 없이 변기를 타고 앉아 오줌을 누어대었다. 그래도 마음이 가라앉지 않았다. 빨랫거리도 없고 청소할 것도 없었다. 태경은 가구 왁스를 꺼내 장롱을 닦기 시작했다. 모서리 틈에는 이쑤시개를 넣어 먼지를 긁어내었다. 베란다의 알루미늄 새시도 그렇게 닦고 유리도 닦았다. 한동안 그렇게 하고 나자, 머리가 어찔했다. 태경은 이렇게 어지럼증이 나자 소파에 길게 누웠다. 그는 깊이 숨을 들이마셨다가 천천히 내쉬었다. 이때, 문득 어떤 생각이 태경의 지친 몸과 마음을 곤두서게 했다. 그는 자기가 결혼한 이래 남편이 여수로 떠날 때까지 늘 이렇게 살아왔다는 사실을 깨달은 것이었다.

쓸고 닦으면서, 부엌에서 끝없이 칼질을 하고 가스 레인지를 켰다 끄면서. 그리고 남편이 돌아올 시간이 되면 공연히 가슴을 두근거리고, 행여나 해야 할 일을 못해 놓은 것이 있는가… 초조해 하지 않았던가! 그런데 이제 2년 만에 남편이 돌아온다고 하자 또다시 그렇게 하는 것이었다…. 태경은 혐오감과 비애 때문에 소름이 끼칠 것 같았다. 왜 남편이 단순하게 '반갑지' 않을까. 그를 사랑하지 않기 때문에? 지금은 정이 다른 남자에게로 갔기 때문에? 그러나 예전에도 남편을 반가움만으로 맞아본 적은 없었다. 남편은, 이를테면 정이라고 믿어야 하는 껍질에 쌓인 '어려운 타인'이었다.

태경은 이런 긴장의 관계가 싫어졌다. 사람은 서로 사랑함으로 해서, 서로를 인정하고 존중함으로써 그 관계가 도리어 모든 긴장을 풀어내는 것이어야 하리라….

놀이터에서 아빠를 기다리던 소영이는 뜻밖에도 전씨의 손을 잡고 돌아왔다. 전씨는 태경의 일을 한사코 모른 체하고 있을 수가 없었다. 2년 만에 집이라고 돌아온 사위에게 바람난 딸이 행여 돌이킬 수 없는 실수라도 할까 조마조마했던 것이다. 무슨 일이라도 나면 늙은 자기가 방패

막이가 되어야 한다고 생각했던 것이었다.

전씨는 소영이에게, 아빠를 기분 좋게 하자면 목욕을 깨끗이 하고 옷도 갈아입어야 한다고 말했다. 한 달 전에도 다녀간 아버지를 아주 오랜만에 만나는 것처럼 유난을 피우는데, 소영인 웬일인지 외할머니의 말대로 하였다.

태경은 아무것도 못 보고 못 듣는 사람 같았다. 그는 시간을 보아 가스불 위에 밥솥을 올리고 국을 올려놓았다. 그러나 소영이와 전씨가 흥거움을 감추지 못힌 채 찬수를 기디리러 밖으로 나간 다음, 태경은 자기도 모르게 자꾸만 시계를 보았다. 집 안은 유리문 쪽부터 어두워지는 것 같았고, 그는 불을 켜려는 생각도 못 한 채 행주를 빨거나 파를 다듬으면서 어두워지는 거실을 힐끔힐끔 돌아보았다.

태경의 가슴이 두근거리고 있었던 것이다. 그는 가쁘게 숨을 몰아쉬곤 하였다. 그러다가 힘겨우면 자기도 모르게 호준을 생각했다. 용기를 잃지 말고, 어려운 일이 있으면 자기에게 연락하라던 목소리가 귀에서 떠나지 않았다.

그래. 아무것도 아니야. 내가 왜 겁을 먹지?

태경은 자신에게 말했다. 그리고 거실과 방들에 불을 켰다. 집 안이 환해지니까 불안이 좀 가시는 느낌이었다. 태경은 텔레비전도 켜놓았다.

"엄마아! 아빠야아!"

이때 소영이가 소리치며 들어왔다. 전씨와 찬수의 목소리도 들렸다. 그리고 이내 현관이 꽉 차는 것 같았다.

태경은 현관 쪽으로 몸을 돌렸다.

"오셨어요?"

태경이 남편에게 인사했다.

"으음, 별일 없지?"

찬수가 굵은 목소리로 아내에게 말했다. 그는 집 안을 한번 자연스럽게 쓰윽 살펴보고 안방으로 들어갔다. 태경이 습관처럼 따라 들어갔다.

찬수가 벗어서 침대에 던진 윗도리를 옷걸이에 걸고 넥타이도 걸었다. 그러나 태경은 남편과 한 순간도 눈을 마주치지 못했다. 그는 자신의 오랜 습관이 이 순간처럼 가증스럽게 느껴진 적이 없었다. 넥타이까지 받아 걸고 나서, 태경은 밥이라도 타는 듯이 도망치듯 주방 쪽으로 나왔다.

저녁밥은 근우까지 와서 모처럼 식구들이 함께 먹었다. 태경은 앉지도 않고 계속 시중을 들었다.

이것은 그들이 오래도록 해오다, 한동안 중단되었던 습관의 회복이어서 아무도 이상하게 여기지 않았다. 태경은 찬수가 한 모금에 다 들이킨 김치국의 국물을 다시 떠다놓고 여수에서 보낸 젓갈도 재빨리 양념해서 식탁에 내었다. 전씨는 한참이나 남쪽의 젓갈 맛을 칭찬했다. 찬수는 오동도의 갓김치가 한동안 생각날 것 같다며 그쪽 지방의 음식풍속을 애기했다.

이들 가족은 10시가 넘도록 텔레비전을 보고 얘기를 나누었다. 이날 밤은, 아무 일도 없이 지나갔다. 우선 찬수가, 몸이 고단해서 아내를 '그냥 두었던' 것이다. 초조한 건 태경이뿐이었다. 언제 어떤 식으로 '이혼'에 대한 얘길 꺼내야 할 것인지… 마음만 저 홀로 뒤숭숭했다. 찬수가 잠이 든 뒤에야 그의 곁에 누웠는데 태경은 도무지 잠을 이룰 수가 없었다. 여기저기가 근지럽고 가려워서 자꾸만 몸을 꿈지럭거려야 했고 그때마다 이불이 들썩여 찬수가 깰까 신경 쓰였다. 자정이 넘고 집 안이 정적에 묻히도록 태경은 잠들지 못했다. 결국 태경은 살며시 일어나 담요 한 장을 두르고 바닥에 누웠다.

내일은 꼭 말해야지. 집에서 말하는 것보다, 아무래도 밖에서 둘이 만나는 게 나을 거야. 어쩌면 큰소리가 날지도 모르니까….

그러나 태경이 정한 날인 '내일'은 쉽게 돌아오지 않았다. 찬수는 회사일로 낮시간에 짬을 낼 수 없었고 여러 가지 명목의 접대로 늘 11시는 넘어야 집으로 돌아왔다. 태경이 몇 번이나 회사 근처에서 점심을 같이 하자고 했지만, 찬수는, 그런 외식은 한가할 때 시간을 내보겠다고 건성들어 넘기는 것이었다.

태경은 친정어머니의 감시 때문에 호준과 마음놓고 통화도 할 수 없었고, 그에게 '기쁜' 소식을 전하지 못하는 것도 고통스러웠다. 게다가 이렇게 날이 가면, 또다시 예전의 생활로 틀이 잡히게 될 것 같고, 그런 예감이 들면 나락으로 곤두박히는 것 같아 숨이 막혔다.

그런데 태경의 '내일'은 너무도 뜻밖에 찾아왔다.

오전 11시쯤, 찬수가 집으로 전화를 해서 태경을 불러내었던 것이다. 그는 서울로 돌아온 후 아직 아내를 '즐겁게' 해주지 못한 것에 늘 마음이 찜찜해 있었다. 그런데 아내가 벌써부터 단둘의 외식을 원했고 그거나마 시간을 내지 못했는데 오늘 모처럼 기회가 닿았던 것이다.

태경은 찬수와 약속을 하자마자, 호준에게 이 기쁜 소식을 전하고 싶었다. 마침내 때가 왔다고, 오늘 남편과 만나 모든 걸 홀가분하게 정리하겠다고… 그러나 태경은 가슴이 떨려서 그렇게 하지 못했다. 오한이 끼치는가 하면 열이 나기도 해서, 정신은 물론 몸도 이상했다. 견딜 수 없이 시리던 가슴이 갑자기 뜨거워지고 마구 몸이 부풀어 공중으로 떠오르는 느낌에 정신을 차리기 어려웠다.

태경은 남편의 회사까지 가는 시간을 잴 수 없어, 서둘러 나왔더니 반시간이나 먼저 찻집에 도착했다. 그래도 태경은 늦지 않은 것만 좋았다. 찻집은 벌써부터 사람들로 붐비는 것 같았고, 태경은 눈을 어디에 둬야 할지 몰라 허둥거리다가 결국 찻집 바깥으로 나왔다. 그는 자꾸만 시계를 들여다보았다. 호준에게 전화를 하고 싶었다. 웬지 가슴이 시려오고 손끝도 저리는 것 같았다.

겁내지 말자. 태경은 자신에게 말했다. 그러나 말할 때뿐이었다. 이내 가슴이 떨리는 것이었다.

어렵게 10분이 지났다. 태경은 공중전화를 찾았다. 몇 사람이 줄을 서 있었다. 12시가 되면, 호준도 점심을 먹으러 나갈 것이었다. 공중전화를

걸고 있는 사람은 외판사원인 모양이었다. 그는 한 통화를 끝내고 나서
는 뒷사람에게 죄송하다고 하고 다른 번호를 누르곤 했다.

　태경은 호준과 통화하는 걸 포기했다. 누가 자기의 통화를 엿들을지도
모른다는 생각에 더럭 겁이 났던 것이다. 태경은 다시 찬수가 말한 찻집
으로 갔다. 홀은 더욱 복잡했고, 태경은 결국 합석을 해서 12시를 초조하
게 기다려야 했다.

　그런데 어찌된 이유일까. 찬수는 12시가 지나고 또 10분이 지나도록
나타나지 않았다. 남편에게 혹시 갑작스럽게 일이 생긴 건 아닐까… 그
래서 오늘 이 기회를 잃게 된다면… 또다시… 언제… 태경은 입이 말랐
다. 찬수에게 전화를 걸어볼까도 생각했지만 30분은 기다려보기로 작정
하고 참았다. 찬수는 12시 20분이 지나서야 찻집 문으로 모습을 나타냈
다. 그는 편안한 표정이 아니었다. 그래도 태경의 눈길은 자석보다 더 강
렬하게 찬수를 잡아당겼다. 그러나 찬수는 아내 곁에 와서 앉지도 않고,

　"차 마셨어?"

　하고 무뚝뚝하게 물었다.

　"아니요. 당신이 오시면…"

　태경은 미처 자기가 깨닫지도 못한 잘못을 들킨 게 아닌가 하는 불안
감으로 얼떨떨하게 중얼거렸다.

　"나가자. 시간이 없으니."

　찬수가 말하며 앞서 걸었다. 태경은 종업원에게 차를 마시지 못하고
나가는 걸 사과했다. 그리고 벌써 저만큼 멀어진 남편을 허둥지둥 따라
갔다. 찬수는 음식점과 찻집 따위로 가득 찬 빌딩의 지하 한쪽에 있는
일본 음식점으로 들어갔다. 그는 깔끔한 여자들은 초밥을 좋아한다는 편
견을 가지고 있었다.

　"생선 초밥?"

　날렵한 한복 차림의 젊은 여자가 찬수와 친숙한 인사말을 주고 받고,
사모님이신가 봐요, 미인이시네, 라고 말했을 때 찬수는 빙긋 웃고 나서

태경에게 이렇게 물었다.

"네. 전 아무 거나 괜찮아요."

태경이 말했다. 그는 웬지 어색했다. 온몸에서 진땀이 솟는 기분이었다. 고개를 숙이고 검은 칠이 된 사각 식탁의 모서리를 손가락 끝으로 더듬기를 되풀이했다. 밖에서는 쉬지 않고 사람들이 드나들었고 남자들의 왁자한 말소리들 그리고 여자 종업원들의 잘 가라, 또 오시라는 인사말이 뒤섞이고 있었다.

이들 부부가 이렇게 집 밖에서 외식을 하려고 마주앉은 게 얼마만인가. 10년도 더 넘은 옛날에나 있던 일인가?

"당신 이제 보니까 아주 멋스러운데."

심심한 듯 엽차로 목을 축이며 찬수가 말했다.

태경은 뭐라고 대꾸해야겠는데, 그런 생각이 드는 순간 얼굴 근육이 굳는 걸 느꼈다. 입도 움직여지지 않았다.

"당신… 머리는… 언제부터 그런 스타일이었어?"

찬수가 태경의 롤 스트레이트 퍼머로 끝을 감아 늘어뜨린 단발을 살펴보며 중얼거리듯 물었다. 태경은 입을 완강하게 다물었다. 그리고 꿀꺽 침을 삼켰다.

생선 초밥과 대구 찌개는 이내 나왔다. 찬수는 대낮인데도 맥주를 시켰다.

"당신두 술은 잘하잖아. 낮이라두 괜찮겠지?"

찬수가 말하면서 아내와 자신의 잔에 맥주를 따랐다.

"자. 마시자구."

찬수가 잔을 자기 앞에서 들어 보이며 말했다. 태경은 술이 잘 받지 않았다. 목에 걸려서 쓰기만 했다.

"바닷가에서 살다 오면 한동안 서울 회를 못 먹는대."

찬수는, 태경이 생선 초밥을 먹으라고 하자 이렇게 말했다.

"오늘은 날이 좀 안 좋았는데… 회사에 문제가 생겨서… 그렇지만 가

259

끔 이렇게 밖에서 식사를 하자구."

다시 찬수가 말했다. 그러나 태경은 그의 말을 듣지 못했다. 태경의 머릿속엔 온통 '이혼'이라는 낱말만 바글거리고 있었다.

그들이 밥을 먹는 시간은 채 20분도 걸리지 않았다. 찬수는 수저를 놓은 다음, 초밥을 반도 넘게 남기고 앉아 있는 태경을 바라보다가 자신의 팔목시계를 살폈다.

"여보!"

이때, 아주 갑작스런 목소리로 태경이 남편을 불렀다. 찬수가 아내를 보았다. 정작 사람을 불러, 눈길을 끌어당긴 태경은 고개를 떨구고 있었다.

찬수에게 어떤 직관이 작용했을까? 그의 눈길은 무거운 침묵 같은 것으로 아내를 향했고, 이상한 기미를 느낀 표정이 되었다.

"… 이… 혼을… 해야겠어… 요."

마침내 태경이 말했다.

찬수는 아내가 떨리는 목소리로 말한 이 말이 무슨 의미인지 곧장 헤아려 듣지를 못했다. 그는 아주 뻥 뚫린 낯으로 아내를 바라보았다. 아직도 당혹이나 분노 같은 감정이 생기지 않았던 것이다.

"뭐라구?"

잠시 후, 찬수가 의아한 목소리로 물었다. 태경이 고개를 들었다. 남편의 눈길이 아주 강하게 자신을 쏘아보고 있었지만 다른 때와 달리 태경은 당황하거나 주눅들지 않았다. 그토록 떨리던 마음은, 이혼을 해야겠어요, 라고 말하자, 이상하게도 차분하게 가라앉았던 것이다. 이젠 도리어 찬수의 눈길이 흔들리는 것 같았다.

"무슨 말이야?"

다시 찬수가 물었다. 너무도 차분한 목소리였다.

"이혼을… 하려구요."

이번엔 그래도 또렷한 목소리로 태경이 말했다. 찬수가 고개를 갸웃하고, 말썽꾸러기 아이를 바라보는 듯한 눈길로 아내를 보았다.

"당신… 지금… 뭐라구 그랬어?"

그리고 그가 다시 한 번 한사코 화를 내리누르며 아이를 타이르려는 목소리로 물었다. 태경의 입술이 소리없이 실룩거렸다.

"이혼하자구 그랬나?"

찬수가 낮고 우울한 목소리로 물었다. 사람이 갑자기 이상해지는 건, 정신분열증의 초기 증세일지 모른다는 생각을 하면서.

"그래요, 여보."

"갑자기 그건 무슨 소리야? 우리가 뭐 문제 있나? 내가 뭐 잘못했어?"

"아니요. 당신한텐 아무런 잘못이 없어요."

"그럼 갑자기… 이혼은 뭐야? 그게 무슨 말인지 알기나 해?"

찬수의 목소리는 무심했고, 태경은 아랫입술을 깨물었다.

"난… 들어가 봐야 해. 시간이 없어."

찬수가 말하며 일어나려 했다.

"아니! 여보!"

갑자기 태경이 찬수 쪽으로 팔 하나를 길게 뻗으며 절박하게 소리쳤다.

찬수가 눈을 각이 지게 찌푸리며 다시 들었던 무릎을 내렸다.

"난… 이혼해야 돼요!"

태경이 간절하고 다급하게 말했다. 찬수가 아내를, 비로소, 심각하게 쏘아보았다.

"난… 우리가 서로를 사랑하지 않는다는 걸 깨달았어요!"

태경이 떨리는 목소리로 말했다.

"그래서!"

찬수가 비웃음 섞인 목소리로 뱉었다. 그의 눈에 잔인한, 경멸하는 빛이 어렸다.

261

"그럼…".

찬수가 말을 잇지 못했다. 그는 마치 익숙하게 쓰던 말처럼 튀어나오려는 말―당신한테 애인이 생겼나? 라고 물으려다 그만 입을 닫아버린 것이었다.

"아무것도 바라지 않아요."

태경이 말했다.

"뭐야. 애인이라도 생겼나?"

찬수가 이빨 사이로 웃음을 날리며 불분명한 발음으로 말했다.

태경이 고개를 크게 끄덕이었다.

찬수가 고개를 끄덕이는 아내를 내려다보았다. 믿기지 않았다. 저런 느닷없는 태도가 병이 아니라면 어떻게 이해해야 할까 생각했다.

"애인?"

그리고 그가 새삼스런 낱말을 씹듯이 되물었다. 저 여자 태경에겐 너무도 어울리지 않는 말이었다. 유부녀이되, 찬수 자기의 조강지처인 태경에게 애인이 있다고? 소가 웃을 일이었다.

찬수는 시계를 다시 들여다보았다. 이젠 더 이상 머뭇거릴 수 없었다. 그는 무조건 일어섰다.

그러나 태경은 그 자리에 붙박여서 꼼짝도 할 수 없었다.

"가자구."

찬수가 마치 아무 일도 없었던 사람 같은 목소리로 말했다. 태경은 정신이 아뜩했다. 찬수는 벌써 카운터로 나가 계산을 하고 있었다. 태경은 자기가 어떻게 남편과 헤어졌는지 기억하지 못했다. 찬수는 태경에게 어쩌면 이렇게 말했을지도 몰랐다.

"어서 집으로 들어가!"

어서 집으로 들어가라고. 어리석은 자식을 쫓아 보내듯이.

태경은 거리에 나와, 어디로 가야 할지 마음을 정하지 못했다. 모든 것이 한결같이 낯설었다. 태경은 그냥 걸었다. 지하도와 육교를 건너고 복잡한 횡단보도도 지났다. 이렇게 한동안 정신없이 걷던 태경의 머릿속에 불현듯 하나의 낱말이 어둡게 떠올랐다. '감옥'이라는 말이었다. 태경의 생활에서 좀체 사용하게 되지 않는 말이어서, 이것의 느낌은 차라리 충격적이었다. 감옥… 태경은 생각했다. 자기가 찬수라는 남편의 엄혹한 감옥에 갇힌 존재라는 것을…. 어쩌면 느닷없는 발견인지도 몰랐다. 왜 한 여자가 중매라는 형태로 한 남자와 만나, 그의 집으로 가서, 아무 생각 없이 주어지는 역할을 충실히 해내다가, 어느 날 갑자기 자기의 삶의 현실이 감옥이라고 깨달아야 할까. 그리고 태경은 일본 음식점에서 자기가 남편에게 한 태도, 그때의 마음 상태는 온통 비굴한 것이었다는 사실도 깨달았다. 태경은 비굴한 자기가 싫었다. 남편의 말 한 마디, 남편의 생각에 따라 운명이 결정되고 감정이 좌우되는 자기라는 여자, 자기라는 인간이 너무도 가련하게 생각되었다. 결혼해서 이날까지 온통 그를 위해, 그에게 잘 보이기 위해, 그의 기를 살려주기 위해 살아온 존재가 아닌가. 그러다가 그가 뱉으면 버려지고, 삼키면 선택되는 운명이라니….

태경은 이런 인생은 싫다고, 난 이렇게 살고 싶지 않다고 속으로 말했다.

버스 정류장엔 태경이네 집 쪽으로 가는 버스가 서 있었다. 그것은 천천히 앞쪽으로 움직이다가 달려오는 줄지은 사람들을 태웠다. 태경은 경멸하는 눈길로 그 버스에 오르는 사람들을 바라보았다.

사람을 태운 버스가 떠났다. 태경은 버스가 다른 차들에 가리워질 때까지 우두커니 서서 바라보고 있었다. 이윽고 버스가 더 이상 보이지 않을 때, 태경은 갑자기 서러움에 잠겼다. 어쩌면 그는, 점잖은 주인집 아저씨에게 어느 날 강간이란 야릇한 세례를 받은 어린 식모 같은 기분인지도 몰랐다. 갈 데도 없으면서 주인집을 나왔으되, 날은 저물고, 세상은 무섭기만 해서 어쩔 줄 모르는 60년대의 소녀 식모같이…. 분노는 그 감정과 전혀 다른 성질인 서러움으로 변질되고, 마침내는 자기 비하의 늪에 빠져서, 그곳의 질서에 쉽사리 길들어버리는 삶을 살 듯이….

태경은 길가의 찻집으로 들어갔다. 아침에 찬수가 점심을 같이하자고 했을 때, 가슴이 얼고 또 한편 불붙던 느낌이 되살아났다. 그때 호준에게 전화하지 않은 것이 얼마나 다행인지….

호준에 대한 생각은, 태경을 한순간에 격정으로 달궜다. 온몸이 차돌 멩이로 단단하게 뭉치는가 하면 한사코 젖는 느낌이기도 했다. 태경은 지금 자신이 여기 이렇게 앉아 있다는 게 싫었다. 호준에게로 가서 두 다리를 뻗고 마구 발버둥을 치면서 고자질을 해야 할 것이었다. 자기가 어떻게 모욕받으며 살아왔는지, 얼마나 거짓으로 살아왔는지… 그래서 그가 마침내 자기의 편이 되어 역성을 들도록 하고 싶었다. 하지만 어떻게 그에게로 갈 것인가….

그렇지만 태경은 이런 모습으로 그에게 가고 싶지 않았다. 마치 도망치거나 쫓기듯이… 태경은 그렇게는 호준에게 갈 수 없었다. 기쁘고 당당하게… 이것이 태경의 희망이었다.

그래서 지금은 '집'으로 가야 했다. 우선 남편과의 관계, 그의 감옥으로 부터 풀려나야 했다. 두렵고 무섭고 고통스런 일이지만 태경은 도망가지 않기로 작정했다. 웬지 그건 호준과 자기 자신에게 좋지 않을 것 같아서였다.

태경은 좌석 버스 정류장에서 내렸다. 그런데 이상했다. 발바닥에 철근이라도 매달린 듯 잘 떼어지지가 않았다. 발만 무거운 것이 아니었다. 다리도 무릎도 뻐근했다. 집은 멀고, 마음은 제멋대로 멀리 달아나기를 꿈꿨다. 태경은 정말 집이 싫어졌다. 집으로 들어가고 싶지 않았다. 그런데 이런 간절한 그의 마음과는 달리 빈사 지경의 그의 다리는 집으로 한 걸음씩 나아가고 있었다.

그렇게 그는 집에 닿았다. 문을 열어준 전씨가 태경을 보자마자 눈을 크게 떴다.

"니 얼굴이… 무슨 일이 있었니?"

전씨가 놀라서 무조건 숨죽인 목소리로 물었다. 태경은 흡사 어머니를 알아보지 못하는 표정으로, 전씨를 그냥 지나쳐 안방으로 들어갔다. 전씨가 따라 들어갔다. 태경은 입은 채로 침대에 쓰러졌다. 전씨는 눈앞이 아찔해서, 잠시 정신을 가다듬어야 했다.

"얘, 어미야. 너 무슨 일 있었니?"

전씨가 그저 두근거리는 가슴을 누르고, 억지 침착으로 딸에게 물었다. 태경은 좀체 입을 열지 않았다.

"어디 아프니?"

전씨가 딸의 이마에 손을 대었다. 손과 발을 만져보았다. 발이 얼음처럼 찼다.

"엄마. 제발… 아무 일 없으니… 혼자… 좀 잘게요."

태경이 지친 목소리로 손을 들어 내저으며 말했다. 전씨는 이렇게나마 딸이 자기의 생각을 나타내 보이자, 그래도 마음이 놓여 깊은 숨을 쉬었다. 담요를 꺼내 덮어주고 살며시 나와 소리나지 않게 방문을 닫았다. 학교에서 돌아온 소영이가 엄마부터 찾았다. 전씨는 어머니가 아파서, 지금 자고 있으니 나중에 만나라고 손녀를 따돌려놓았다.

이날 찬수는 9시가 채 못 되어서 돌아왔다. 그가 이렇게 일찍 돌아오는 일은 아주 드문 것이었다.

현관문이 열리자마자, 그의 온 신경은 아내의 존재를 더듬고 있었다. 아내는 언제나 그가 돌아오면 문턱으로 와서 다녀왔느냐고 인사했다는 걸, 그는 기억해 내고 있었다. 그러나 아내는커녕 집 안이 적막강산 같은 분위기였다.

전씨는 사위의 이른 귀가가, 심상찮게 드러누운 딸과 무슨 관계가 있는지… 우선 그것부터 캐어보고 싶었다. 하지만 찬수는 굳은 얼굴이었고 말을 붙일 틈을 주지 않았다.

찬수가 안방 문을 열려 할 때, 소영이가, 아빠! 엄마 아파! 라고 소리쳤다. 찬수는 그 말이 그의 목덜미에 찍히는 바늘 같아서 섬뜩함에 몸을 굳혔지만, 이런 반응은 아주 찰나적이었다.

그가 문을 열었다. 아내가 침대에 누워 있었다. 침대에 누워 있는, 담요에 가려 검은 머리만 보이는 아내를 보는 순간, 찬수는 아내와 헤어진 이후 줄곧 거머리처럼 달라붙던 불쾌한 의심이 사실이라는 확신을 갖게 되었다.

이상했다. 점심시간, 아내와 마주앉았을 때, 찬수는 아내가 내뱉은 너무도 충격적인 말들을 하나도 받아들이지 못했다. 그런데 시간이 지날수록, 혼절에서 정신을 차리는 환자처럼 조금씩 아내의 말이 하나하나 의미를 가지고 찬수의 가슴에서 싹처럼 자라났던 것이다.

이혼을 해야겠어요. 우리가 서로를 사랑하지 않는다는 걸 깨달았어요. 아무것도 바라지 않아요.

찬수는 애인이 있다고 고개를 끄덕이던 아내의 표정을 잊을 수가 없었다. 결혼한 이래 한 번도 아내에게서 본 적이 없는, 깊은 의미와 편안함이 서린 표정이었던가?

그래. 모든 게 사실일지 모른다.

찬수는 의심하면서도 이런 확신을 했고, 그러다가 다시, 어쩌면 중년의 우울증일지도 모른다고 생각을 바꿔보기도 했다.

그런데 지금, 태경은 누워 있었다. 모든 말이 사실이라고, 그걸 시위하듯이 누워 있는 것이었다.

찬수는 피가 한순간에 아래로 쏟아져 내리는 저린 느낌을 느꼈다. 만약 아내가 행주치마를 두르고 집안일에 사로잡힌 모습을 보여주었대도… 만약에 설거지를 하고 있었다거나, 아니면 돌아오는 그에게 문을 열어주며 웃어만 주었대도… 어쩌면 찬수는 '없었던 일'로 넘겼을지 몰랐다. 점심때처럼 대범하게, 집으로 들어가라고. 그렇게 어른스럽게…

그는 한동안 아내를 내려다보고 있었다. 그가 이제껏 경험을 통해 이해하고 있는 여자의 속성을 생각했다. 의존적이고 사랑받기를 원하며… 그런데 그가 여수에 있는 동안 몇 번 만난 두 명의 중년 유부녀들은 그렇지 않았다. 그들은 어쩌면 남자들과 비슷한 기분으로 이성을 잠깐 즐기는, 그런 새로운 모습이었다. 그런데 그 여자들이 돌아가 찬수 자기를 '애인'으로 여겼을까? 아니었다.

그렇다면 아내의 '애인'이란 존재는 무엇일까. 이혼까지 생각하게 하고, 아무 문제 없이 잘 살아온 자기들 부부관계에 대해 '서로 사랑하지 않는다'고 판단하게 한 그 '애인'이란 무엇인가….

찬수가 침대를 내려다보며, 오른손은 넥타이를 잡고, 이런 생각을 하고 있을 때, 자는 척하고 있던 태경이 일어나 앉았다. 부부는 서로 눈길을 주지 않았다. 그래도 찬수는 '아내가 달라졌다'는 걸 피부로 느끼기 시작했다. 외모도 그렇고 태도도 그랬다는 것을…. 어쩌면 오래 전부터 …. 그걸 이제 깨닫고 있는 자기라는 남자가, 웬지 처량하게 생각되었다.

이때 문이 삐끔이 열렸다. 소영이가 수상쩍어하는 눈치로 안을 들여다보았다.

"소영아, 나가 있어!"

태경이 부리나케 소리쳤다. 그러자 이내 문이 소리나게 닫혔다. 찬수가 비로소 작동이 되는 기계처럼 움직이기 시작했다. 그는 우선 윗옷을 벗어 방바닥 구석에 던졌다. 태경이 일어나 옷을 집어들었다. 찬수가 기둥처럼 서서, 움직이는 아내의 모습을 샅샅이 관찰하듯 바라보았다. 그러다가 옷을 장에 걸고 돌아서는 태경의 어깻죽지 하나를 세차게 잡아 돌렸다. 태경이 비칠거리는가 싶더니 어렵사리 바로 섰다.

"낮에 한 말… 다시 해봐!"

찬수는, 좀더 참아야 한다고 생각하면서, 생각과는 딴판으로 이렇게 낮고 무겁디무거운 목소리로 소리쳤다. 태경의 몸이 쭉정이처럼 침대 끝에 주저앉았다. 그의 팔이 눈에 보이게 떨리고 있었다. 팔뿐이 아니었다. 무릎도 흔들렸다. 찬수는 겁먹은 아내가 제 입으로 말하길 기다려주었다. 그러나 충분한 시간이 지났다고 생각했을 때, 그가 다시 짐승 사냥하듯 몰아붙였다.

"낮에 한 말! 다시 해보랬잖아!"

267

찬수는 이제 성난 하늘 같았다. 번개로 하늘을 찢고 천둥으로 땅을 울리는 기세였다. 그러나 여태 몸을 떨며 겁먹은 채 고개를 떨구고 있던 태경이, 놀랍게도 얼굴을 들었다. 겁도 모르고 빗속을 들뛰는 짐승 새끼처럼.

어쩌면 태경의 감각이 공포를 뛰어넘었는지. 화를 내는 찬수가 더 상대하기 편하다고 여겼는지….

찬수는 분노가 이글거리는 눈으로 아내를 내려다보았고, 아내는 그를 아주 편안하게, 욕망이 없는 눈으로 쳐다보았다.

"우리는… 사랑하지 않아요…."

태경이 읊조리듯 말했다.

사랑하지 않아? 찬수는 속으로 되받았다. 우스웠다. 멀쩡하게 살림 잘하던 아내가… 느닷없이 사랑… 하니, 않니… 어떡하다 이런 생각을 하기에 이르렀는지… 찬수는 가소로웠다. 가능하면 말썽부리지 말고 예전처럼 살림이나 잘하고 아이 잘 기르면 누가 뭐랄 것이며, 무슨 책임을 더 지우겠는가…. 그런데… 이건 망신이었다. 찬수는 그렇게밖에 생각할 수가 없었다.

"그래서!"

그가 소리쳤다.

"이런 거짓 생활을 할 수 없어요."

태경이 대답했다. 순간, 찬수가 태경의 뺨을 후려쳤다. '거짓'이란 표현이 찬수의 자존심을 가혹하게 긁은 것이었다. 태경은 댓바람에 방바닥으로 굴러떨어졌다. 코에서 피가 흐르기 시작했다.

태경은 방바닥으로 떨어져내리는 자신의 검붉은 피를 내려다보면서, 그래, 이젠 끝이다, 차라리 이편이 낫다, 죽도록 때려서 분풀이를 해라, 나는 이 지긋지긋한 모욕의 관계를 더 이상 계속할 수 없다… 고 생각했다.

찬수는 무저항의 아내가 더 미웠다. 저항도 하지 않고 투항도 하지 않는 적은 사람을 미치게 만들었다.

"뭐하는 놈이야."

찬수가 싸늘한 목소리로 물었다. 그러나 그의 목소리는 가늘게 떨리고
갈라졌다. 태경은 대답하지 않았다.

찬수는 10초를 기다렸다. 30초를 더 기다려보았다. 드디어 1분이 지났
다. 찬수는 아내가 자신의 기분을 깡그리 무시한다는 생각을 했다. 그런
느낌이 섬뜩하게 끼치는 것이었다. 괘씸한 것. 뭐가 잘났다고. 세상이 어
떻게 돌아가는지도 모르면서…. 찬수는 더 이상 참지 않기로 했다. 더 늦
기 전에, 아내에게 자기라는 남편의 존재를 확인시켜 줘야겠다고 생각하
는 것이었다. 그는 왼손으로 아내의 턱을 쳐올렸다. 태경의 목은 우습지
도 않게 댕강 뒤로 넘어갔다. 그때 찬수가 있는 힘을 다해, 아내의 얼굴
을 무작정 후려쳤다. 왼쪽과 오른쪽… 그리고 똑같이 다시 한 번…. 태경
은 언제 쓰러졌는지도 모르게 나뒹굴어졌고, 그것을 찬수는 멱살잡이로
끌어올려서 발길질을 해댔다. 뭐라구? 사랑하지 않아? 거짓 생활? 괘씸
한 것…. 찬수는 주먹과 발길질에 하나씩의 토를 달았다.

"뭐하는 놈이야?"

이젠 신음도 내지 못하는 태경에게 찬수가 씹어 뱉었다. 태경이 뭐라
고 중얼거렸다. 뭐하는 놈이건 상관이 없었다.

"얼마나 되었어?"

찬수가 다시 물었다. 태경은 신음인지 말인지를 입에서 우물거렸다.
밖에서는 소영이가 겁먹어서 울기 시작했고, 전씨는 찢기는 가슴을 억누
르며 외손녀에게 조금만 참으라고, 아무 일 없을 거라고, 어머니와 아버
지가 자기들끼리 다툴 일이 있는 모양이라고, 어른도 아이들처럼 싸울
일이 있는 거라고… 달래었다.

찬수는 침대에 걸터앉았다. 그는 거칠게 와이셔츠 단추를 끄르고 옷을
벗어 넝마처럼 구석에 내던졌다. 태경은 문턱에 꾸겨 박힌 채 여전히 피
를 흘리며 신음을 내고 있었다.

아직 멀었다…. 찬수는 아내를 내려다보고 잔인하게 비웃었다. 매가 무엇인지 모르는 인간의 엄살같이 보여서였다. 그러나 그는 더 이상 태경에게 매질을 하고 싶지는 않았다. 기분 내키는 대로 할 양이면 소리소문 없이 죽여서 시궁창에 내다 버리는 것이었다. 그러나 우선 저 가증스런 여자는 자기 자식을 낳아준 생모였다.

찬수는 담배를 피웠다. 갈증도 났다. 그러나 문 밖으로 나가기가 싫었다. 장모도 그렇고 딸아이도 맘에 걸렸다. 하지만 장모는 무엇인가. 자기 딸이 어떤 행실을 하고 다녔는지… 전혀 모르고 있었을까? 찬수의 생각이 여기에 이르자, 그의 표정이 험악하게 일그러졌다. 그는 장모 대신 태경을 손끝으로 잡아 일으켰다. 태경은 간신히 벽에 기대어 앉았다. 얼굴은 부어올랐고 입술도 한 주먹은 되게 부어올랐는데 피멍들고 찢긴 생채기에서 피가 배어 나오고 있었다.

"뭐하는 놈이야!"

찬수는 담뱃재를 화장대 위 아무 데나 털며 말했다. 태경이 고통스런 얼굴을 했다.

"말 못 하겠어? 반항이야?"

찬수가 낮게 으르렁거렸다.

"건… 축… 가… 요….."

태경이 아픈 입으로 겨우겨우 말했다. 건축가? 찬수가 속으로 되받아 씹어보았다. 태경이 건축가라고 했을 때 찬수의 머리에 떠오른 남자는 안전모를 쓴 공사판의 기사였다.

"얼마나 되었어!"

찬수가 캐물었다.

"일… 년… 쯤…."

태경이 일그러진 입으로 말했다.

"더러운 년!"

찬수가 기다렸다는 듯이 씹어 뱉었다.

그래! 네가 언젠가부터 평소와 다른 행동을 하더라. 뭐 동창들과 설악산으로 가? 서울로 올라올 필요가 없다고? 가증스러운 거! 남편이 뼈빠지게 일해서 톡톡 털어 올려보냈는데, 그것도 모르고 바람이 났어?! 괘씸한 것!

찬수는 너무도 화가 나서 숨이 잘 쉬어지지 않았다. 세상의 모든 여자가 타락해도 태경은 정숙한 아내일 거라고 믿었던 자신의 어리석음이 부끄러웠다. 그는 이미 얼굴을 알아볼 수도 없게 찢기고 부어 터진 태경을, 차마 때릴 데가 없어 그냥 두었다.

그는 두대째의 담배에 불을 당겼다.

간통죄로 넣어서 쇠고랑을 채울까?

이런 생각을 했다. 하지만 이건 아내보다 자기가 더 망신스러울 것 같았다. 아내가 자기를 두고 간통을 했다는 건 더없는 치욕이었기 때문이다. 담배가 꽁초가 되도록, 찬수는 아무 결론도 얻지 못했다. 우선 시간을 가져야겠다는 것밖에…. 그러나 자신의 치욕과 비통한 마음을 어디에 호소해야 할지…. 그는 하늘이 찢어지게 고함을 지르고 싶었다.

방문이 슬그머니 열리었다. 방 안의 기척이 너무도 고요해서 전씨가 도둑질하듯 문을 열었던 것이다. 전씨는 무서운 찬수의 눈과 마주치자마자 이내 고개를 떨구었다. 그러나 그가 떨군 시선은, 마치 혼을 빼서 멱통을 따놓은 짐승 같은 딸에게 닿고 말았다.

"아이구 여보게… 어미야…."

전씨는 사위와 딸을 번갈아 부르며, 몸은 딸의 곁에 쓰러졌다. 소영이가 겁먹고 눈물 그렁거리는 눈으로 들어와서 한눈에 이런 정경을 보아버렸다. 아이가 더 이상 참지 못하고 으앙, 소리쳐 울기 시작했다.

찬수는 방에서 나갔다.

"우리 엄마아! 이 얼굴 봐 할머니이… 우리 엄마야아…."

소영이가 울면서 소리쳤다.

나는 떠난다 침묵의 강에서

자정도 지나서, 태경은 담요 한 장을 들고 안방에서 나왔다. 안방문이 소리 죽이듯 열리고 닫히는 기척을 알아챈 전씨가 살며시 소영의 방문을 열었다. 그는 어둠 속에서도 태경의 움직이는 소리를 알아들을 수 있었다. 그는 태경의 팔을 잡아끌었다. 태경은 어머니가 이끄는 대로 소영의 방에 들어갔다. 전씨가 책상 모서리의 스탠드를 켰다. 소영이는 입을 조금 벌린 채 자고 있었다.

"왜 나왔어? 나가라디?"

전씨가 딸에게 소곤거렸다. 태경이 말을 하려고 입을 벌렸다. 그러나 그는 올챙이처럼 부어오른 입술만 실룩이다 말았다. 뺨에도 시퍼렇게 멍이 든 것이 터질 듯이 부어 있었다.

아무리 제 여편네라도, 사람이 어찌 사람을 이렇게 함부로 팰까⋯. 전씨는 여태 점잖은 남자로 알던 사위에게서 이런 포악을 봐야 하는 게 기가 막혔다. 사람이 죽을 죄를 졌다고 해도, 이렇게 분풀이를 해대다니⋯. 그러나 그는 자신의 이런 마음을 딸에겐 내색하지 않았다.

"어떻게 하기루 했니? 용서한대?"

다시 전씨가 귀에다 작은 소리로 물었다.

"어머니. 나는 안 살아요."

태경이 어렵게 입술을 우물거리며 대강 이런 말을 하였다. 전씨는 발음이 신통치 않은 그 말을 겨우겨우 새겨들었다.

"이게 고비다. 참구 넘기면… 사람이라는 게 다 살기 마련이니…."

전씨가 말했다. 태경은 어머니의 말이 끝나기도 전에 무어라고 입을 벌리다가 손을 입에 대고 신음을 뱉었다. 턱뼈가 울리는지, 광대뼈가 시큰대는지 근육이 쑤시는지, 태경은 고통 때문에 입을 열 수가 없었다.

"애들을 생각해. 아까 소영이 봤지? 어미 입에서 피가 난다고… 꿈에 헛것 볼까 석성이 되느냐…."

태경은 더 이상 어머니의 말을 들으려 하지 않았다. 그는 담요를 들고 일어서다가 엉치뼈가 시큰해서 한쪽으로 기우뚱거렸다. 그래도 그는 그 몸으로 걸어 소파에 가서 누웠다. 전씨가 딸의 담요 위에 오리털 이불을 덮어주었다. 태경이 전씨에게, 걱정 말고 들어가 주무시라는 시늉을 했다. 하지만 이른 아침이 되기까지, 전씨는 두어 차례나 더 나와 딸의 상태를 살피고 들어갔다.

태경은 잠들지 못했다. 근육이며 뼈들이 시큰대고 얼굴은 남의 살을 덧붙인 것처럼 얼얼한데도, 그의 정신은 어느 때보다 더 분명하고 또렷 또렷했다. 이상했다. 피곤도 느끼지 못했다. 견디기 힘든 감정에 휘말리지도 않았다. 그는 이런 명료함 속에서, 절대로 알아내지 못했을 비밀 하나를 발견했다. 자기가 왜 찬수에게 깊은 사랑을 느끼지 못했는지, 마침내 그 이유가 깨달아진 것이었다. 그것은 단 하나, 찬수는 자기를 인간으로 존중해 준 적이 없다는 사실이었다.

태경은 기뻤다. 자신을 오래도록 죄책감에 시달리게 하던 헛된 가면 하나를 벗어 던진 기분이었다. 이제 홀가분했다.

찬수가 자기의 멱살을 잡아올리던 손이며 걷어차던 발길 그리고 잔혹한 눈빛들이 새록새록 떠오르건만, 기분은 개운한 것이었다. 그리고 찬수가 자기에게 그렇게 할 수 있었던 것은, 태경이란 존재에 대한 멸시 때문이라고 생각했다. 만약에 그런 상황에 이르렀을 때, 호준이라면 결코 그런 방법을 쓰지는 않았을 것이란 생각도 했다. 찬수와 호준은 같은 남자이지만 그렇게 다르다는 걸 태경은 깨달은 것이었다. 태경은 입이 나아지면 우선 어머니에게 이런 차이를 설명하고 싶었다. 어머니의 표현처럼 남편이 없는 사이에 바람이 난 게 아니라는 걸 확실하게 이해시켜야 했다.

이날, 태경이 명료해진 정신으로 깨달은 건 이것뿐이 아니었다.

이제 찬수에 대한 자신의 모멸이나 모욕은 자신의 상처로 충분히 보상이 되었다는 생각이었다. 더 이상 자기는 찬수에게 갚아야 할 것이 없다고 생각했다. 그래서 마음이 가벼워졌다.

전씨가 일어나 새벽밥 준비를 했다. 습관처럼 시계가 우는 새벽 5시에, 태경도 깨어 있었다. 전씨는 일어나 앉는 딸을 소영이 방으로 들여보냈다. 근우한테까지 그런 모습을 보이지 말라는 것이었다. 어머니가 아프다고 할 테니 소영이 옆에 가서 이불 뒤집어쓰고 자라고, 윽박지르다시피하였다. 태경은 딱히 내키지는 않았지만 그렇게 했다.

이상하게 태경은 소영이의 옆에서 한순간에 잠이 들었다. 그래서 그는 찬수와 근우가 언제 어떻게 집을 나갔는지 알지 못했다. 소영이와도 잠결에 무슨 말인가를 나눈 것 같은데 기억하지 못했다. 그가 눈을 뜬 건 잠결에 들린 전화벨 소리 때문이었다. 아득하게 먼 데로부터 전화벨 소리는 파도처럼 태경의 귓가로 밀려왔고, 태경은, 나야… 저건… 나를 찾는 전화야… 호준 씨야… 라고 생각하면서 아직도 자신을 짓누르는 잠의 무게를 밀어내려고 애썼던 것이다.

그러나 아직 그가 잠의 무게와 서로 버티기를 하는 동안에, 태경은 '전화하지 말아요! 남의 가정부인…' 이런 전씨의 목소리를 들었다.

순간 태경은 차력사처럼 벌떡 일어났다. 그리고 어느 결에 벌써 전씨 곁으로 달려나갔다. 돌개바람인들 이리 빠를까. 태경이 전씨의 손에서 수화기를 나꿔챈 것이.

여보세요, 그가 말했다. 그러나 그는 이내, 이미 전화가 끊어진 것을 깨달았다. 태경은 고개를 떨구었다. 눈앞에 밑이 없는 늪이 나타났다. 늪은 중심으로 끝없이 맴을 돌며 살아 있는 것을 삼키려는 모습이었다. 저 속에 빠지면, 끝이라는 생각을 했다. 그러면서 태경은 눈을 감았다. 늪이 사라졌다. 태경이 눈을 떴다.

어머니. 태경이 전씨를 부르는 애절한 눈길로 어머니를 응시했다. 태경이 아직도 들고 있는 수화기를 내려놓을 줄도 모르고 그 손으로 자기 가슴을 쳤다. 그리고 사그러들 듯 주저앉았다. 어머니. 이젠 안 돼요. 난 죽어요. 이미 돌아갈 수 없어요. 다시 돌아가, 예전처럼 살 수가 없다구요…. 태경은 이렇게 속으로 말했다. 허물어져 웅크러든 그의 몸이, 흔들리기 시작했다.

전씨는 이런 딸을 아무 말없이 지켜보았다. 그는 딸에게서, 그저 상투적인 모정으로 딸을 염려하고 감싸주는 게 이미 아무 소용이 없다는 걸 어렴풋이 느끼기 시작했다. 가정을 지키라거나, 자식을 생각하라거나, 여자의 도리니 체면이니 망신이니… 이런 꾸지람이 통하지 않는 곳에 가 있는 듯한 느낌이었다. 그런데, 이렇게 울고 있는 딸을 바라보는 지금, 전씨에게 왜 '그놈'의 목소리가 되살아나는 것일까. 안녕하세요? 태경 씨 어머님이신가요? 저는 정호준이라고 합니다…. 왜 전씨는 그 부드러운 목소리를 들으며 겁을 냈을까. 그리고 무엇인가에 들킬세라, 전화하지 말아요, 남의 가정부인한테. 남의 가정을 쑥대밭 만들 작정입니까? 라고 허둥지둥 말해야 했던가.

전씨의 눈앞이 흐릿해졌다. 무엇이 옳고 그른지, 울고 있는 딸이 가엾은지 아니면 이렇게 겁만 먹고 있는 자신이 가련한 건지 분간이 안 갔다.

전씨는 천천히 태경의 곁에 앉았다. 흔들리는 딸의 등에 늙어서 주름진 손을 얹어놓았다. 다른 한 손으론 눈물과 콧물을 훔쳐내었다. 그리고 딸의 헝클어진 머리와 팔을 어루만졌다. 말로 할 수 없는 서러움과 정이 치받쳐서 목구멍이 아릴 지경이었다. 어머니와 딸은 말 한 마디 못 하고 울기만 했다.

… 그래 내 딸아. 전씨가 속으로 말했다. 내가 널 못 믿으면 누가 널 믿으랴…. 내가 나쁜 자식을 낳았을 리 없고, 내가 나쁘게 살지 않았거늘 …. 전씨는 속으로 말하면서 딸의 등을 쓸어내렸다. 하염없이 그렇게 했다. 그러다가 그는 자기가 이렇게 하고 있을 게 아니라 응혈 풀리는 약이라도 지어와야 한다고 생각했다. 자기가 해야 할 일은 딸의 몸을 제대로 한시 바삐 회복시키는 것이라고.

어머니가 일어난 다음, 태경은 오랜 울음 속에서 정신을 가다듬었다. 그는 자기가 여태 잡고 있던 수화기를 전화기 위에 올려놓았다. 말하기 불편한 지금은 참기로 했다. 그는 다시 소영의 방으로 들어가 누웠다. 저절로 눈꺼풀이 내리덮였다.

태경은 소리없이 눈이 내리는 느낌을 느꼈다. 방 안이 눈 오는 느낌으로 가득 차는 것 같았다. 포근하고 부드러운 느낌…. 태경은 눈을 뜨지 않고도 그것이 무엇인지 알 수 있었다. 호준의 '그리움'이었다. 그의 그리움이 지금 자기가 혼곤하게 누워 있는 방 안에 가득 찬 것이었다.

호준 씨. 나도 당신이 그립다. 태경은 방 안의 그리움에게 말했다. 손을 들면 안개처럼 살갗에 닿을 것 같은 느낌…. 그렇다. 당신과 나는 이제 하나다. 멀고 어두운 길을 지나 마침내 우리가 만나서… 지금 비록 내가 당신을 오직 그리움으로만 느낄지라도… 우리는 이제 하나다….

이윽고 태경의 오랜 피로와 회한이 물감처럼 그리움에 풀리기 시작했다. 완강한 덩어리이던 피로와 회한은 그리움의 바다에서 머지 않아 흔적도 없이 사라질 것이었다.

태경은 다시 잠들었다. 그가 잠깐 눈을 감았던 모양이라고 생각하며 깨어났을 땐, 정오가 지나서였다. 집 안이 고요해서 그는, 마치 고요를 헤집고 들어가듯 일어섰다. 몸이 아침보다 한결 부드러운 느낌이었다. 손가락으로 뺨을 눌러보았다. 그래도 아직 뻐근한 통증이 느껴졌다. 입술을 움직여보았다. 아, 하고 소리도 내어보았다. 어머니, 하고 불러보았다. 입을 양껏 벌리기는 어려워도, 조금 좋아진 느낌이었다. 태경은 혼자서 미소지었다. 그는 침대에서 내려와 거실로 나갔다. 안방을 들여다보았다. 어둡고 음습한 느낌이 언짢게 태경을 감쌌다. 다시 들어가고 싶지 않은, 그런 기분이었다. 거기에 자신의 오랜 생활의 습관이 배어 있으련만 지금은 태경에겐, 그저 '싫은 방'이었다. 주방과 근우의 방, 다용도실과 베란다도 기웃거렸다. 아무도 없었다. 이 순간, 태경이, 집 안엔 자기 혼자뿐이라는 걸 확인하는 순간, 그의 몸은 왜 닫히고 막힌 집 안을 거침없이 통과해서 세상으로 나가는 것 같은 기이한 환각에 빠졌을까.

태경은 환각이 사라지기 전에, 호준의 사무실로 전화했다. 그러나 그는 그곳에 있지 않았다. 조금 전에 대전으로 갔는데 내일 올라올 예정이라고, 전화를 받는 사람이 말했다. 대전이라면, 태경도 알고 있는 일이었다. 호준은 그곳에 연구소 건물을 설계하고 있었다.

태경은 그의 목소리를 듣지 못하는 것이 서운했지만, 그래도 그가 지금 어디서 무엇을 하고 있는지 눈에 그려져 마음은 편안했다. 그는 텅 빈 집 안을 다시 한 번 돌아보고 기웃거리듯 자신의 방, 오래도록 남편과 한 이불 속에서 살을 맞대고 지낸 방으로 들어갔다. 장롱 옆으로 놓인 간이용 옷걸이엔 태경과 찬수의 옷이 뒤섞인 채 걸려 있었다. 화장대 위엔 찬수가 떨어뜨린 기다란 담뱃재가 삭은 뼈처럼 버려져 있고 크린싱 크림의 흰색 뚜껑 위엔 짓이긴 듯한 꽁초가 불량하게 놓여 있었다. 태경은 화장품 뚜껑을 검게 그을리며 부서진 검은 담뱃가루와, 타액의 누르께한 흔적이 남은 꽁초를 역겹게 바라보면서, 아주 막연하게 자신의 결혼생활의 두께를 생각했다. 10여 년을 함께 살았으되, 두 사람을 하나로 묶는 막은 얼마나 얇았는지… 담배 꽁초 하나에도 구멍이 험하게 나 버리는 것이 아닌가 하고.

그러나 이젠, 아무래도 좋았다. 그는 찬수와 자신의 관계를 평가하고 싶지 않았다. 그는 화장대 서랍을 열어 일기장을 꺼냈다. 몇 날밖에 기록

되지 않은 일기가 거기 있었으나, 태경은 쓰여지지 않은 수많은 날들의 기억들 때문에 몸이 저려오는 느낌이었다. 비가 억수로 퍼붓던 날, 그 불안하고 우울하던 이른 봄날, 처음 만났는데도 익숙한 느낌을 주던 호준, 부드러운 인사 그리고 따뜻한 친절…. 두려워하며, 한사코 망설이면서 되살아나던 결혼하기 이전의 박태경 자신…. 꿈과 기대감들, 미지의 생에 대한 호기심들이, 십수 년 동안 쌓인 먼지를 들어올리며 깨어날 때의 그 기쁨과 놀라움…. 자기 속에 자기가 차오르고…. 사랑의 느낌, 황홀한 탐닉, 대기의 냄새와 하늘의 모든 것, 땅의 모든 것, 살아 있는 모든 것과의 따뜻하고 반가운 인사…. 마침내 사랑을 알게 되고 사랑 속에 생을 눕힐 때… 공연한 서러움, 당치 않은 죄책감….

태경은 일기장을 자신의 가방 속에 넣었다. 언제였던가, 이른 아침 서울을 떠날 때, 호준이 태경을 생각하며 그렸다는 초록과 보라, 파랑의 선들이 살아 있는 그림도 가방에 있었다. 그리고 태경은, 남편이 모르는 자신의 예금 통장 두 개와 적금 통장 하나도 가방의 속주머니 속에 넣었다.

사람이, 행복을 안다면, 저 많은 가재도구며 옷가지들이 무슨 소용이란 말인가. 태경은 처음으로, 많이 갖는다는 것의 부질없음을 생각하였다.

태경은 아무 생각도 없이 시계를 보았다. 오후 2시가 되고 있었다. 태경은 날이 저무는 게 두려웠다. 저녁이 되고 밤이 되어, 다시 남편과 만나야 한다는 게 생각만 해도 진저리가 쳐졌다. 태경은 거실로 나가 유리문에 서서 뜰을 바라보았다. 봄이 보이는 것일까? 아니면 아지랑이로 눈앞이 흔들리는 것일까…. 무엇일까. 이 울렁거리는 느낌….

그러나 태경은 잘 알고 있었다. 자기가 지금 간절하게 보고 싶은 것이 무엇인지.

태경은 눈을 비볐다. 부어오르고 멍든 살이 쓰라렸다. 그러나 그는 뿌연 눈길에 보이지 않는 글을 풀어놓았다.

당신이 너무 그립다.

그리움을 눌러서, 마침내 내 생이 그리움으로만 가득 차게 될지도 모른다.

당신이 보고 싶으면, 나는 그냥 운다.

태경의 몸이 중심을 버린 것일까. 그는 유리문에 전신을 기대고 섰다. 풀빛을 머금기 시작하는 장미 가지가 보이는가 하면 잔디보다 더 바삐 솟아난 풀이 하나 둘 여러 개가 눈에 보이기 시작했다. 그리고 무엇을 보았던가? 무엇이 움직이는 거… 커다랗고… 움직이는… 그림자… 그늘이었나?

태경은 고개를 갸웃하고, 방금 눈에 얼비치다 사라진 환영을 다시 떠올리려고 애썼다. 이때 현관의 초인종이 울렸다. 근거도 없이, 태경의 가슴이 쿵쾅거리며 뛰기 시작했다. 누구세요. 태경이 속으로만 소리내었다. 다시 초인종이 울렸다. 태경은 떨리는 손으로 문을 열었다.

아, 문 안으로 가득 차서, 태경에게로 다가오는 사람 하나….

호준이 거기 서 있었다.

그는 태경의 얼굴이 어떻게 달라졌는지 그리고 그것이 무엇을 의미하는지 한눈에 알아차렸다. 그는 성큼 안으로 들어와, 태경의 얼굴을 감쌌다. 가슴이 찢어질 것 같았다. 한 여자를 이런 수모와 고통 속에 놓아둔다는 것은, 얼마나 비열한 태도인가… 호준은 생각했다.

그들은 아무 말도 하지 못했다. 말은 때때로 거추장스런 도구이기도 했다. 호준의 손이 태경의 등을 한동안 쓰다듬고 있었다. 어쩌면, 호준도 태경이가 속으로 하는 말, 하느님 감사합니다, 라는 말을 들었을 것이다. 태경은 꿈이라도 좋았다. 죽음이라도 좋을 것이었다.

호준이 허리를 굽히고 현관 바닥의 신발 한 켤레를 바로 놓았다.

태경은 이제 자기가 발을 꿰기를 바라는 신발을 내려다보며, 대전에 갔다더니… 집은 어떻게 찾았어요… 라고 속으로 물었다. 그러나 아무렴 어떠리.

지금, 호준이 태경의 어깨를 잡아, 그의 주눅든 생을 부축하기 시작했
으므로….